L'ART D'ÉCRIRE

ANTOINE ALBALAT

L'ART D'ÉCRIRE

enseigné en vingt leçons

ARMAND COLIN

Collection L'Ancien et le Nouveau

Illustration de couverture : Guy Sabadie.

Première édition à la Librairie Armand Colin : 1899.

ISBN 2-200-37278-7

Armand Colin Éditeur, 103, bd Saint-Michel – 75240 Paris Cedex 05

PRÉFACE

LE BUT DE CE LIVRE

J'ai lu à peu près tous les manuels et tous les cours de littérature. Ce sont de bons guides ; mais aucun n'enseigne *techniquement* et *pratiquement* l'art d'écrire.

Je n'ai trouvé dans aucun ouvrage la *démonstration* des procédés de style, la décomposition du *métier* d'écrire, l'analyse intrinsèque et détaillée de la *science des phrases*. Les livres de théorie font admirer l'édifice, mais n'apprennent pas à construire.

Sous le titre de l'*Art d'écrire,* le philosophe Condillac a publié un ouvrage curieux, mais qui n'est qu'une tentative de désarticulation grammaticale, où il étudie les ressources de la langue sans examiner la production littéraire.

Il existe, sous le même titre, un livre de M. Antoine Rondelet, docteur ès lettres, qui n'est qu'une suite de réflexions sur les diverses opérations de l'esprit, un ensemble de conseils généraux sur la façon dont on doit se préparer à l'art d'écrire.

Je ne parle que pour mémoire du livre de M. Eugène Mouton, qui traite de l'impression et de la correction d'un livre.

Viennent ensuite les manuels.

La démonstration du style n'a pas été faite. C'est une lacune. J'ai essayé de la combler.

Je crois qu'on peut enseigner à avoir du talent, à trouver des images et de bonnes phrases.

Je crois qu'on peut, avec une aptitude moyenne, arriver à se créer un style.

Démontrer *en quoi consiste l'art d'écrire ;* décomposer les *procédés du style ;* exposer *techniquement* l'art de la composition ; donner les moyens d'augmenter et d'étendre ses propres dispositions, c'est-à-dire de doubler et de tripler son propre talent ; en un mot, *apprendre à écrire* à quelqu'un qui ne le sait pas, mais qui a ce qu'il faut pour le savoir, tel est le but de ce livre.

Les jeunes gens, les débutants, les étudiants, les jeunes filles, les gens du monde, tous ceux qui aiment les lettres et qui ont le goût du style, attendent impatiemment un ouvrage qui leur apporte la démonstration claire des procédés de l'art d'écrire.

On ne trouvera dans ces pages rien qui rappelle l'ancienne routine. J'ai rompu avec les préjugés de doctrine, les appréciations timides et les méthodes consacrées. Qu'on n'y cherche plus les vieilles classifications, les divisions arbitraires, les exemples surannés.

L'énoncé de la table des matières indique le plan et le but de cet ouvrage, qui pourrait s'intituler : *La Démonstration de l'art d'écrire étudié du côté des artistes.* On entre ici dans le *métier,* et l'on n'en sort pas. Tout le profit d'un cours de littérature doit consister dans l'étude du métier et des procédés, deux choses qu'on néglige le plus d'approfondir.

En terminant, je préviens le lecteur que je n'ai apporté dans l'exposition de ce travail et dans la facture de mes phrases aucune prétention au style. J'ai tâché d'écrire simplement et sèchement un ouvrage qui n'est qu'une tentative de démonstration, réservant mon effort d'écrire pour des ouvrages d'imagination pure ou de critique proprement dite.

PREMIÈRE LEÇON

LE DON D'ÉCRIRE

TOUT LE MONDE PEUT-IL ÉCRIRE ? — PEUT-ON ENSEIGNER À ÉCRIRE ? — COMMENT ON DEVIENT ÉCRIVAIN — PREMIÈRES CONDITIONS POUR ÉCRIRE

Une question d'abord se pose : *doit-on écrire ?* N'est-ce pas rendre un mauvais service que de favoriser le penchant à noircir du papier ? N'y a-t-il pas assez d'écrivains ? Faut-il encore encourager les mauvais ? Nous sommes inondés de livres ; que sera la littérature quand tout le monde en fera ? Enseigner à écrire, n'est-ce pas pousser les gens à publier des sottises ? N'est-ce pas rabaisser l'art, que de le mettre au niveau de tous, et ne le diminuera-t-on pas en le rendant plus accessible ?

J'ai moi-même protesté dans un ouvrage spécial contre ce *mal d'écrire* qui nous déborde et qui a fini par décourager le public. Il y a là évidemment un péril ; mais l'abus d'une chose ne prouve pas qu'elle soit mauvaise. Il n'est pas dit que l'on s'établisse écrivain parce que l'on saura mieux écrire. Tout le monde parle, et chacun n'est pas orateur. La peinture s'est vulgarisée, mais le premier venu ne se fait pas peintre, et tous les musiciens ne font pas des opéras. Il est excellent d'enseigner à écrire ; tant pis pour ceux qui gâcheront le métier.

Au surplus, ceux qui voudront suivre les conseils donnés dans cet ouvrage devront s'appliquer à bien écrire, et ceux qui s'appliqueront seront obligés d'écrire peu. Nous sommes donc à l'abri de tout reproche.

On peut écrire, d'ailleurs, non pas seulement pour le public, mais pour soi, pour sa satisfaction personnelle. Apprendre à bien écrire, c'est aussi apprendre à juger les bons écrivains. Il y aura donc d'abord un profit de lecture. La littérature est un agrément, comme la peinture, l'aquarelle et la musique, une distraction noble et permise, un moyen d'embellir les heures de la vie et les ennuis de la solitude.

Autre objection. On dira : vos conseils seront bons pour les gens qui ont de l'imagination, puisque l'imagination est la faculté maîtresse ; mais donnerez-vous de l'imagination à ceux qui n'en ont pas ? Et comment ceux-là auront-ils du style ?

La réponse est facile. Ceux qui n'ont pas d'imagination s'en passeront. Il y a un style d'idées, un style abstrait, un style sec, formé de solidité nette et de pensée pure, qui est admirable. Ce sont d'autres sujets à choisir, voilà tout. Pascal n'aurait-il écrit que les *Provinciales,* il resterait grand écrivain. L'*Émile* de Rousseau est un chef-d'œuvre de langue littéraire. La Bruyère et surtout Montesquieu sont, en ce genre, d'immortels modèles.

Chacun peut donc écrire, dans la mesure de ses facultés personnelles ; l'un peut présenter des discussions abstraites ; l'autre peindre la nature, aborder le roman, dialoguer des situations.

S'il ne voit pas clair dans ses aptitudes, s'il est embarrassé par l'élocution, il consultera des amis compétents et, en dernier lieu, ce livre-ci, qui a été fait pour l'aider, le former et le révéler à lui-même.

Si vous êtes capable de rédiger une lettre, c'est-à-dire de faire un récit à un ami, vous devez être capable d'écrire, parce qu'une page de composition est un récit fait au public.

Qui peut écrire une page peut en écrire dix ; et qui sait faire une nouvelle doit savoir faire un livre, car une suite de chapitres n'est qu'une suite de nouvelles.

Donc, toute personne ayant une aptitude moyenne et de la lecture, peut écrire, si elle veut, si elle sait s'appliquer, si l'art l'intéresse, si elle a le désir de rendre ce qu'elle voit et de peindre ce qu'elle sent.

La littérature n'est pas une science inabordable, réservée à de rares initiés et qui exige des études préparatoires. C'est une vocation que chacun porte en soi et qu'il développe plus ou moins, selon les exigences de la vie et les occasions favorables. Beaucoup de gens écrivent, qui écrivent mal ; et beaucoup pourraient bien écrire, qui n'écrivent pas et n'y songent pas.

Des personnes ordinaires, des intendants comme Gourville, des femmes de chambre, comme Mme de Hausset, Julien, le domestique de Chateaubriand, de vieux soldats, Marbot, Bernal Diaz, nous ont laissé des relations vivantes et intéressantes.

Le don d'écrire, c'est-à-dire la facilité d'exprimer ce que l'on sent, est une faculté aussi naturelle à l'homme que le don de parler.

En principe, tout le monde peut raconter ce qu'il a vu. Pourquoi chacun ne pourrait-il pas l'écrire ? L'écriture n'est que la transcription de la parole parlée, et c'est pour cela qu'on a dit que le style, c'est l'homme. Le style le mieux écrit est souvent le style qu'on pourrait le mieux parler. C'est ainsi que l'entendait Montaigne.

N'avez-vous jamais été frappé de l'aisance que mettent les paysans dans leurs récits, lorsqu'ils se servent de leur langue natale ? Les gens du peuple, pour vous dire les choses qu'ils ont vécues, ont des trouvailles de mots, des originalités d'expression, une création d'images qui étonnent les professionnels. Qu'une femme de cœur, la première venue, écrive à quelqu'un la mort d'une personne chère, elle fera un récit admirable qu'aucun écrivain ne surpassera, fût-il Chateaubriand ou Shakespeare. Alphonse Daudet et Goncourt ont cherché partout autour d'eux ce son du vrai inimitable. Goncourt copiait servilement les dialogues qu'il entendait. Les plus beaux mots de Manon Lescaut ont certainement été dits. J'ai entendu un paysan comparer le bruit d'un coup de tonnerre au bruit que fait une « pièce de toile qu'on déchire ». Nos anciennes chansons populaires, dont M. G. Doncieux nous prépare une savante reconstitution et une édition définitive, sont l'œuvre anonyme de poètes obscurs.

Si donc tout le monde peut écrire, à plus forte raison les personnes moyennement cultivées, les jeunes gens qui ont de la lecture et qui aiment le style, les jeunes filles qui font des vers élégants ou inscrivent leurs pensées dans un journal intime. Il y a toute une classe de gens qui, dirigés et éclairés, pourraient former et accroître leurs aptitudes jusqu'à avoir du talent. Beaucoup ignorent leurs forces, parce qu'ils ne les ont pas employées, et ne se doutent même pas qu'ils pourraient écrire. D'autres, mal secondés ou dissuadés dans leur vocation, se découragent de rester médiocres, faute d'un guide qui les perfectionne. J'ai connu trois femmes qui n'avaient jamais écrit une ligne et qui souriaient d'impuissance, quand je leur ai conseillé d'écrire. Elles se croyaient incapables d'avoir du talent. Elles se sont décidées à commencer leur journal d'après des préceptes et des formules techniques, et elles font aujourd'hui des descriptions vivantes, en relief, très remarquables, que leur modestie seule s'obstine à garder inédites.

Les trois quarts des personnes écrivent mal parce qu'on ne leur a pas *démontré* le mécanisme du style, l'anatomie de l'écriture, comment on trouve une image, comment on construit une phrase. J'ai toujours été frappé de la quantité de gens qui pourraient écrire et qui n'écrivent pas ou écrivent mal, faute d'avoir quelqu'un pour les dégager des langes où ils sont emprisonnés.

J'ai vu des styles inexpérimentés rouler des perles et de l'or dans de la terre, des plantes vivaces dans de la mauvaise herbe. Détacher le filon, sortir le diamant, sarcler le champ, ce n'est rien et c'est tout.

Quand on refait leurs phrases, quand on pousse leurs images, quand on nettoie leur style, quand on resserre leurs mots, les voilà stupéfaits : « Personne ne nous a jamais dit ça », et ils sont émerveillés de voir le précipité vrai, solide, brillant, qui est bien à eux et qui est resté au fond du creuset après cette opération.

La nécessité d'un guide est absolue pour les natures moyennes, car il s'agit ici non des génies, non des futurs grands hommes à qui on n'enseigne rien parce qu'ils se passent de tout, mais de ceux qui ont une vocation ordinaire et qui peuvent doubler leur talent par l'effort et les conseils.

Molière interrogeait sa servante. Racine consultait Boileau. Flaubert écoutait Bouilhet. Chateaubriand se soumettait à Fontanes.

J'ai voulu être un guide pour ceux qui ne peuvent en avoir d'autres. Voilà quinze ans que je me bats avec les mots et que j'écris du roman, des nouvelles et des articles de critique, faits et refaits avec acharnement.

Mon expérience personnelle vaut peu de chose assurément. Il m'a semblé néanmoins qu'elle pourrait être utile à d'autres, et qu'il y aurait profit à publier ce que j'avais appris seul. Le résultat de ces années de travail et de lecture servira certainement à ceux qui débutent dans l'art d'écrire, à ceux qui s'y préparent professionnellement comme à ceux qui veulent en jouir en *dilettanti*.

DEUXIÈME LEÇON

LES MANUELS DE LITTÉRATURE

LES MANUELS DE LITTÉRATURE — CE QU'ILS DEVRAIENT ENSEIGNER — APPRENNENT-ILS À ÉCRIRE ? — LES DÉMONSTRATIONS TECHNIQUES — Y A-T-IL UN STYLE UNIQUE ? — COMMENT CONNAÎTRE SES PROPRES APTITUDES ?

Les anciens manuels de littérature perdaient beaucoup de temps à développer les différences des divers styles, le *style simple,* le *style figuré,* le *style tempéré.* On pesait et on discutait la force des expressions, la qualité des images. On apprenait à distinguer le genre épique du genre dramatique, lyrique ou didactique. On insistait sur les caractères de l'ode ou de l'épopée.

Tout cela est sans profit. Nous ne nous en occuperons pas.

On insistait beaucoup aussi sur l'étude des modèles, en disant : « Formez-vous en les étudiant. Tâchez d'écrire aussi bien qu'eux. »

Certes, c'est une excellente chose que d'étudier les chefs-d'œuvre ; l'admiration conduit à l'imitation, et l'imitation est un moyen de s'assimiler les beautés d'autrui. Mais on signalait trop les perfections et pas assez les défauts. Comme le lecteur est enclin à écrire des choses médiocres, c'est l'exemple des choses médiocrement écrites qu'il faut aussi lui donner pour lui apprendre à les fuir.

Ce qu'il faut lui montrer, ce sont des phrases mauvaises qu'on peut rendre bonnes ; et dire pourquoi elles sont mauvaises, et comment on les rend bonnes. Vous ne saisirez ce que c'est que bien écrire qu'après qu'on vous aura exposé ce que c'est que mal écrire.

La vérité, c'est qu'il faut désarticuler le style et les procédés, aller au fond, sortir le muscle, décomposer la sensation et l'image, enseigner comment on construit une période ; montrer surtout les résultats qu'on peut obtenir par l'effort, le travail et la volonté.

Car tout est là. On ne sait pas assez le parti qu'on peut tirer d'un morceau de prose ordinaire, en poussant l'exécution, en le refaisant, en le perfectionnant. C'est là qu'est toute la science d'écrire et qu'intervient le rôle d'un guide éclairé.

Il est certain qu'il est délicat de vouloir enseigner à écrire, lorsqu'on n'est pas soi-même un écrivain consacré par l'admiration. Mais, à ce compte, peu de gens seraient capables d'un tel rôle. On nous pardonnera de le tenter, si l'on songe à la quantité de gens qui se constituent professeurs de style. Que de manuels ! Que de conseils ! Que de cours ! Que de volumes professionnels ! Consultez les catalogues des librairies classiques. La plupart des auteurs qui entreprennent ces démonstrations sont loin d'être eux-mêmes des écrivains remarquables. Ils ont seulement de la lecture, de l'érudition, un jugement clair et du goût. Puisque cela suffit à justifier leur prétention, je ne vois pas pourquoi je m'excuserais de publier à mon tour un manuel pratique et technique de littérature.

Beaucoup de gens, je le sais, déclarent l'art inaccessible et *indémontrable*. « Apprendre à écrire ! Quelle dérision ! On n'apprend pas à écrire ! Le style est un don. On l'a ou on ne l'a pas. Chacun sent comme il peut. Écrire est une affaire d'inspiration. On n'enseigne pas à avoir de l'inspiration. La création des mots, l'art des expressions sont des qualités innées. Les conseils peuvent entretenir le feu sacré, préparer la culture des qualités, disposer en quelque sorte le terrain productif ; mais jamais on n'apprendra à découvrir de belles pensées ou des phrases originales. »

Il y a là une confusion. On n'apprendra à personne à être Bossuet ou Eschyle ; mais il y a dans l'art d'écrire une *partie démontrable,* un côté *métier* d'une extrême importance, une science technique, une sorte de travail détaillé et profond qui fournit presque autant de ressources que l'inspiration. On admire souvent des beautés qui sont dues à des combinaisons de mots, à des adresses de structure, aussi bien qu'à des hasards ou à des chocs inattendus. Les résultats d'une longue expérience peuvent donc former un cours de leçons profitables. Il y a des qualités acquises et des qualités à acquérir. Celles qu'on peut acquérir *dépassent peut-être celles qu'on possède.* Sans doute, une partie de l'art d'écrire ne s'apprend pas ; mais une autre partie s'apprend. C'est faute de travail que tant de gens écrivent si mal.

Le travail aide l'inspiration ; c'est lui qui la fait fructifier ; c'est par lui qu'on arrive à doubler ses forces. S'il est vrai que le génie n'est qu'une longue patience, disons hautement que l'art d'écrire peut s'apprendre longuement, patiemment, victorieusement. Il ne s'agit pas, bien entendu, de donner des formules sûres, des règles mathématiques, des recettes infaillibles pour escamoter les difficultés et trouver des beautés factices. Il s'agit de décomposer la forme, d'analyser les tournures et les expressions, de fournir aux lecteurs la mise à point vraie du style, l'angle où il faut le voir.

L'enseignement que nous concevons gagnerait à être donné de vive voix ; il ne porterait même tout son fruit que si nous pouvions corriger nous-mêmes des compositions faites par les élèves, et non des morceaux pris dans les auteurs, parce que les devoirs d'élèves contiennent des maladresses et des inexpériences qui ne sont déjà plus, sinon en petit nombre, dans les morceaux imprimés. Il est facile de montrer les procédés sur une matière naïve ; il est plus difficile de trouver des exemples, d'inventer des fautes, de préparer des sujets à corrections. Nous suppléerons de notre mieux à cet inconvénient.

On dira encore : votre prétention d'enseigner le style est chimérique ; quel style allez-vous enseigner ? Il n'y a pas de patron unique de style. Chaque auteur a le sien. Michelet n'écrit pas comme Guizot; Bossuet n'écrit pas comme Fénelon; Montesquieu ne ressemble pas à Chateaubriand. De quel droit m'imposerez-vous telle forme plutôt que telle autre? Savez-vous si elle conviendra à mon tempérament? Vous me conseillerez le style régulièrement construit, à moi qui suis né pour écrire du style haché menu; et vous donnerez Bossuet pour modèle à quelqu'un qui a la nature de Michelet.

Objection spécieuse. Oui, sans doute, il y a autant de style que d'auteurs, et il serait absurde de vouloir en imposer un, quel qu'il soit. Ce n'est pas un style spécial que nous voulons proposer, nous voulons apprendre à chacun à bien écrire dans son propre style. Il y a un art *commun* à tous les styles. Ce sont les principes, les nuances et les conséquences de cet art que nous désirons développer. C'est cet art qui constitue la science d'écrire. Bien que les qualités d'écriture ne soient pas les mêmes chez tous les auteurs, un bon vers de Boileau est bon pour les mêmes raisons qu'un vers de Victor Hugo. « Un bon vers n'a pas d'école », disait Flaubert.

Un bon style non plus. Nos raisons d'admirer les maîtres sont les mêmes à toutes les époques. Quand je parle d'Eschyle, vous pouvez croire que je parle de Bossuet. Pascal n'est souvent qu'un Guez de Balzac de génie; et, l'éloquence à part, on aperçoit perpétuellement Montaigne derrière Rousseau.

Certes, nous, nous ne voulons obliger personne à adopter tel ou tel style et à n'être que de pâles pasticheurs. Ce que nous conseillerons, c'est de décomposer et de s'assimiler tous les styles; puis de s'en former un. Tâchez d'abord de bien écrire, et l'originalité de votre forme arrivera seule. En tous cas, il y a une tradition de style de la langue française; c'est la tradition classique, le moule régulier et tranquille, la structure académique et logique, dans laquelle ont écrit les Fénelon, les Rousseau, les Chateaubriand et Flaubert. Suivez cette coupe : elle est générale et domine tout.

Voilà, à priori, la forme qu'il faut proposer pour modèle. Soyez sûr qu'à votre insu votre tempérament la modifiera, si vous êtes né pour la modifier, et que vous briserez sans effort ce moule, s'il est trop étroit pour vos qualités ; l'épithète débordera, si vous avez la vocation de l'épithète ; la couleur apparaîtra, si vous avez le goût de la couleur ; vous surchargerez sans le vouloir, si vous aimez l'empâtement. Vous créerez vous-même le détail, la nuance, la floraison de votre talent ; mais d'abord adoptez le moule classique, la forme prévue et sobre, la droiture littéraire, la tempérance, la probité, le dessin. Si vos qualités contiennent en germe des efflorescences futures, laissez-les germer. Ne partez pas, comme on dit, du pied gauche et ne débutez pas par l'exceptionnel, par l'*outré,* par le violent et le rutilant. Si vous avez la vie en vous, vous crèverez l'œuf ; mais sachez qu'il n'y a pas de développement possible en dehors de l'embryon ordinaire.

Ce qu'il faut donc viser, ce qu'il faut atteindre, c'est la forme résultant du génie de la langue française ; cette forme qui a suffi aux auteurs les plus divers, aux tempéraments les plus difficiles ; à qui nous devons, même de nos jours, des œuvres comme *Salammbô* et *Trois Contes* de Flaubert et les contes de Daudet. Cette forme académique n'a pas empêché Bossuet d'être un créateur de mots incomparable, et Chateaubriand d'écrire dans ses *Mémoires* des pages d'une couleur et d'une hardiesse où l'on retrouve le futur pinceau de Gautier, Saint-Victor et Goncourt.

Un manuel sur l'art d'écrire est donc possible, nécessaire et logique, en prenant pour modèle la construction générale de la phrase française, telle qu'elle est sortie du latin et telle que l'ont exploitée trois siècles de littérateurs excellents. C'est, en somme, la forme latine, assouplie et transformée ; on aura beau faire, le style français sort du latin par Amyot et Montaigne, et ce sang originel lui restera. Cela est si vrai, que, même de nos jours, nos meilleurs écrivains conservent, derrière leurs expressions originales et leurs audaces d'artiste, quelque chose du latin, une résistance de muscles et une netteté de tournures qui viennent de l'universelle langue romaine.

La première condition préparatoire pour écrire, c'est de se connaître et, pour cela, de s'examiner, de s'étudier, de savoir, comme le dit Horace, de quel fardeau vous pouvez charger vos épaules.

Quelle est votre vocation ? Quels sont vos goûts ? De quoi êtes-vous capable ? Quelles sont vos préférences ? Avez-vous des aptitudes pour le roman, pour le dialogue, pour la poésie, pour la description ?

Rien n'est plus difficile que de se connaître littérairement. Notre imagination a des mirages qui nous trompent. Le vrai germe est parfois étouffé et n'apparaît que tardivement. Gautier et les Goncourt se croyaient nés pour la peinture. Rousseau n'a compris qu'à quarante ans qu'il était écrivain. H. de Balzac a cherché sa voie pendant des années en faisant du roman d'aventures.

Vous vous croyez coloriste, et vous êtes né pour l'analyse. Vous étiez marin comme Loti, et vous étiez né pour écrire. Un hasard nous révèle à nous-mêmes. Nous ne réussissons pas toujours dans les choses qui nous plaisent le mieux. Vous lisez des comédies, vous voilà épris de dialogues ; mais vous habitez la province, mauvaise condition pour faire du théâtre. Un esprit curieux fait souvent le tour des connaissances avant de savoir sa propre mesure et d'être fixé sur sa valeur. Il y a des assimilations passagères qui ne sont que des trompe-l'œil. Il faut, pour avoir une entière certitude de sa vocation, répéter les essais, recommencer les épreuves, changer d'exercice, passer d'une lecture à une autre. À la fin, une prédilection s'affirme, un sentier se trace au milieu de ces routes diverses et, grâce à l'intervention d'un ami, à l'aide des conseils et des avis d'un compagnon intelligent, vous savez enfin à peu près ce que vous voulez faire et ce que vous pourrez faire.

Il ne faut pas surtout s'aveugler sur soi-même, car il arrive que ce que nous aimons le mieux en nous, ce sont nos défauts. On doit donc réagir, se faire violence, contrebalancer ses mauvaises inclinations et diriger ses dispositions d'intelligence du côté de ses qualités. Il est rare qu'on ait le discernement et le courage d'être purement et simplement ce que l'on est.

Il faut d'abord examiner l'influence du milieu où l'on vit, car c'est souvent le milieu qui précise et développe nos facultés. Si vous habitez un village, il y aura des chances pour que vous soyez apte à peindre les mœurs rustiques et incapables de peindre les mœurs mondaines. Quand on est trop près des choses qu'on voit; quand on a, comme on dit, trop le nez dessus, on finit par ne plus les apercevoir, et on ne songe pas à exprimer ce qu'on sait le mieux. Il faut un effort, un recul, pour s'en rendre compte.

Si vous causez bien, si vous possédez l'esprit de conversation, il y a des chances pour que vous soyez orateur plutôt qu'écrivain, et c'est de ce côté qu'il faut vous tourner.

Il serait trop long d'énumérer les diverses hypothèses à envisager pour arriver au discernement de soi-même. Les remarques et les conseils varient pour chaque personne. Le moyen, d'ailleurs, qui vous fournira le plus de lumière à ce sujet, c'est la lecture.

TROISIÈME LEÇON

DE LA LECTURE

DE LA LECTURE — CONSÉQUENCES DE LA LECTURE — L'ASSIMILATION PAR LA LECTURE — LA LECTURE EST UNE CRÉATION — COMMENT FAUT-IL LIRE ? — FAUT-IL LIRE BEAUCOUP DE LIVRES ? — LES AUTEURS QU'ON PEUT S'ASSIMILER — ÉTUDES DES PROCÉDÉS PAR LA LECTURE — HOMÈRE, MONTAIGNE, BALZAC, SAINT-ÉVREMOND, BOSSUET, ROUSSEAU — COMMENT FAUT-IL LIRE ? — LES FICHES — COMMENT PRENDRE DES NOTES ? — QUE DOIT-ON ÉCRIRE SUR SES FICHES ? — L'ANATOMIE DU STYLE — LA FAUSSE ANALYSE LITTÉRAIRE — LA VRAIE ANALYSE LITTÉRAIRE — LE STYLE, LE MÉTIER, LE TALENT — PASTICHES ET COMPARAISONS TECHNIQUES

« Nos connaissances sont les germes de nos productions » a dit justement Buffon, dans son immortel *Discours sur le style*. Le talent ne se crée pas. « Il se transfuse toujours par infusion », ajoute non moins justement Flaubert, qui avait tout lu. Rousseau, avant d'écrire, avait lu et relu Montaigne et Plutarque. Bossuet possédait à fond la Bible et les pères de l'Église. L'immense lecture de Montaigne est proverbiale. Il écrivait et parlait le latin avant d'aborder le français. Chateaubriand avoue qu'il relisait sans cesse Bernardin de Saint-Pierre.

Tous les grands écrivains proclament la nécessité de lire, et de bien lire. La lecture est la base de l'art d'écrire. Sans doute on peut trouver des exceptions, des exemples de génie, un G. Sand s'improvisant écrivain. Il faut s'en tenir à la généralité.

Profitable à tous les grands talents, dont elle a formé la personnalité vigoureuse, à plus forte raison la lecture est-elle nécessaire à nous, les derniers venus et les médiocres, nous qui avons tant besoin de fortifier notre inspiration, d'aider notre culture, et d'étendre, d'alimenter, de transformer nos idées. Pour nous tous, le champ de notre imagination est en friche ; il peut produire ; mais il faut qu'il soit labouré. C'est presque toujours après une lecture que se déclarent les vocations littéraires, parce que c'est par elle que notre esprit s'ouvre aux multiples ressources de l'art d'écrire. Elle nous les montre mises en pratique ; elle nous révèle les moyens d'exécution ; elle nous fait voir comment on traite une situation difficile, comment on met de l'émotion dans ses phrases, comment on varie ses expressions. Tour à tour passent devant nos yeux des scènes réussies, des descriptions fortes, des dialogues parfaits, les adresses de l'esprit, les procédés du style, les effets identiques obtenus par des arrangements différents, les exemples des styles les plus opposés, les infinies combinaisons d'une science appliquée par des tempéraments dissemblables. Les finesses de notre intelligence s'éveillent ; notre imagination est entretenue dans un état de verve ; l'assimilation s'opère. C'est une longue création, une seconde nature qui nous vient, l'éclosion motivée et féconde de nos qualités natives. On peut affirmer que l'homme qui ne lit pas est incapable de connaître ses forces, et ignorera toujours ce qu'il peut produire.

On ne saurait trop le répéter : il faut lire, toujours lire. Méfiez-vous de ceux qui disent : « Je ne veux rien connaître ; je ne veux rien lire : la nature me suffit. » Ceux-là risquent de ne jamais rien produire de bon et de refaire sans cesse ce qui a été fait ; car on avouera au moins que la lecture nous met en garde contre les sujets et les procédés déjà exploités.

Vous voulez savoir si vous aurez du talent ? Lisez. Les livres vous l'apprendront.

Vous écrivez, mais vous voilà arrêté ? Lisez. Les livres vous redonneront l'inspiration.

Lisez quand vous voudrez écrire ; lisez quand vous saurez écrire ; lisez quand vous ne pourrez plus écrire. Le talent n'est qu'une assimilation. Il faut lire ce que les autres ont écrit, afin d'écrire soi-même pour être lu.

La lecture dissipe la sécheresse, active les facultés, *déchrysalide* l'intelligence et met en liberté l'imagination.

Je sais des littérateurs de mérite qui ne se mettent jamais au travail sans avoir lu quelques pages d'un grand écrivain, moyen excellent pour retrouver l'inspiration.

La lecture est le grand secret. Elle apprend tout, depuis l'orthographe jusqu'aux constructions de phrases.

Faut-il lire beaucoup de livres ou faut-il lire peu de livres ? Question importante et délicate. Des lectures éparpillées sont sans profit, de même que la lecture d'un seul auteur, par une assimilation trop étroite, fait tomber dans le pastiche et nous transfuse les défauts d'un écrivain. C'est ce qui est arrivé à Lamennais, dans son *Essai sur l'indifférence,* où l'imitation de Rousseau est criante ; ce sont les mêmes phrases, les mêmes tournures, les mêmes antithèses, les mêmes véhémences, la même langue.

Le *timeo hominem unius libri* est un vieil adage. Je crains l'homme d'un seul livre ! Oui, sans doute, si ce livre est la Bible ou Homère, vastes forêts inépuisables en variété et en profondeur, où l'on retrouve tous les génies et toutes les écoles ; mais en dehors de ces grandes œuvres, il faut, je crois, beaucoup de prudence et de tact, si l'on veut s'en tenir à la lecture d'un seul livre, pour ne pas tomber dans les inconvénients que nous signalons. Il y a d'ailleurs, comme l'a dit Spencer, des estomacs qui engloutissent beaucoup d'aliments et digèrent tout.

Sénèque ne veut pas qu'on lise trop. Il voit une dépravation d'appétit dans une curiosité trop universelle, et il croit que vouloir tout lire n'est souvent que s'exposer à tout parcourir. On ne peut, selon lui, entrer dans la substance d'un auteur que par une fréquentation assidue dont le profit ne se dégage qu'à la longue. Il termine ses conseils à Lucilius en l'engageant à faire un choix parmi les meilleurs auteurs. C'est la règle la plus sage, et il faut s'y tenir.

Mais quels auteurs choisira-t-on ? C'est ici que les opinions diffèrent. Tout d'abord, pour former ses aptitudes, pour avoir un coup d'œil littéraire complet, pour éveiller les facultés créatrices et les dispositions imaginatives, il faut absolument beaucoup lire, lire le plus de bons auteurs qu'on pourra. Ensuite on choisit les meilleurs, et, parmi les meilleurs, non pas les premiers, ni même les plus purs et les plus simples, mais ceux qui sont le plus en rapport avec nos penchants, surtout ceux qui peuvent profiter directement, *ceux qu'on peut s'assimiler,* car il y a *des auteurs qui sont assimilables et d'autres qui ne le sont pas.*

C'est là une distinction d'une extrême importance pour ceux qui veulent pratiquement apprendre à écrire et ne pas tâtonner pendant des années à travers les auteurs. Il faut lire les maîtres, c'est bientôt dit. Mais quels maîtres ? Nous allons tâcher de les indiquer, sans nous préoccuper des sujets, de la portée sociale ou morale, de la valeur philosophique ou de l'influence des œuvres, n'ayant en vue ici que le *métier, l'art d'écrire,* le profit immédiat qu'on peut tirer de la lecture.

On a trop dédaigné jusqu'ici ce côté d'utilité pratique ; on ne voit dans la lecture que des modèles d'élévation générale proposés à l'admiration de l'esprit plutôt qu'à la mise en œuvre de la faculté d'écrire. On dit : pour vous former, lisez La Fontaine, Molière, Boileau, Corneille, etc. Voilà évidemment quatre auteurs qui nous montrent jusqu'à quelle perfection s'est élevé l'art littéraire, mais dont la lecture, j'en ai peur, risque d'être sans profit immédiat sur la formation de votre style. Vous passeriez des années à lire La Fontaine, que vous n'en seriez pas plus avancé ; par une raison plus simple, c'est que La Fontaine est *inimitable ;* il a emporté avec lui le secret de son métier ; il est impossible de savoir comment il construit ses phrases, par quel génie ou par quel travail [1] il obtient cette concision et ce relief. Il y a, en outre, chez lui, une drôlerie, une tournure d'esprit originale, tranchons le mot, une cocasserie que personne ne pourra jamais décomposer ni s'approprier.

Pour Boileau, c'est une perfection d'ajustage, d'emboîtage et de resserrement admirables. Mais la langue littéraire a

1. Il refaisait dix ou douze fois chaque fable.

marché, s'est élargie ; le vers classique n'est plus possible ; les fleuves ne remontent pas vers leurs sources ; l'art n'est pas stationnaire ; le moule de Boileau a été rejeté. Qui l'imiterait tomberait dans la sécheresse et la vétusté. Le modèle d'énergie et de sobriété qu'il nous offre, nous pouvons le trouver ailleurs.

Quant à Molière, il offre un profit de fond plutôt que de forme, par la profondeur de son observation déconcertante et son dialogue éternellement humain – bien que, sous des contours un peu durs et incorrects, il ait peut-être fait, avec Corneille, les vers les plus heureux, les plus beaux, les plus inattendus de la langue française.

L'admiration que nous aurons pour Corneille est également plus objective que subjective. Nous allons à lui, il ne vient pas à nous.

D'une façon générale, il vaut mieux commencer par lire ce qui est simple, classique, sincère, pur, droit de pensée et de sentiment, pour donner au goût et aux idées la rectitude et la clarté qui sont la base des grandes œuvres. Nous sommes d'accord là-dessus. Mais, au point de vue du *métier,* pour l'*assimilation technique* et le profit *urgent,* il faut surtout lire les auteurs qui *nous laissent voir* leurs procédés ; chez lesquels on puisse discerner les moyens de travail, les artifices de structure, les détails de style, la science de l'expression ; par quel effort on trouve des juxtapositions saisissantes ; comment on obtient l'intensité et le relief ; la mise à point et l'angle où il faut se placer pour faire saillir les idées ; l'habileté nécessaire pour les dédoubler et les pousser, etc. Savoir voir est le grand mot de l'écriture littéraire ; et savoir *comment il faut voir,* c'est presque savoir *comment il faut exprimer.*

En tête des auteurs qui peuvent offrir ce genre d'enseignement, il faut placer Homère, qui reste le plus grand écrivain de tous les temps. C'est chez lui qu'on trouvera le premier modèle de *la vie dans la description.* Si vous n'avez pas lu Homère, vous ne saurez jamais ce que c'est que le *réalisme vrai* et l'*art de décrire.*

Nous y reviendrons en analysant ses descriptions; mais, sachons-le bien dès à présent, personne n'a jamais surpassé Homère; il y a en lui les germes de toutes les écoles; il contient l'émotion, l'éloquence, l'humanité, l'observation, la peinture, la couleur à un degré tel, qu'il demeure l'éternel modèle de l'art d'écrire. Seulement Homère ne produit tout son effet que dans une bonne traduction. Celles de Bitaubé et de Mme Dacier sont grises. Les traductions des chants de l'*Odyssée* transposés dans le *Télémaque* de Fénelon sont incolores. Il n'y a qu'une traduction qui donne la sensation d'Homère, son relief, sa crudité, sa saillie, sinon sa douceur, et qui le rende vivant pour nous autant qu'un livre contemporain, c'est la traduction de Leconte de Lisle, malgré ses infidélités, ses manies barbares, ses affectations d'archaïsme, ses duretés de construction et même ses contresens. On n'a d'ailleurs pour s'en convaincre, comme nous avons fait nous-même, qu'à comparer ces traductions entre elles. Nous avons contrôlé celle de Leconte de Lisle sur le mot à mot littéral du texte grec. Aucune ne donne mieux la sensation de l'original, bien que le style d'Homère ait une fluidité que personne ne rendra jamais.

Montaigne est également un trésor de découvertes et d'enseignements. Nul n'a manié le français avec plus de fécondité. On y trouve tous les genres et tous les styles. Rousseau, Pascal, Balzac, Saint-Évremond sont dans Montaigne. Il montre à chaque page *le parti qu'on peut tirer d'une pensée ;* comment on la développe; comment on en exprime toute la valeur en la faisant briller en facettes, en la décomposant, en la brisant en chocs et en étincelles. Aucune lecture ne remplace la lecture de Montaigne.

Guez de Balzac est aussi très utile. C'est le Malherbe de la prose. Il a fixé le style français avant les *Provinciales* et avant les *Pensées* de Pascal. Bien qu'insupportablement précieux parfois, c'est un curieux écrivain, plus brillant que profond, plus spirituel qu'éloquent, mais d'un extrême relief de pensées et d'une harmonie exquise. Ceux qui l'ont dédaigné l'ont mal lu. Son style produit un tel effet, qu'on l'a accusé de n'être que de la rhétorique, et que Sainte-Beuve a dit qu'on pouvait l'imiter à la perfection. Raison de plus pour le bien lire et se l'assimiler. C'est à vous de ne pas rester dans son moule, une fois l'empreinte prise, et à démarquer ses procédés, s'ils restent trop visibles.

Auteur secondaire et plus périlleux pour sa préciosité, je ne serais pas loin de recommander néanmoins la lecture de Saint-Évremond. Mais il faudrait ne pas trop séjourner chez lui, et s'en tenir à quelques-uns de ses *Entretiens,* à ses *Considérations sur les Romains,* qui annoncent Montesquieu.

Vient le divin Bossuet, le plus grand créateur de mots et d'expressions, le plus étonnant styliste que nous ayons dans notre langue. Verbes, substantifs, épithètes, accouplements de mots, images formidables, il tire tout de son génie. C'est un éblouissement qui éclate à chaque page, un vêtement fulgurant avec lequel il drape des pensées colossales. Celui-là vous remuera l'imagination, réveillera chez vous les germes de style et donnera à votre faculté d'écrire une ébullition permanente. Les *Sermons* surtout sont à lire.

Vient ensuite Rousseau, un auteur éminemment assimilable et qu'on peut prendre sur *le fait.* Méfiez-vous de ses paradoxes ; l'erreur a chez lui l'air de la vérité ; mais sa forme est admirable et le procédé y apparaît sans déguisement. Écartons la *Profession de foi du vicaire savoyard,* les plus belles pages de notre littérature peut-être, mais qui contiennent des aveux d'incrédulité à ne pas mettre sous les yeux de tout le monde. Un bon recueil de ses *morceaux* choisis est un livre indispensable, dont l'étude vous formera le style mieux que les meilleurs traités théoriques.

Après ces auteurs, comme la couleur et l'image sont nécessaires, nous conseillerons la lecture de Chateaubriand, père de toute notre école contemporaine et de nos plus récents écrivains. Il y a dans ses œuvres une partie surannée qui a vieilli, comme les *Natchez ;* mais une partie demeure jeune et ne vieillira pas : c'est ce qu'il a de personnel ou de descriptif, *Atala, René,* et surtout ses *Mémoires d'outre-tombe,* où le talent atteint une intensité extraordinaire. C'est le plus beau livre du siècle.

Voilà, je crois, le choix à faire parmi les auteurs que l'on doit lire techniquement pour le profit de la forme.

La lecture des bons auteurs est donc indispensable pour former son style ; mais ici se pose une question importante :

Comment faut-il lire ?

Le profit de la lecture dépend de la façon dont on lit. « Il n'y a pas de mauvais ouvrage, a dit Goethe, où il n'y ait quelque chose de bon. » Lire sans prendre de notes, c'est comme si on n'avait rien lu. Dans six mois, vous ne saurez plus ce que contenait le volume. Tout dévorer, voir tout défiler, ne s'arrêter à rien, travail de Danaïdes qui ne mène qu'à l'indigestion et à la confusion. On se dira plus tard : « J'ai lu cela quelque part... De qui était donc cet ouvrage ?... cette pensée ? » On rumine, on cherche, on se dépite ; il faudrait tout relire.

Que de rapprochements curieux, que de jolies pages on écrirait, si on pouvait préciser ce qu'agite la mémoire, fixer ce qu'on entrevoit, localiser ce qui flotte ! La mémoire est chose ondoyante. Il n'existerait point de savants, si l'on devait se fier à elle. La vraie mémoire consiste, non pas à se rappeler, mais à avoir sous la main les *moyens de retrouver.* La première condition pour bien lire est donc de fixer ce qu'on veut retenir et *de prendre des notes.* Un livre qu'on quitte sans en avoir extrait quelque chose est un livre qu'on n'a pas lu.

J'ai insisté, tantôt, sur la nécessité de la lecture pour se créer une forme et un style. Le profit est le même pour le fond ; le même éveil se fera pour les idées ; l'intelligence s'assimilera les pensées, l'imagination retiendra les images, et le sens esthétique mêlera les contours, les moules, les formes.

Pour obtenir ce triple profit, il faut absolument lire en prenant des notes, et il n'y a qu'une façon pratique de prendre des notes. Quelques auteurs conseillent de faire des recueils de morceaux choisis pour comparer les pensées des écrivains sur une même matière, ou un recueil des pensées saillantes de tel ou tel écrivain, pour se saturer de leur esprit et pénétrer en eux le plus possible.

Ces moyens ne nous paraissent pas pratiques. Ils ont quelque chose d'insuffisant et de factice. Le danger d'un pareil travail est de tomber dans la manie, de finir par tout copier, le bon et le mauvais, et de collectionner des agendas. Les esprits médiocres s'imaginent qu'ils apprennent beaucoup en copiant beaucoup ; c'est une erreur.

Mais ce travail de copie peut devenir excellent, si on l'accomplit dans un but technique. Copier un bon morceau d'un auteur est un exercice utile pour la science des constructions et des tournures. Le style imprimé s'embellit, flatte trop l'œil, et fait illusion ; le même style, écrit à la main, produit un effet différent ; on dirait qu'on vient de l'écrire soi-même ; il semble un devoir de composition. C'est une perle sortie d'un écrin et qu'on juge sur le papier. Utile exercice, qu'on ne saurait trop recommander.

Revenons à la question. Pour bien lire, il faut prendre des notes ; mais comment les prendre ?

Sur des fiches, des bandes de carton de grosseur moyenne, rangées alphabétiquement par noms d'auteurs. C'est le seul classement pratique. Un classement par ordre d'idées donne des résultats confus ; trop peu de nuances séparent les idées ; elles se chevauchent, se mêlent, et l'on ne peut s'en rendre maître.

Ces fiches peuvent avoir trois objets :

1° des notes d'érudition ;

2° des citations saillantes ;

3° la transcription de ses propres jugements.

Les fiches sont indispensables à l'érudition. Tous les savants en ont. On ne retient rien sans cela. C'est le seul moyen, à un moment donné, de se rappeler ce qu'on a lu. On résume les sujets d'ouvrages, on note les jugements des auteurs, les choses qui s'y rapportent, les rapprochements et les souvenirs. Ce sont des trésors qu'on amasse ; il suffit de les relire plus tard pour que tout ce qu'on y a mis revienne avec netteté. Il n'est pas difficile d'être instruit, grâce à ce moyen. Les savants le savent, et c'est pour cela qu'ils sont modestes. Vous connaissez les innombrables renvois de notes jetées au bas des pages, dans les ouvrages d'érudition. C'est le résultat d'un système de fiches longuement et patiemment accumulées.

On peut également inscrire sur ses fiches des citations saillantes, des phrases typiques, des extraits frappants, des expressions étudiées, le côté professionnel du style. C'est là que sera le profit de la copie des bons auteurs.

Écrire, en outre, sur ses fiches sa propre critique, ses propres jugements constitue un exercice dont vous constaterez de jour en jour les avantages. Vous lisez un livre. Que devez-vous en penser ? Vous l'oublierez, si vous ne l'écrivez pas tout de suite.

Dans l'ordre intellectuel ou purement artistique, c'est donc de la notation instantanée qu'il faut faire, à mesure que l'on lit. Répétons-le : lire sans employer cette méthode, c'est absolument comme si on ne lisait pas. C'est lire comme tout le monde, et se condamner à n'être jamais quelqu'un.

La règle qui doit dominer la préparation littéraire, c'est de tout voir par soi-même, de se rendre compte de tout, de tout contrôler soi-même.

Ne croyez pas que, pour connaître un ouvrage, il suffise de lire les histoires littéraires ou les livres de critique. Aucun critique, si fort qu'il soit, ne remplacera la lecture d'un ouvrage, parce que ce sont les procédés, les tournures, les méthodes et l'*anatomie du style* qui différencient les auteurs, et que très peu de critiques se préoccupent de nous montrer ce *côté métier*. C'est donc sur cela qu'il faudra porter votre attention, si vous voulez examiner et analyser les écrivains sur vos fiches. Notez chez l'un (Michelet) l'emploi du raccourci pour exprimer ce que l'autre (Bossuet) dira en de longues périodes. Celui-ci procède par empâtements ou juxtapositions (Taine, Goncourt, Zola), celui-là a la phrase colorée, mais classique (Chateaubriand, Flaubert). Celui-ci (Montesquieu) serre et noue des phrases assez courtes qu'il fait spirituellement choquer ; celui-là (Rousseau) manie l'antithèse avec passion ; cet autre a l'harmonie et la majesté dans le calme (Buffon), etc.

Beaucoup de professeurs conseillent de faire des analyses littéraires, résumer les sujets, réduire les développements à l'idée mère, exposer des parallèles, signaler les beautés, examiner les caractères, dégager le plan, caractériser le style, exposer l'action, apprécier le sujet, etc.

Ce travail pourrait être fructueux, s'il était bien fait ; mais les exemples d'analyses littéraires qu'on nous donne comme excellents sont exécutés avec des procédés de rhétorique si superficielle, qu'il est inutile de conseiller de tels exercices. C'est perdre son temps que d'obliger les commençants à se torturer l'esprit dans un genre d'étude qui ne dépasse pas les cadres de La Harpe. Nous avons lu ces sortes d'analyses littéraires proposées par les maîtres, ou publiées, d'après des élèves, dans des recueils de composition : analyses de la fable *Le Chêne et le Roseau, Les Animaux malades de la peste, L'Hirondelle et les Petits Oiseaux.* Tout se borne à répéter des appréciations comme celle-ci : (Textuel) « Le plan est bien suivi... Ces huit vers sont un portrait... C'est un portrait bien tracé... Voilà bien les paroles d'une personne âgée et sage... Le poète nous met l'hirondelle sous les yeux. Que de finesse et d'expressions dans ces deux vers... Cette incidente est d'un effet charmant... Écoutons les arguments de l'hirondelle... Cette exclamation a une vivacité *saisissante*... Le drame va se précipiter... Ce langage est bien celui du jeune présomptueux ! Comme le caractère des oisillons s'y trouve peint avec naturel et d'une manière *saisissante !*... Ces vers sont charmants... Les expressions en sont pleines de délicatesse... Cette comparaison est pleine d'à-propos... »

C'est lignes sont signées d'un élève de rhétorique d'un lycée de Paris, approuvées par le maître et publiées dans un des plus récents cours de littérature scolaire, couronné par l'Académie. Voilà ces prétendus modèles d'analyses ! Tout s'y réduit à une paraphrase de l'auteur ; on suit le récit en l'enguirlandant de réflexions approbatrices. C'est ce qu'on appelle faire *ressortir les beautés.* On vous donne deux ou trois clefs, quelques mots de passe : *plan, narration, rapidité, caractère, composition, marche générale, style, figure, unité d'action*, etc. Vous essayez vos clefs une à une, et quand elles vont partout, quand tous les compartiments sont emboîtés, le tour est joué. C'est ainsi qu'on apprend à faire des analyses d'après un patron unique, étroit, insignifiant.

En voici une autre, due également à un rhétoricien : *Examen du songe de Pauline et du songe d'Athalie.* Comme ces deux songes ne se ressemblent pas, on a indiqué la différence qu'il y a dans leur portée et leurs conséquences ; en quoi l'intention diffère, et quels en sont les effets. L'un « met l'action en train » ; dans l'autre « la tragédie entière roule sur ce songe » ; tous deux *excitent la terreur* et *font naître de funestes pressentiments ;* tout cela précédé d'un point de vue sur le rôle des songes au théâtre. Autant de réflexions en dehors de l'exécution d'art et du mérite littéraire.

On répond : mais que voulez-vous exiger d'un jeune homme, d'un élève, d'un enfant ? On ne peut lui demander une connaissance approfondie des choses, une étude creusée et fouillée, des considérations transcendantes. Par quoi remplacerez-vous cette méthode ?

Je dis qu'il faut donner une autre direction aux idées de l'élève, à ses efforts, à ses aptitudes d'examen. On doit précisément lui interdire d'écrire ces banalités d'appréciation, ces puérilités, ces clichés faciles, ces moules tout prêts à façonner des pensées moyennes.

Ce qu'on doit leur demander ? C'est bien simple. Ceci : « Que pensez-vous de ce style ? D'où vient sa force ? Qu'eût dit à la place un écrivain ordinaire ? Par quel procédé d'exécution croyez-vous que l'auteur ait atteint la rapidité ? En quoi consiste la concision ? Que seraient ces phrases, si elles n'étaient pas concises ? Comment et pourquoi y a-t-il la vie dans ce récit ? Qu'est-ce qui constitue le relief du style ? Reconstituez ces vers pour montrer comment ils seraient, s'ils n'avaient pas de relief. En quoi l'auteur fait-il dire à ses personnages ce qu'ils doivent dire, et que devraient-ils dire autrement ? Où est la couleur de ce récit ? Où en est le mouvement ? Où croyez-vous qu'il y ait des transitions ? Quel est selon vous le passage qui a été le plus difficile à traiter ? Quelle tournure d'esprit prouve ce morceau ? De quelle autre manière aurait-on pu le traiter ? etc. »

On pourrait énumérer un long questionnaire de ce genre, visant essentiellement l'*art d'écrire,* le *métier,* le *talent,* et rejetant au second plan l'appréciation des idées, des sentiments et des pensées, qui est pourtant nécessaire et qui a aussi son importance. C'est dans ce sens *pratique* qu'il faudrait diriger le jugement et les aptitudes d'un élève, au lieu de restreindre son esprit à un travail d'idéologie.

On n'y songe pas, parce que personne ne songe à faire de la critique de métier, et qu'on se contente d'examiner les alentours d'un livre, d'un morceau, en rôdant autour de l'écorce sans entamer le bois, en examinant la maison sans l'ouvrir, en dépouillant l'os « sans rompre la moelle ».

La lecture bien faite comprend non seulement des fiches, des notes, des analyses, mais une foule d'autres exercices profitables comme les *comparaisons,* le *pastiche* et la *transposition.*

En comparant des morceaux semblables traités par des auteurs différents, on constatera la diversité de l'exécution, l'opposition des styles, les avantages que l'un peut avoir sur l'autre, ce qu'il faudrait y ajouter, le double aspect que peut avoir un sujet.

Prenez la tempête qui termine *Paul et Virginie ;* comparez-là à la tempête de Chateaubriand dans ses *Mémoires,* et pour avoir une idée nette de l'évolution de la langue littéraire, ajoutez-y celle d'un écrivain contemporain, Pierre Loti, dans *Pêcheur d'Islande.* Renouvelez ces exercices. Quand, dans vos lectures, vous rencontrez des morceaux déjà traités, notez-les pour les avoir à votre disposition et faire là-dessus le travail que nous conseillons. Ce genre d'extraits serait pratique.

Le *pastiche* est également un bon moyen de se préparer à l'art d'écrire. Quand on a de l'aptitude à s'assimiler et un goût de lecture réfléchi, on arrive vite à imiter certaines manières de style, celui des portraits de La Bruyère, par exemple, et à faire des portraits calqués sur les siens. On fait ainsi du bon Rousseau, du bon Bossuet, du bon La Bruyère, du bon Montesquieu. Savoir imiter, c'est apprendre à ne plus imiter, parce que c'est s'habituer à reconnaître l'imitation, et à s'en passer quand on y sera rompu. Le danseur de corde use du balancier pour le quitter.

La *transposition* est encore un mode d'assimilation et de lucidité merveilleuse. Mettre en prose ce qui est en vers, mettre en vers ce qui est prose. On se convaincrait ainsi que tous les mots qui composent les vers de Racine sont des mots simples, ordinaires, absolument propres, pas cherchés, qu'on ne peut remplacer, et l'on verrait comment, avec les mots usuels de notre langue, on peut faire de la grande poésie.

Nous démontrerons plus loin l'efficacité de ces exercices techniques; qu'il nous suffise, pour le moment, de les indiquer comme des applications de lecture, puisque ce n'est encore que de la lecture qu'il s'agit.

QUATRIÈME LEÇON

DU STYLE

Du style — Qu'est-ce que le style ? — La création des mots — La magie des mots — Le *Discours sur le style* de Buffon — Le fond et la forme ne sont qu'un — La forme modifie toujours l'idée — Importance de la forme — C'est la forme qui fait vivre — La forme d'Homère — Ce qui est bien écrit et ce qui est mal écrit

Qu'est-ce que le style ?

Le style est la manière propre à chacun d'exprimer sa pensée par l'écriture ou la parole.

Par *l'écriture,* chez l'écrivain.

Par *la parole,* chez l'orateur.

Le style est la marque personnelle du talent. Plus le style est original, saisissant, plus le talent est personnel. Le style c'est l'expression, l'art de la forme, qui rend sensibles nos idées et nos sentiments ; c'est le moyen de communication entre les esprits.

Ce n'est pas seulement le don d'exprimer ses pensées, c'est l'art de les tirer du néant, de les faire naître, de voir leurs rapports, l'art de les féconder et de les rendre saillantes. Le style comprend le fond et la forme.

Il faut bien se persuader que les choses qu'on dit ne frappent *que par la manière dont on les dit.* D'une façon générale, nous pensons à peu près tous les mêmes choses. La différence est dans l'expression et le style. Il relève ce qui est commun ; il trouve de nouveaux aspects à ce qui est banal ; il grandit ce qui est simple, il fortifie ce qui est faible.

Bien écrire, c'est tout à la fois bien *penser,* bien *sentir* et bien *rendre.*

« Ce qui me *distingue* de Pradon, disait Racine, c'est que je sais écrire. »

« Homère, Platon, Virgile, Horace ne sont au-dessus des autres écrivains, a dit La Bruyère, que par leurs *expressions* et par leurs *images.* »

« Rien ne vit que par le style, dit Chateaubriand. En vain se récrie-t-on contre cette vérité, l'ouvrage le mieux compris, rempli des plus sages réflexions, est mort-né, si le style manque. »

Le style est l'art de saisir la valeur des mots et les rapports des mots entre eux.

Les idées simples qui représentent les *mots* du dictionnaire, au nombre seulement de 17 000, ne suffisent pas à faire un écrivain. Celui qui connaîtrait ces 17 000 mots pourrait néanmoins être incapable de tracer une phrase ; car le talent ne consiste pas à se servir sèchement des mots, mais à découvrir les nuances, les images, les sensations qui résultent de leurs combinaisons.

Le style est donc une *création de forme* par les idées et une *création d'idées* par la forme. L'écrivain crée même des mots pour indiquer un rapport nouveau. Le style est une création perpétuelle : création d'arrangements, de tournures, de ton, d'expressions, de mots et d'images. Plus cette création est sensible à la lecture, meilleur est l'écrivain.

Le rapprochement, l'emploi de certains mots leur donne une magie spéciale, une poésie particulière, une signification nouvelle.

Guy de Maupassant dit quelque part : « Les mots ont une *âme.* La plupart des lecteurs et même des écrivains ne leur demandent qu'un *sens.* Il faut trouver cette *âme,* qui apparaît au contact d'autres mots, qui éclate et éclaire certains livres d'une lumière inconnue, bien difficile à faire jaillir. Il y a, dans les rapprochements et les combinaisons de la langue écrite par certains hommes, toute l'évocation d'un monde poétique que le peuple des mondains ne sait plus apercevoir ni deviner. Quand on lui parle de cela, il se fâche, raisonne, argumente, nie, crie et veut qu'on lui montre. Il serait inutile d'essayer. Ne sentant pas, il ne comprendra jamais. Des hommes instruits, intelligents, écrivains même, s'étonnent aussi quand on leur parle de ce mystère qu'ils ignorent ; et ils sourient en haussant les épaules. Qu'importe ! Ils ne savent pas. Autant parler musique à des gens qui n'ont point d'oreilles. »

« La grâce divine, a dit Bossuet, *pleut sur* le riche comme sur le pauvre. »

Voilà un mot pris dans une acception nouvelle et qui fait une image superbe.

De même cette autre pensée : « Dormez votre sommeil, grands de la terre » ; et cette autre : « Verser des larmes et des prières sur un tombeau. »

Le mot *indéterminée,* par exemple, est un mot quelconque, géométriquement employé, sans éloquence, sans éclat. Sous la plume de Chateaubriand, il va prendre un prestige qui peindra tout un paysage lointain :

« La clarté de la lune, sa clarté gris perle, descendait sur la cime *indéterminée* des forêts. »

Le mot *reposait* est quelconque. Se rapportant à quelque chose qui ne repose pas, il devient saisissant.

« La lune reposait sur les collines lointaines » (Chateaubriand).

Il y a même des mots d'une banalité technique, officielle, qui donnent de grands effets, quand un artiste leur trouve un rapport imprévu. Quoi de plus incolore que le mot *annonciateur ?* Voici comment Pierre Loti s'en sert :

« Les tristes courlis, annonciateurs de l'automne, avaient paru dans une bourrasque de pluie. »

Un autre eût pu dire : « Les courlis, en tristes oiseaux qui annoncent l'automne, avaient paru dans une bourrasque de pluie... »

C'eût été un autre style, qui n'eût pas valu le premier.

Le style est donc la façon de chacun de créer des expressions pour rendre sa pensée. Il peut être long, court, coloré, sec, abondant, vif, périodique, selon les tempéraments.

Il est diffus, pâle, incolore, lâche chez les mauvais écrivains; serré, nerveux, en relief, chez les bons écrivains.

L'union est si complète entre le caractère et le style d'une personne, qu'on a pu dire avec vérité : le style, c'est l'homme.

La vivacité de paroles, l'énergie des conceptions, le tour même de la conversation parlée, l'originalité de l'imagination, tout cela se peint exactement dans le style d'un homme. Le style est le reflet du cœur, du cerveau et du caractère.

Non seulement cela est vrai des individus, mais cela est vrai des peuples.

« Les peuples d'Orient, dit Blair, ont de tout temps chargé leurs styles de figures fortes et hyperboliques; les Athéniens, peuple subtil et poli, s'étaient fait un style clair, pur et correct. Les Asiatiques, amis du faste et de la noblesse, avaient un style pompeux et diffus. On remarque aujourd'hui les mêmes différences entre le style des Français, des Espagnols, des Allemands et des Anglais. »

Savoir beaucoup de choses n'apprend pas à être bon écrivain; le style est indépendant de l'érudition; aussi en disant qu'il faut lire beaucoup pour être capable d'écrire, on suppose, bien entendu, qu'on a en soi des aptitudes au style, au moins une vocation moyenne et un goût déterminé. Sans cela, la plus immense érudition ne fera pas trouver une tournure de phrase. Il y a des gens très savants, qui ne seront jamais écrivains, et il y a des écrivains brillants qui ne savent pas grand-chose. Le savoir et l'art d'écrire sont choses distinctes, qui ne vont pas toujours ensemble.

Le *Discours sur le style* de Buffon contient les meilleures pages que nous ayons sur ce sujet. Personne n'a mieux expliqué les procédés d'un art que l'on peut considérer comme une science, et n'a mieux exposé les diverses *opérations de l'esprit* par lesquelles on arrive à faire de bonnes phrases.

Il y a cependant dans ce *Discours* de Buffon une tendance visible à conseiller l'emploi des termes généraux et à donner au style une sorte d'allure synthétique et raide, qui constitue certains beaux côtés du style, mais qui n'est pas tout le style. Villemain a eu raison de signaler le caractère trop personnel de ce *Discours*.

Mais quel sens profond de la beauté écrite et que de conseils pratiques ! « Les ouvrages bien écrits, dit Buffon, seront les seuls qui passeront à la postérité. » Il ajoute : « Toutes les beautés qui s'y trouvent, tous les rapports dont le style est composé sont autant de vérités aussi utiles et peut-être *plus précieuses* pour l'esprit humain que celles qui peuvent faire le fond du sujet. »

« Le style, dit Buffon, est l'*ordre* et le *mouvement* qu'on met dans ses pensées. » L'*ordre,* c'est-à-dire la logique des idées, leur enchaînement, leur fond ; le *mouvement,* c'est-à-dire, la vie, la forme ; l'*ordre,* qui est la concentration, l'allure, l'ensemble ; le *mouvement,* qui est l'imagination, l'agrément, le relief.

Ici intervient la fameuse distinction du fond et de la forme.

Les uns les séparent et les différencient ; le *fond,* ce sont les matériaux, les pensées, la substance, le sujet ; la *forme,* c'est l'expression, le revêtement, l'habillement. Cela fait deux choses à part.

Les autres disent : Le fond et la forme *ne font qu'un ;* on ne peut pas plus les séparer que le muscle de la chair. Il est impossible d'exprimer une *idée* qui n'ait pas une *forme,* comme on ne peut concevoir une créature humaine qui n'ait pas une âme et un corps. Quand on change la forme, on change l'idée, et de même la modification de l'idée entraîne celle de la forme. Travailler la forme, c'est travailler l'idée. La forme *colle* sur l'idée.

Cette théorie est la vraie, et il faut s'y tenir.

Dans certains cas *très rares,* le changement de la forme, en effet, n'altère pas l'idée. Ainsi, si je dis : « Il *pleut* » pour : « il *tombe de l'eau* » ; *pleurer,* pour *verser des larmes ; s'agenouiller,* pour se *mettre à genoux ; un bruit retentit,* au lieu de *un bruit se fit entendre,* j'aurais employé une forme meilleure qui n'aura pas changé l'idée ; mais c'est là plutôt une synonymie qu'une modification de forme.

En dehors de ce genre de corrections purement grammaticales, l'idée subit toujours les changements de la forme. J'écris cette phrase : « Nos cœurs *enivrés* de l'amour *mondain.* Je la retravaille et je mets : « Nos cœurs *enchantés* de *l'amour du monde* » (Bossuet). L'idée s'est modifiée d'après les nuances d'une nouvelle forme. *Enchantement* dit autre chose qu'*enivrement,* et *aimer le monde* n'est pas la même chose qu'*éprouver l'amour mondain.*

Si, au lieu de dire : « Les mart*yrs* étaient animés du dé*sir* de souff*rir* » ce qui me donne des consonnances désagréables, je dis : « Les martyrs étaient animés de l'*avidité* de souffrir » (Bossuet), j'aurais trouvé une expression superbe qui aura changé l'idée, car le *désir* n'est pas l'*avidité*[1].

J'écris ceci : « Après la mort nous verrons Dieu tel qu'il est, éclairant tous les hommes de sa présence. » Je travaille cette forme, je la pousse, et je trouve ceci : « Après la mort, nous verrons Dieu *à découvert,* illuminant *tous les esprits* par les *rayons de sa face* » (Bossuet). Vous aurez beau dire que c'est la forme seule qui a changé et que l'idée reste la même ; non, l'idée aussi s'est modifiée ; elle a un autre aspect, un autre sens, d'autres nuances, un saisissement nouveau, une signification différente.

Au lieu de faire cette démonstration sur quelques lignes seulement, on peut la faire sur une page entière, sur deux pages, trois, etc.

Voici une phrase, doublée d'une jolie image, à propos de la nuit dans les solitudes d'Amérique :

« Le génie des airs secouait dans la nuit sa chevelure. »

Cette phrase ne me satisfait pas ; elle tombe trop brusquement, je voudrais la *boucler* d'un mot, d'une épithète, qui

1. Je ne veux pas dire que Bossuet ait trouvé cette expression par un travail d'embellissement et un effort de surcharge. Je suppose le fait pour montrer que modifier la forme, c'est modifier l'idée.

l'arrondirait et la clôturerait... Je cherche... Je songe au ciel *bleu,* et je trouve :

« Le génie des airs secouait dans la nuit sa chevelure *bleue...* » (Chateaubriand).

L'effort, la préoccupation de la forme m'a fait découvrir une image qui, à elle seule, donne une magie imprévue à l'idée primitive.

Voici une autre pensée. Il s'agit de dire que les femmes romaines sont aussi belles que les statues de leurs temples.

« On dirait les statues de leurs temples, descendues de leur piédestal... »

Jolie image, mais qui ne me suffit pas ; je veux la pousser, l'embellir. Or, tout ce que j'y ajouterai sera un travail de forme sur l'idée.

Voici ce que j'obtiens :

« On dirait les statues de leurs temples, descendues de leur piédestal, et qui se promèneraient autour » (Chateaubriand).

Et c'est justement ce dernier membre de phrase qui donne à l'image tout son prestige, tout son effet. Dira-t-on que l'idée n'a pas changé ? Ah ! certes, si ! La première phrase était connue ; nous l'avions lue ailleurs ; mais la seconde, qui constitue le tableau et la vie, celle-là est neuve, est créée.

Donc, *la forme et le fond ne font qu'un.* On ne peut, *en général* et d'une façon définitive, toucher à l'une sans altérer l'autre. Quand on dit d'un morceau : « Le fond est bon, mais la forme est mauvaise », cela ne signifie rien, car c'est la valeur de la forme qui rend le fond bon. Il faudrait dire : « Le fond pourrait être excellent, si la forme était bonne » car c'est la forme qui fait valoir le fond.

Si je m'écrie : « Ô Jésus ! Dieu crucifié ! » c'est un style honorable, mais cela a été dit souvent. Je peux rêver une forme meilleure. Je cherche et je trouve : « Ô Jésus ! Dieu anéanti ! » (Bossuet.) L'expression est magnifique ; mais du coup l'idée a changé, elle a éclaté, elle est *autre.*

Nous l'avons tous constaté : en travaillant, en refaisant les phrases, nous croyons ne rien changer, n'améliorer que la forme, et voilà que tout se repétrit, les idées se multiplient; il arrive des incidentes, les proportions grandissent, l'alinéa augmente; nous apercevons des images inattendues, des rapports nouveaux, tant il est vrai qu'on ne peut toucher à la forme sans bouleverser l'idée.

La forme est tellement inséparable de l'idée, que la dernière incarnation de la forme arrive à n'être que l'expression de l'idée pure. Essayez donc d'exprimer autrement certaines pensées, certains vers littérairement mathématiques, comme ceux-ci :

> Ce que l'on conçoit bien s'énonce clairement,
> Et les mots pour le dire arrivent aisément...
>
> La raison du plus fort est toujours la meilleure...
>
> Rien ne sert de courir, il faut partir à point...
>
> Plus fait douceur que violences...
>
> De loin c'est quelque chose et de près ce n'est rien...
>
> En toute chose il faut considérer la fin.

Entre autres conseils remarquables, et qu'il faut retenir pour se rendre compte du style, Buffon recommande « qu'on ajoute le *coloris* à l'*énergie* du dessin ». Il veut « qu'on donne à chaque objet une forte lumière »; il exprime le désir que *chaque pensée soit une image*. C'est ce dernier conseil qui a prévalu quand est venu Bernardin de Saint-Pierre, Chateaubriand, Théophile Gautier, et que la littérature française a été lasse de la beauté sans coloris.

Résumons-nous. Le style est l'effort par lequel l'intelligence et l'imagination trouvent des nuances, des rapports, des expressions et des images, dans les idées et les mots ou dans la relation qu'ils ont entre eux.

Il y a dans ce travail du style (et c'est un travail considérable) un côté qui est l'*ordre,* l'arrangement, le resserrement, la correction, l'ordonnance, les proportions, l'équilibre, la mise à point de toutes les pièces de cet échiquier qu'on appelle une phrase, une page, un chapitre.

Il y a aussi un autre côté, qui est le mouvement, la création des mots, des images, leur combinaison, ce qui fait l'intensité, l'effet, l'énergie, le coup de lumière, le relief.

Même le côté *arrangement,* l'art de placer les mots et de combiner les phrases, est encore une création.

La saveur de cette création multiple s'évapore souvent dans une traduction, justement parce qu'elle constitue l'essence du style ; c'est ce qui faisait dire à Lamotte : « Un grand nombre de beautés des anciens auteurs sont attachées à des expressions qui sont particulières à leur langue, ou à des rapports qui, ne nous étant pas aussi familiers qu'à eux, ne nous font pas le même plaisir. »

Le souci de la forme doit donc préoccuper avant tout ceux qui ont le goût d'écrire, puisqu'elle comprend aussi le fond, et que c'est elle qui fait la valeur d'un ouvrage. Un auteur contemporain, M. Émile Zola, qui n'a qu'un don très brutal d'écrire, et qui n'a jamais daigné perfectionner sa forme, s'est élevé contre cette théorie. « Il n'est point vrai, dit-il, malgré Buffon, Boileau, Chateaubriand et Flaubert, qui ont obstinément répété le contraire, il n'est pas vrai qu'il suffise d'avoir un style très soigné pour marquer à jamais son passage dans une littérature. La forme est ce qui change et passe le plus vite. Il faut avant tout qu'un ouvrage soit vivant, et il n'est vivant qu'à la condition d'être vrai. On gagne l'immortalité en mettant debout des créatures vivantes. » Rien n'est plus faux. La création de ces êtres vivants n'ira à la postérité que si elle est servie par une irréprochable forme.

M. Zola réplique : « Pouvons-nous juger la perfection du style d'Homère et de Virgile ? » Que M. Zola ne puisse pas la juger, c'est possible ; mais il y en a qui le peuvent, et il ne faut pas avoir fait de bien fortes études pour lire Virgile dans le texte. En tout cas une tradition ininterrompue d'historiens et d'anciens auteurs nous apprend que leur style faisait l'admiration de leur temps. Et c'est justement cette supériorité de forme qui les a immortalisés. Si leurs vers eussent été mauvais, leurs contemporains ne les auraient pas retenus, et si leur style eût été médiocre, leur œuvre ne nous serait pas parvenue. Il n'existe pas de chef-d'œuvre sans une forme soignée, et un ouvrage mal écrit ne peut pas vivre, par la raison qu'il n'y en a point de mal fait qui nous soit resté. Le fond et la forme se tiennent. *Don Quichotte,* qui est un modèle d'œuvre vivante, est aussi un modèle de style, un modèle de perfection écrite, unique en son genre en Espagne.

On objecte encore : « Quand nous lisons Homère, ce n'est pas sa forme que nous lisons, c'est une traduction. Nous n'avons que son fond. La forme ne s'identifie donc pas avec le fond. » – Mais, au contraire, puisque c'est précisément la forme qui a sauvegardé le fond, et que nous n'aurions probablement pas le fond, si la forme n'eût été parfaite. Il faut bien un peu ici, si l'on veut, les séparer, puisque c'est une traduction. Il en reste ce qu'on en peut conserver. Les bonnes traductions sont celles qui en conservent le plus. D'ailleurs, quand il s'agit de chefs-d'œuvre, la forme est tellement mêlée au fond, elle colle tellement sur l'idée, que l'idée même en demeure frappante après que le charme du texte a disparu. Voilà pourquoi, dans une bonne traduction, les descriptions d'Homère sont aussi vivantes que n'importe quelle page de nos meilleurs auteurs contemporains.

En dehors de ces principes, qu'il faut regarder comme des vérités absolues, on ne peut donner qu'une appréciation vague du style. Il faut avoir, comme dit Pascal, réglé sa montre, et se moquer de ceux dont l'heure varie. « Il y a un bon et un mauvais goût, a dit La Bruyère, et on peut disputer là-dessus. » Rien de plus commun que les jugements tout faits. On croit dire juste quand on dit au hasard : « Ceci est bien écrit ; ceci est mal écrit ; Fénelon écrit bien ; Diderot écrit mal ; Mérimée est un grand écrivain », etc.

Qu'est-ce qui est bien écrit ? Qu'est-ce qui est mal écrit ?

Voici trois citations, prises dans trois auteurs différents, et qui peuvent, dès maintenant, donner l'impression générale d'un style bien écrit.

Sur l'homme

Nous souhaitons la vérité, et ne trouvons en nous qu'incertitude. Nous recherchons le bonheur, et ne trouvons que misère et mort.

Nous sommes incapables de ne pas souhaiter la vérité et le bonheur, et ne sommes capables ni de certitude ni de bonheur.

L'homme ne sait à quel rang se mettre. Il est visiblement égaré et *tombé* de son vrai lieu [1] sans le pouvoir retrouver. Il le cherche partout avec inquiétude et sans succès dans des ténèbres impénétrables.

S'il se vante, je l'abaisse ; s'il s'abaisse, je le vante ; et le contredis toujours, jusqu'à ce qu'il comprenne qu'il est un monstre incompréhensible.

(PASCAL, *Pensées*.)

Lever de soleil

Dans la plaine de Salzbourg, le 24 au matin (septembre 1833), le soleil parut à l'est des montagnes que je laissais derrière moi ; quelques pitons de rochers à l'occident s'illuminaient de ses premiers feux extrêmement doux. L'ombre flottait encore sur la plaine, moitié verte, moitié labourée. Le château de Salzbourg, accroissant le sommet du monticule qui domine la ville, incrustait dans le ciel bleu son relief blanc. Avec l'ascension du soleil, émergeaient, du sein de la fraîche exhalaison de la rosée, les avenues, les bouquets de bois, les maisons de briques rouges, les chaumières crépies d'une chaux éclatante, les tours du Moyen Âge balafrées et percées, vieux champions du temps, blessés à la tête et à la poitrine, restés seuls debout sur le champ de bataille des siècles. La lumière automnale de cette scène avait la couleur violette des veilleuses, qui s'épanouissent dans cette saison, et dont les prés de la Salza étaient semés. Des bandes de corbeaux, quittant les lierres et les trous des ruines, descendaient sur les guérets ; leurs ailes moirées se glaçaient de rose au reflet du matin.

(CHATEAUBRIAND, *Mémoires d'outre-tombe*,
Journal de Padoue à Prague,
du 20 au 26 septembre 1833.)

1. L'homme est un dieu tombé qui se souvient des cieux.

(LAMARTINE.)

Au bord d'un lac

Quand le soir approchait, je descendais des cimes de l'île, et j'allais volontiers m'asseoir au bord du lac, sur la grève, dans quelque asile caché : là, le bruit des vagues et l'agitation de l'eau, fixant mes sens et chassant de mon âme toute autre agitation, la plongeait dans une rêverie délicieuse, où la nuit me surprenait souvent sans que je m'en fusse aperçu. Le flux et le reflux de cette eau, son bruit continu, mais renflé par intervalles, frappant sans relâche mon oreille et mes yeux, suppléaient aux mouvements internes que la rêverie éteignait en moi, et suffisaient pour me faire sentir avec plaisir mon existence, sans prendre la peine de penser. De temps à autre naissait quelque faible et courte réflexion sur l'instabilité des choses de ce monde, dont la surface des eaux m'offrait l'image; mais bientôt ces impressions légères s'effaçaient dans l'uniformité du mouvement continu qui me berçait, et qui, sans aucun concours actif de mon âme, ne laissait pas de m'attacher, au point qu'appelé par l'heure et par le signal convenu, je ne pouvais m'arracher de là sans efforts.

(ROUSSEAU, *Les Rêveries du promeneur solitaire.*)

CINQUIÈME LEÇON

L'ORIGINALITÉ DU STYLE

Fausse division des styles et des pensées — Pourquoi les styles varient — Originalité du style — L'originalité et la banalité — Le style faux — Le style inexpressif — Le style de Mérimée — Comment refaire le mauvais style ? — Les expressions banales — Les expressions toutes faites — Le naturel et le travail — Le mot simple et le mot naturel — Procédé pour acquérir l'originalité

La plupart des traités de littérature contiennent en matière de style des expositions et des analyses théoriques. On s'imagine faire œuvre d'enseignement pratique en décomposant, comme on dit, les *éléments* du style et ses *qualités*, éléments généraux, éléments particuliers, qualités générales, qualités particulières : la *clarté*, la *pureté*, la *correction*, l'*élégance*, la *force*, le *naturel*, la *noblesse*, la *richesse*, la *magnificence*.

Il y a aussi des figures de mots et des figures de pensées ; nous avons les pensées fortes, justes, fines, naturelles ; puis la catachrèse, l'allégorie, l'ellipse, la synecdoque, la prosopopée, l'onomatopée, le pléonasme, l'antonomase.

Qu'on ne cherche rien de pareil dans notre ouvrage. Nous avons évité avec soin tout ce qui ressemble à une division factice, tout espèce de classement et de compartiment ; ce livre n'est pas fait pour enseigner ce que c'est qu'une pensée forte ou une pensée fine, ce que c'est que la clarté, ce que c'est que la finesse et le naturel. Ces distinctions surchargent la mémoire, n'apprennent rien et sont essentiellement arbitraires.

Car, enfin, une pensée *forte* est aussi une pensée *vraie*, et je ne connais pas de pensée *juste* qui ne soit pas en même temps une pensée *naturelle,* ni de pensée *sublime* qui ne soit à la fois une pensée *forte, vraie, naturelle* et *juste.*

Il en est de même pour les styles. Il n'est pas vrai qu'ils soient parqués, numérotés et classés en style simple, style tempéré, style sublime, etc.

C'est souvent parce que le style est simple qu'il est sublime. En tout cas, simple ou sublime, il doit toujours être naturel.

Il n'y a pas de style *fleuri,* pas plus qu'il n'y a de style *tempéré.* Ce sont des inventions grammairiennes dont on devrait, une fois pour toutes, débarrasser l'enseignement. Il y a des styles appropriés au sujet, c'est tout ce qu'on peut dire ; ou des tons de style, des tons personnels, des sons différents, suivant l'élévation, l'inspiration, l'auteur, le sujet, le but qu'on se propose.

Il est superflu d'enseigner que les premières qualités du style, sont : 1° la *clarté,* 2° la *pureté,* etc., ce qui signifie : on doit écrire pour se faire comprendre, et on doit écrire en bon français, deux choses bien évidentes.

Le style diffère selon les sujets et quelquefois suivant les genres ; mais les genres ont une tendance à se confondre. On a beau les distinguer, ils finissent par se toucher. L'esprit classique n'admettait pas le style familier dans les tragédies. Il est pourtant dans Shakespeare, qui vaut bien Corneille.

« Le style, conclut Condillac, varie donc en quelque sorte à l'infini, et il varie quelquefois par des nuances si imperceptibles, qu'il n'est pas possible de marquer le passage des uns aux autres. Alors, il n'y a point de règles pour s'assurer de l'effet des couleurs qu'on emploie ; chacun en juge différemment, parce qu'on en juge d'après les habitudes qu'on s'est faites ; et souvent on a bien de la peine à rendre raison des jugements qu'on apporte.

« Nous nous imaginons volontiers avoir des idées absolues de toutes choses dont nous parlons, jusque-là qu'il faut quelque réflexion pour remarquer que les mots *grands* et *petits* ne signifient que des idées relatives. Ainsi, lorsque nous disons que Racine, Boileau, Bossuet et Mme de Sévigné écrivent naturellement, nous sommes portés à prendre ce mot dans un sens absolu, comme si le naturel était le même dans tous les genres ; et nous croyons toujours dire la même chose parce que nous nous servons toujours du même mot. »

Cependant quelques grandes idées, quelques principes généraux embrassent tous les autres, dominent la question et doivent nous guider dans l'étude des divers caractères du style.

Les trois qualités que doit avoir un bon style et qui résument les autres qualités, sont, à notre avis :

1° *L'originalité.*
2° *La concision.*
3° *L'harmonie.*

L'ORIGINALITÉ DU STYLE

Il y a un style tout fait, un style banal, à l'usage de tout le monde, un style *cliché,* dont les expressions neutres et usées servent à chacun ; un style incolore construit avec les seuls mots du dictionnaire ; un style mort, sans flamme, sans image, sans couleur, sans saillies, sans imprévu, un style terre à terre et élégant, grammatical et inexpressif, le style des écrivains qui ne sont pas artistes, un style bourgeois et correct, irréprochable et sans vie.

C'est avec ce style-là qu'il ne faut pas écrire.

Si vous devez écrire comme tout le monde, il est inutile de prendre la plume.

Or, s'il y a un style banal, il doit y avoir un style original, l'originalité étant le contraire de la banalité. On dit couramment : « Tournures de phrases originales, expressions originales, images originales », qualités qui constituent précisément le style original, celui qui surprend, qui frappe, qui séduit, qui a sa marque personnelle. L'originalité réside surtout dans la façon de dire les choses, d'exprimer les idées, de faire valoir le fond.

L'originalité doit donc être considérée comme la grande, la générale, l'essentielle qualité du style.

Il faut donc, dès à présent, abandonner les préjugés d'école et se faire une idée nouvelle du style. On nous disait au collège ce qu'il devait être ; mais on ne nous le montrait pas. Nous savions bien qu'il fallait tâcher d'écrire comme Bossuet (plus ou moins, bien entendu) et non pas comme Fénelon dans son *Télémaque ;* mais comment faire ? On rôdait autour de la maison sans jamais pouvoir y entrer. Bonne ou mauvaise, nous avons une clef. Ouvrons la porte.

Voici une description de M. Nisard, *Route de Pau aux Eaux-Bonnes,* citée comme modèle dans un *Cours pratique et raisonné du style* (10e édition), dont l'auteur est agrégé et professeur de rhétorique.

> *Des bois descendent* jusqu'au bord du chemin, qui rampe le long du coteau, et se plie à toutes ses *sinuosités ;* une petite rivière, cachée sous des saules, *coule dans le fond* du vallon, *parallèlement au chemin,* si bien que le voyageur marche toujours entre deux fraîcheurs, celle de l'ombre et celle des eaux. Il y a aussi des bois sur *la montagne opposée ;* mais ces bois *ne descendent pas :* ils s'arrêtent à mi-côte ; des vignes ou des prairies, répandues sur le penchant ou dans le vallon, *d'un bout, touchent les eaux de la petite rivière, de l'autre, vont rejoindre* la lisière de ces bois. Rien de plus souple que les mouvements de ces *deux petites chaînes ;* elles sont *sinueuses* comme la rivière : *tantôt vous les voyez rentrer* et comme se creuser, tantôt saillir en coudes, *tantôt tracer une ligne droite qu'elles rompent brusquement par un détour,* elles s'écartent, elles se rapprochent : ici, elles s'ouvrent tout à coup comme une décoration d'attente qui en cachait une autre, *et laissent voir* le Pic du Midi, *qui garde* ses neiges toute l'année ; puis elles se referment, elles vous enveloppent, elles *réduisent* votre horizon et votre ciel : ainsi pendant quelques lieues.
>
> Plus loin, le chemin change, vous quittez le vallon pour entrer dans une gorge. Une *autre chaîne de montagne forme cette gorge ;* une autre rivière *coule au fond ;* la jolie route blanche *s'y engage* en se rétrécissant, en s'effilant, et marche *encore de*

> *compagnie* avec la rivière, car c'est le même tableau que tout à l'heure, mais en miniature, et avec *des diversités ravissantes.*

Après avoir lu cette description, on n'est pas plus avancé, on ne voit rien, rien n'est *peint.* C'est une page de guide Joanne ou de guide Baedeker, non pas une description, mais une énumération géographique : à droite il y a ceci, à gauche il y a cela; puis on monte, puis on redescend, puis cela contourne, on revient, le chemin change, on entre dans une gorge, etc.

Notre professeur ajoute, après avoir cité cet extrait :

> Ce charmant morceau ne réunit-il pas toutes les qualités qu'on demandait plus haut à la description ? Il est si *clair,* si *net,* qu'on croit être du voyage. On voit, on touche les objets. Il y a une *vérité, une exactitude* irréprochable dans tout le tableau; on le sent, on le jurerait sans avoir fait la route, à la précision des détails. Même mérite de *sobriété.*

Je le demande en toute bonne foi : Comment veut-on qu'un élève apprenne à écrire, quand on lui présente comme excellent ce qui est détestable, et qu'on lui propose pour modèle ce qu'il doit fuir à tout prix ?

Voilà donc un exemple de banalité authentique. Tout le monde peut écrire ainsi, sans couleur, sans évocation, sans image, sans peinture. C'est là un exemple de style banal, que l'on pourrait appeler ordinaire, celui qu'on trouve au plus bas degré de l'échelle littéraire.

Mais, il y a un autre style plus élevé, élégant, peigné, soigné, brillant, imagé même, et qui est aussi détestablement banal.

En voici deux exemples.

Je prends le premier dans un livre de Jules Sandeau. On pourrait extraire des passages identiques dans toutes les pages de ses livres.

> Voyez, ce jeune homme : il a vingt ans *au plus.* Il entre dans la vie, qu'il *n'a fait jusqu'ici qu'entrevoir* à travers *les*

> *songes enchantés* de la solitude où il a grandi. Son *enfance s'est écoulée à l'ombre du toit paternel,* dans la profondeur des vallées. La nature *l'a bercé sur son sein :* Dieu n'a placé autour de lui que *de nobles et pieux exemples.* Le voici qui s'avance, *escorté de tout le riant cortège* que *traîne la jeunesse* après elle. La *grâce réside* sur son front, *l'illusion habite dans son sein*[1] ; comme *une fleur éclose* sous le *cristal de l'onde,* au fond de *son regard en voit la beauté de son âme.* Il croit naïvement, sans efforts, à toutes les passions honnêtes, aux tendresses sans fin qui se perpétuent par-delà le tombeau, aux *serments échangés* à la clarté des nuits sereines. Il n'a qu'une ambition, c'est l'amour. Eh bien ! tandis que vous vous demandez sous quel souffle assez embaumé de si *précieux trésors achèveront de s'épanouir,*... tout cela *est déjà la proie* de quelque cœur *vicieux et corrompu.* Les Béatrix n'arrivent jamais à temps, et lorsque *l'ange se présente,* il ne lui reste plus qu'à glaner où le démon a moissonné[2].

On dirait une gageure. Jules Sandeau semble avoir réuni exprès dans cette page toute la phraséologie démodée, les expressions les plus éculées et les plus rances qui constituent le style banal et tout fait.

Ouvrez un livre ordinaire, un roman contemporain moyen. C'est dans ce style *omnibus* qu'il est écrit, moins l'élégance, la condensation, le ton, l'harmonie et les qualités que peut y ajouter un auteur comme Sandeau, pour suppléer à la qualité intrinsèque qui manque.

Voici un deuxième exemple où ce procédé de banalité arrive à des effets grotesques :

> Cette contrée *montagneuse et boisée, qu'on appelle* la Forêt-Noire, *autour de laquelle* le Rhin tourne *sans la* pénétrer et *de laquelle* il s'éloigne pour couler au nord, cette contrée *produit, sous la forme d'une simple source,* un *fleuve, fort modeste* à sa naissance, quoique *destiné à devenir l'un des deux grands fleuves du monde :* c'est le Danube. Elle le verse à l'est, où il se *dirige* en inclinant toutefois un peu au nord, projeté

1. *L'illusion féconde habite dans son sein,*
a dit Chénier. C'est un beau vers, surtout à cause de l'adjectif *féconde.* Il faut laisser à Chénier cette phrase, qui n'est plus belle après lui.

2. Passage cité dans les *Mémoires* de Philarète Chasles, t. II, p. 215.

> dans cette dernière *direction* par le pied allongé des Alpes, qu'il parcourt jusqu'à Vienne. Il *recueille* dans son cours toutes les eaux qui descendent de cette longue chaîne de montagnes, *ce qui est la cause de sa subite grandeur, après une si médiocre origine.*
>
> (THIERS, *Consulat,* liv. III.)

Cette « contrée qui produit un fleuve », « sous la forme d'une source », « destiné à devenir... », « ce qui est la cause de sa grandeur », malgré « une si médiocre origine... » C'est le dernier mot de l'insipidité !

Enfin, voici une page d'un autre écrivain, qui passe pour admirable, et qui l'a été quelquefois. C'est le triomphe du cliché :

> Toutes ses *idées* étaient *confuses* et *se succédaient* avec tant de rapidité, qu'elle n'avait pas le temps de s'arrêter à une seule (?). C'était comme cette suite d'images qui paraissent et disparaissent à la portière d'une voiture *entraînée sur un chemin de fer.* Mais, de même qu'au milieu de *la course la plus impétueuse,* l'œil qui n'aperçoit point tous les détails *parvient cependant à saisir le caractère général* des sites que l'on traverse, de même, au milieu de ce chaos de *pensées qui l'assiégeaient,* Mme de Piennes *éprouvait une impression* d'effroi et se *sentait comme* entraînée sur une pente rapide au milieu de *précipices affreux.* Que Max l'aimât, elle n'en pouvait douter. Cet amour (elle disait : cette affection) datait de loin ; mais jusqu'alors, elle ne s'en était pas alarmée. Entre une dévote comme elle et un libertin comme Max, s'élevait une *barrière insurmontable qui la rassurait* autrefois. Bien *qu'elle ne fût pas insensible* au plaisir ou à la vanité d'inspirer un sentiment sérieux à un homme aussi léger *que l'était Max dans son opinion,* elle n'avait jamais pensé que cette affection pût *devenir un jour dangereuse pour son repos.*

Encore une fois, voilà le style banal qu'il faut fuir à tout prix. On ne doit, autant que possible, *jamais écrire avec des expressions toutes faites.* La marque du véritable écrivain, c'est le *mot propre* et la *création de l'expression.*

Les morceaux que nous venons de citer auront beau passer pour bien écrits, ils sont et resteront mal écrits, tant qu'on pourra remplacer leurs expressions clichées par d'autres plus exactes ; tant qu'on pourra mettre un seul mot au lieu de deux, deux mots au lieu de trois, trois au lieu de quatre, etc. Enfin, ce style sera mauvais tant qu'on pourra le faire meilleur.

Mais alors, dira-t-on, il n'y a plus moyen d'écrire. Les gens qui vous citez sont des écrivains. Ils se sont fait une réputation. On ne peut refondre la langue française. Il est facile de critiquer. Comment changer cela ?

Essayons. Prenons le dernier morceau. Nous allons mettre le style à droite, et le corrigé que nous proposons à gauche, en soulignant ce qui est banal ou inutile.

TEXTE	STYLE À PROPOSER
Toutes ses idées *étaient* confuses et *se succédaient* avec *tant* de rapidité, qu'*elle* n'avait pas le *temps* de s'*arrêter* a une seule. (Qui ? la rapidité ?)	Ses idées étaient si confuses, si rapides, qu'elle n'avait pas le temps d'en retenir une.
C'était comme cette suite d'images qui paraissent et disparaissent *à la portière d'une voiture entraînée sur un chemin de fer.*	On eût dit une suite d'images défilant à la portière d'une voiture de chemin de fer.
Mais, de même qu'au milieu de *la course la plus impétueuse,* l'œil, qui n'aperçoit point tous les détails, *parvient cependant à saisir le caractère général* des sites que l'on traverse, de même au milieu de ce chaos *de pensées qui l'assiégeaient,* Mme de Piennes *éprouvait une impression* d'effroi et se *sentait comme entraînée* sur une *pente rapide* au milieu de *précipices affreux.*	Mais, de même qu'au milieu d'une course folle, l'œil n'aperçoit pas les détails et ne saisit que l'ensemble, de même au milieu de ce chaos de pensées, Mme de Piennes éprouvait l'effroi de se sentir entraînée vers un précipice.

Que Max l'aimât, elle n'en pouvait douter. Cet amour (elle disait : cette affection) datait de loin ; mais jusqu'alors elle ne s'en était pas alarmée.	Que Max l'aimât, elle n'en doutait pas. Cet amour datait de loin, mais ne l'avait pas alarmée jusqu'alors.
Entre une dévote comme elle et un libertin comme Max, s'élevait une barrière insurmontable qui la rassurait autrefois.	Entre une dévote comme elle et un libertin comme Max, s'élevait un obstacle qui la rassurait autrefois.
Bien qu'elle ne fût pas insensible au plaisir *ou à la vanité d'inspirer un sentiment sérieux* à un homme aussi léger *que l'était Max dans son opinion,* elle n'avait jamais pensé que cette affection pût devenir *un jour* dangereuse *pour son repos.*	Sensible au plaisir d'attirer sérieusement (de séduire, de conquérir) un homme aussi léger, elle n'avait jamais pensé que cette affection pût devenir dangereuse.

Il serait plus aisé encore de refaire les deux autres morceaux précédents de Thiers et de Sandeau. C'est un genre de démonstration que nous renouvellerons souvent dans le cours de cet ouvrage, travail qu'il est absolument impossible de faire, remarquons-le, sur le style de Pascal ou de La Bruyère.

Mais, dira-t-on, il n'entre dans la refonte que vous proposez que des mots ordinaires, terre à terre...

Précisément, les vrais mots sont les mots propres, les mots naturels, *ceux qu'on ne peut pas remplacer.*

La marque du cliché, de l'expression toute faite, ce n'est pas d'être simple, ordinaire, déjà employée, c'est *qu'on peut la remplacer* par une autre plus simple ; c'est que derrière elle, il y a la vraie, la seule, celle qu'il faut mettre à tout prix, l'eût-on dit mille fois. Pour dire : *Il pleut,* on dira toujours : *Il pleut.*

Quant à la question de savoir pourquoi les Mérimée, les G. Sand, Feuillet, etc., sont demeurés des écrivains, tout en conservant les vices que nous signalons, nous y reviendrons. C'est qu'ils avaient autre chose pour racheter cela. Quant à nous, dès à présent, renonçons, si nous voulons savoir écrire, à l'expression banale. Ce doit être un principe absolu. Si nous nous permettons ce style tout fait, qui passe pour être du style, nous pourrons bien écrire comme tout le monde, mais nous ne deviendrons jamais écrivain. Nous aurons les défauts des auteurs que nous signalons, sans être sûrs d'avoir leurs qualités.

Il faut donc s'interdire, autant que possible, quand on écrit, l'emploi constant, l'emploi à l'état d'habitude, de toute expression banale[1] ou toute périphrase dans le genre de celles-ci, que nous trouvons dans des écrivains contemporains très en renom :

LES EXPRESSIONS BANALES

Répandre des larmes.	Pour : pleurer.
Provoquer une discussion	Verbe à tout faire : provoquer des larmes, provoquer un incident, provoquer en duel...
En proie à une résolution subite.	Pour : brusquement résolu...
Inspirer un sentiment.	Verbe à tout faire : inspirer une résolution, une passion, inspirer l'idée, la pensée, la confiance.
La sérénité régnait sur son visage.	*Id.* L'abondance régnait dans ses états... Louis XIV régnait sur la France. L'ordre règne à Varsovie.
Porter une accusation.	Comme on porte son fusil ou un paquet.
Poursuivre ses entreprises.	Poursuivre son but, poursuivre les fuyards...
Faire violence.	Pour : violenter.
Perdre l'habitude.	Pour : se déshabituer.
Prendre l'habitude.	Pour : s'accoutumer.
La tristesse était peinte sur son visage.	Peinte à la détrempe, probablement.

1. Nous verrons plus loin *comment on peut les relever et les employer.*

Un bruit se fait entendre.	Pour : retentit.
Une rougeur colora ses joues.	Pour : elle rougit.
Par *un* de ces phénomènes assez fréquents.	Lequel ?
Prêter une oreille attentive.	Pour : écouter avec attention (comme on prête une pièce de cent sous).
Ces paroles revêtaient un caractère de malignité.	Comme on revêt son pardessus.
S'abandonner à son désespoir.	S'abandonner à sa douleur, s'abandonner à l'espoir, au destin...
Salon magnifiquement décoré.	Peignez en quoi consiste cette décoration. Sans cela, l'expression est vide et ne montre rien.
Les principes qu'il avait embrassés.	Embrasser sa carrière... et ses parents.
Il était au comble de ses vœux.	Au comble du bonheur, au comble de la misère, au comble du désespoir !
Redoubler ses transports.	Grandiloquent et sans signification.
La fièvre de l'attente le dévorait.	Pour : exaspéré d'attendre ; l'envie le dévorait, l'ambition le dévore, l'attente le dévorait !...
Il reprit le cours de ses pensées.	Comme font les fleuves, qui reprennent leurs cours.
Aucun incident ne venait *rompre la monotonie.*	Langue abstraite, insignifiante.
Concevoir pour quelqu'un une affection.	Concevoir un dessein, concevoir une pensée, concevoir un doute.
Il avait la *clairvoyance* et la *pénétration* de l'amour.	Substantifs identiques.
Abandonner quelqu'un aux rigueurs de sa destinée.	Grands mots inexpressifs et vides.

S'étendre avec complaisance.	Sur une pensée ou sur un lit ?
Une attraction mystérieuse.	Accouplement obligatoire !
Se manifester ouvertement.	Platitude.
Ouvrir son cœur.	Comme une porte.
Dévoiler l'état de son âme.	Ce qui ne veut rien dire, si vous ne dites pas autre chose ; et, si vous dites autre chose, c'est inutile.
Exprimer la surprise.	Exprimer son opinion, son avis, le jus d'un citron.
Respirer l'honnêteté.	Respirer l'amour, respirer l'air pur.
Son visage empreint de tristesse profonde.	Une empreinte à la cire d'Espagne ?
Présenter l'aspect.	Comme on présente une pomme.
Ses yeux traduisaient ses sentiments.	Les résultats qui se traduisent, comme on traduit Shakespeare ou comme on est traduit en police correctionnelle.
Ces détails attestaient l'économie.	Comme on atteste le ciel.
Expression douce et craintive.	Ce qui est craintif est toujours doux.
Ces mots révélaient toute l'importance qu'il attachait.	Révéler l'importance, comme on révèle un mystère ou un secret.
Ce projet correspondait à ses idées.	La correspondance d'un projet avec des idées !!!...
Ses yeux possédaient le pouvoir.	Comme un despote possède le pouvoir, au lieu de : ses yeux pouvaient.
Envelopper dans une douce atmosphère.	Style vide.
Subir une impression.	Pour : éprouver.
À ce premier sentiment succéda...	Comme Louis XIII à Henri IV.

Le charme de sa figure résidait dans...	Comme Louis XIV à Versailles.
Sous cette frivolité apparente se dissimulait.	Phraséologie pour dire : cette frivolité cachait.
Produire une impression.	Pour : impressionner.
Parée de toute la séduction.	Cent fois dit.
Imprimer la direction de sa vie.	Imprimer une direction, imprimer un mouvement, imprimer un ouvrage.
Adorablement jolie.	Insignifiant. Montrer en quoi.
Une expression... se lisait dans ses yeux.	Insignifiant.
Offrir le spectacle.	Comme on offre des dragées.
L'accueil qui lui était réservé.	Style officiel.
Joie exubérante.	Toujours !
L'éclat de son teint.	Cent fois dit.
Un irrésistible entraînement.	Épithète obligatoire.
Le plan n'allait pas sans de *réelles* difficultés.	Comme ci-dessus, un plaisir réel, mots inutiles, puisque en les retranchant l'idée reste intacte.
C'était le *complément obligé* de !!...	Style abominable.
Réveiller ses appréhensions.	Comme on réveille un dormeur. Voir plus haut : le remords se réveille, etc.
Le charme *inespéré* qui se *révélait.*	*Encore !... Voir plus haut.*
En proie à une exubérance.	*En proie à la joie, en proie à la douleur, etc.*
Formaient les traits dominants de sa nature.	*Style plat.*
La perspective nouvelle qui venait de surgir à ses yeux.	Fastueux et prudhommesques.
S'enquérir de l'heure !	Pour : demander quelle heure il est.

Protester énergiquement.	Toujours.
Il manifesta l'intention de.	Pour : déclara que...
L'ensemble de ses qualités physiques et morales.	Comment se faire une idée de cet « ensemble » ?
Sa délicatesse lui faisait un devoir.	Pour : il crut devoir, par délicatesse.
Décliner toute responsabilité.	Pour : refuser, se dérober.
À lui qu'incombe le devoir.	Style de distribution de prix.
Assumer sur lui.	*Id.*
Ce projet qui germait dans son esprit.	Pour : ce projet auquel il songeait. Où peut donc *germer un projet,* sinon dans un esprit, dans un cerveau ?
Il devina *instinctivement.*	À quoi bon ? c'est par instinct que l'on devine.
Le jour *sous lequel* elle se montrait.	Se montrer sous un *jour, sous* lequel, etc. !
Ces sentiments se faisaient jour.	Style innommable !
L'expression toute naturelle de la vérité.	Pour : la vérité toute naturelle.
Exécuter sa résolution.	Pour : faire ce qu'il avait résolu.
Tâcher de se convaincre.	Mon Dieu, oui.
Dissiper les illusions.	Comme le vent dissipe le brouillard, comme l'écolier se dissipe en classe, ou comme la fumée se dissipe.
Assigner la première place.	Pour : placer au premier rang.
Entretenir l'ardeur.	Comme on entretient son teint, entretenir la discorde, entretenir ses cheveux, ou des illusions.
Concevoir des craintes.	Comme on conçoit un projet, ou un espoir, ou une entreprise. Voir plus haut.
Déployer une activité.	Comme une étoffe ou un plan de campagne.

Recourir à cette *extrémité.*	Pour : se servir de cet *expédient*[1].
On éprouvait devant cette créature l'impression qu'elle était...	Pour : cette créature vous paraissait être.
Bouche charmante.	Toujours !
Un air de distinction était *comme répandu sur toute* sa personne.	Pour : sa personne était distinguée.
Exercer une influence.	Comme on exerce une profession.
Toutes ces qualités constituaient.	Style parlementaire.
Le mépris qu'il professait pour les femmes.	Comme on professe la philosophie à Iéna.
Les lignes harmonieuses de sa beauté.	Pour : sa beauté harmonieuse.
L'azur de ses yeux, la transparence de son teint.	Toujours !
Énoncer ses théories.	*Id.*
Ces sentiments provenaient de...	Comme l'or qui provient d'une mine.
Soulager d'un poids.	Quel poids ? et pourquoi rien qu'un ?
Ramener le discours sur un terrain brûlant.	Le ramener par la main, probablement.
Épuiser les conjectures.	Comme on épuise une source.
Achevait de donner à sa physionomie.	Phrase sans signification.
Évoquer l'image de sa félicité.	Pour : revoir sa félicité.
Un effluve de passion.	Style de tous les romans, effluve du printemps, effluve de désir.
Soulever un coin du mystère.	Comme le coin d'un couvercle.

1. Voici comment Bossuet relève ce mot banal : « Nous verrons réunies dans cet exemple toutes les *extrémités* des choses humaines... »

Une fierté qui se greffait sur cette mélancolie.	Style d'horticulture.
Pour condition première.	Style de manuel.
Les conditions qui découlent.	Comme de la confiture.
Une expression indéfinissable anima son visage.	Définissez cette expression ou n'en parlez pas.
Coup d'œil ravissant, spectacle charmant, vallée délicieuse.	En quoi ? Ce sont des épithètes nulles, tant que vous n'aurez pas montré en quoi c'est ravissant, en quoi c'est délicieux ou charmant.

Cela ne veut pas dire qu'on doive proscrire ces expressions. Il y a des cas où il les faut, où elles sont très belles et où rien ne peut les remplacer. Ainsi dans ces vers célèbres sur la mort d'Orphée :

Et dans les antres qui gémirent
Le lion *répandit des pleurs...*

De même, Lefranc de Pompignan, dans une ode célèbre, atteint le sublime avec des expressions qui par elles-mêmes seraient clichées et banales, comme « *l'astre éclatant* (le soleil), *clameurs insolentes, monstres barbares, poursuivre sa carrière, torrents de lumière...* »

Le Nil a vu sur ses rivages
Les noirs habitants des déserts
Insulter par leurs cris sauvages
L'astre éclatant de l'univers.
Cris impuissants ! fureurs bizarres !
Tandis que ces monstres barbares
Poussaient d'insolentes clameurs,
Le dieu, poursuivant sa carrière,
Versait des torrents de lumière
Sur ses obscurs blasphémateurs.

C'est ainsi que le premier vers du *Lac* de Lamartine serait d'une banalité désespérante :

Ô lac ! l'année à peine a *fini sa carrière,*

s'il n'était immédiatement relevé par les beaux vers qui suivent :

Et près des flots chéris qu'elle devait revoir, etc.

La même idée reste insipide dans Florian :

Le Soleil n'avait pas *commencé sa carrière.*
(FLORIAN, *Ruth.*)

Nous blâmons plus haut l'emploi du verbe *régner.* La sécurité *règne* sur son visage, comme Louis XIV règne sur la France, etc.

Cela n'empêche pas le vers suivant d'être un beau vers ; il s'agit de la lune :

Cette éclatante paix qui règne sur ta face.
(Jean MORÉAS.)

Il faut s'interdire de même les épithètes toutes faites, les épithètes obligatoires, dont on croit indispensablement devoir accompagner certains mots.

EXEMPLES D'ÉPITHÈTES CLICHÉES ET INSIGNIFIANTES

L'ironie amère.
Larmes amères, etc.
Éclair farouche.
Expédient favorable.
Horreur indicible.
Un regard froid et sévère.
Une délicieuse rêverie.
Une sourde rumeur.
Figure fraîche et vermeille.
Magnifiques ombrages. (En quoi ?)

Une douce extase.
Une répulsion instinctive. (Elle est toujours instinctive.)
Un ennemi implacable, acharné. (Toujours !)
Une émotion contenue.
Une tristesse grave. (Serait-ce une tristesse joyeuse ?)
Impatience fiévreuse.
Bouche bien arquée.
Front fuyant.
Douceur singulière. (En quoi ?)
Charme pénétrant.
Colère implacable.
Irrésistible entraînement.
Douceur affectueuse, bonté vraie [1].
Fierté légitime.
Excessive réserve.
Chaleur bienfaisante.
Odieux contrastes.
Les joies inespérées.
Malaise intolérable.
Esprit pénétrant.
Activité dévorante.
Progrès effrayant.
Chevelure abondante.
Impérieuses exigences.
Perversité précoce.
Rage féroce.
Souvenir odieux.
Désespoir suprême.
Singulier mélange.
Délicatesse native, etc.

On ne saisira peut-être pas au premier abord l'importance qu'il y a à s'interdire l'emploi de pareilles locutions. Mais ouvrez un livre ordinaire ; vous constaterez qu'il est écrit dans ce style ; et que c'est pour cela, rien que pour cela, qu'il ne frappe pas et qu'on l'oublie dès qu'on l'a lu.

On peut se permettre ces locutions et on les trouve chez les meilleurs écrivains ; mais c'est la *continuité* qui crée la *banalité* et le caractère incolore d'un style.

1. Qu'est-ce qu'une douceur qui ne serait pas affectueuse et une bonté qui ne serait pas vraie ?

Si on les permet une fois, on se les permettra deux fois, trois fois; et, entraîné sur la pente, on se laissera aller; car il est plus facile d'écrire avec le style de tout le monde que d'avoir un style personnel.

C'est ce que le P. Bouhours appelait le « parler par phrases » comme celles-ci, qu'il cite :

Introduire le désordre dans...
Jeter un brandon de discorde.
Répandre un jour lumineux sur...
Entendre la voix de l'honneur.
Sortir du souvenir... (VOITURE).
Tomber dans la sévérité de la justice... (PORT-ROYAL).
Être assujetti au trouble des passions... *(Id.)*
L'hydre de l'anarchie.

Phrases embarrassées et ridicules qu'on emploie faute de trouver le mot propre et qui conduisent aux expressions purement grotesques, telles que :

Le sein de l'Académie, le sein de l'Assemblée...
Les questions *brûlantes* qui reviennent *sur l'eau*...
Les désordres qui dévorent l'Église...
Assiégée d'un déluge d'hérésies...
Discours arrosé de ferventes prières [1]...
L'horizon politique...
Le soleil du progrès...
Le champ des conjectures...
Le terrain des hypothèses...
L'arsenal des lois...
Le courant de l'opinion...
L'aurore de nos libertés.

Boileau, dans sa seconde satire, s'est moqué agréablement de ce style obligatoire et de l'habitude qu'on a de réunir certains mots :

1. Le rôle d'épurateur que joua le P. Bouhours dans la société littéraire du XVIIe siècle a été très bien exposé dans un livre substantiel de M. Georges Doncieux, *Le Père Bouhours*.

Si je louais Philis *en miracles féconde,*
Je trouverais bientôt *à nulle autre seconde ;*
Si je voulais vanter *un objet non pareil,*
Je mettrais à l'instant *plus beau que le soleil.*

Voici un exemple de ce que nous donnerait le style banal, dont nous avons détaillé quelques locutions. Nous allons tâcher d'écrire une page, en nous servant uniquement des expressions que nous avons signalées.

> Sans s'attarder à *verser des larmes, en proie* à une *résolution subite* et voulant *raisonner froidement,* le comte se jura de ne plus retourner chez son ami, contre qui on venait de *porter une si terrible accusation.* Il comprit qu'il serait obligé de *se faire violence* pour *perdre l'habitude* de cette maison. « Aurais-je ce courage ? » Cette hésitation seule *traduisait sa pensée.* En consultant la *dignité de son caractère,* à force *de s'interroger avec anxiété,* lui qui n'avait jusqu'alors *obéi qu'à sa fantaisie,* il ne *tarda pas à découvrir* la clef de cette nature exceptionnelle, pour laquelle il *avait conçu d'ores et déjà* une *si vive admiration. Après s'être étendu avec complaisance sur* ces douloureuses pensées, qui *s'étaient succédé* dans son esprit, sûr de vaincre *l'attraction mystérieuse* qui le *ramenait invinciblement* chez cet homme, il se *retrouva subitement* son *ennemi implacable* et *prit la décision* formelle de se rendre chez la marquise pour *lui dévoiler l'état de son âme* et lui *peindre son intolérable souffrance.* Là, *enveloppé d'une plus douce atmosphère,* après *avoir subi* la *désastreuse impression* de cette lutte, il sentirait le *charme inespéré que dégageait* cette adorable femme, vers qui *le ramenait* toujours un *invincible attrait* et dont il *subissait* malgré lui *l'ascendant,* etc.

Si l'on veut dresser un long catalogue des expressions banales qui constituent le style tout fait, on n'a qu'à ouvrir notre « immortel chansonnier Béranger ». C'est dans ce style qu'il a écrit ses chansons.

Qu'il va lentement, le navire
À qui j'ai *confié mon sort !*
Au rivage où mon cœur aspire
Qu'il est lent à *trouver un port !*
. . . .

Respectez mon indépendance,
Esclaves de la vanité :
C'est à *l'ombre de l'indigence*
Que j'ai trouvé la liberté
. . . .
Pour *effacer* des coursiers du barbare
Les *pas empreints* dans tes *champs profanés,*
Jamais le ciel te fut-il moins avare ?
D'épis nombreux vois *ces champs couronnés.*
D'un vol fameux prompts à venger l'offense,
Voir les beaux arts, *consolant leurs autels,*
Y graver en traits immortels :
Honneur aux enfants de la France !

Prête l'oreille aux *accents de l'histoire :*
Quel peuple ancien devant toi n'a tremblé !
Quel nouveau peuple, *envieux de ta gloire,*
Ne fut cent fois de ta gloire accablé ?
En vain l'Anglais *a mis dans la balance*
L'or que pour vaincre ont mendié les rois,
Des siècles entends-tu la voix ?
Honneur aux enfants de la France !

Dieu, qui *punit le tyran et l'esclave,*
Que tes plaisirs ne *soient plus une entrave :*
La Liberté doit *sourire aux amours.*
Prends son flambleau, laisse dormir sa lance, etc.
(BÉRANGER, *Les Enfants de la France.*)

L'originalité est donc la condition primordiale, essentielle du style. Pour l'atteindre, il faut absolument éviter le style banal, et bien savoir ce que c'est qu'un style banal.

Nous venons de montrer en quoi il consiste. D'abord dans le « parler par phrases », dans les expressions toutes faites... *qu'on peut remplacer par l'expression juste.* Avec de pareils défauts, on aura beau mettre de l'élégance, de la correction, de la pureté, on n'aura qu'un style fade, lâche, factice, neutre, inexpressif et sans relief.

Ce vice en amène un autre, non moins dangereux : c'est la périphrase, qui est une circonlocution, un circuit de paroles, pour dire longuement une chose qui pourrait être dite brièvement.

Nous avons un peu perdu, dans notre façon d'écrire actuelle, cette manie de la périphrase, qui sévissait aux XVIIe et XVIIIe siècles et qui a rendu célèbres les Saint-Lambert et les Delille. La connaissance de Shakespeare et surtout la révolution romantique inaugurée par Victor Hugo, ont à peu près débarrassé notre littérature de l'obligation qu'elle se créait de ne pas appeler les choses par leur nom. On hésitait à traduire *Othello* sur la scène, de peur d'employer le mot *mouchoir,* et Alfred de Vigny eut à se repentir de l'avoir risqué malgré Ducis. Jean Aicard seul a osé écrire une bonne traduction d'*Othello.*

Aujourd'hui le terrain est déblayé, le mot propre triomphe, bien que l'emploi de la périphrase, en certains cas, soit légitime et fort littéraire. C'est l'excès, comme toujours, qu'on doit éviter, à moins que la pensée n'y gagne en intention, en esprit ou en couleur. Affaire de tact. S'il avait observé cette prudence, Racine n'aurait pas commis des vers comme ceux-ci :

> *Cependant sur le dos de la plaine liquide,*
> S'élève *à gros bouillons une montagne humide.*

Une montagne humide qui s'élève à gros bouillons sur le dos d'une plaine liquide, c'est de l'amphigouri.

Il y a des pensées peu importantes qui ne méritent vraiment pas l'honneur et la solennité d'une périphrase.

> Lève-toi, Laodice, et va mettre de l'huile dans ta lampe,

serait peut-être un peu brusque et prosaïque en vers ; mais c'est vraiment trop que de dire avec Ponsard :

> Lève-toi, Laodice, et va puiser dans l'urne
> L'huile qui doit brûler à ta lampe nocturne.

Pour nommer le ver à soie, Lebrun emploie cette périphrase ridicule :

Je me plais à nourrir encore
L'amant des feuilles de Thisbé.

et il désigne ainsi le fromage et la porcelaine :

Vanves, qu'habite Galathée,
Sait du lait d'Io, d'Amalthée,
Épaissir les flots écumeux ;
Et Sèvres d'une main agile
Vous pétrit l'albâtre fragile
Où Moka nous verse ses feux.

Casimir Delavigne, parlant d'un fiacre, a dit :

Durement cahoté
Sur les nobles coussins d'un char numéroté.

Et un autre classique, pour exprimer que le roi vient :

Ce grand roi roule ici ses pas impérieux.

Burson avait raison de dire : « Rien n'est plus opposé au beau naturel que la peine qu'on se donne pour exprimer des choses ordinaires ou communes d'une manière singulière ou pompeuse ; rien ne dégrade plus l'écrivain. On le plaint d'avoir passé tant de temps à faire de nouvelles combinaisons de syllabes, pour ne dire que ce que tout le monde dit. »

Voici, par contre, une superbe périphrase de Bossuet pour désigner le confessionnal : « Ces tribunaux qui justifient ceux qui s'accusent. »

Il faut donc, dès le début, éviter l'expression et la périphrase banales. La première originalité à avoir, c'est d'écrire avec le mot naturel, avec le mot propre, le mot simple et exact. Ce mot sera peut-être plus connu, plus employé encore qu'une locution faussement élégante, mais il ne sera pas remplaçable, on ne peut pas se passer de lui, et c'est l'emploi de ce mot propre, quel qu'il soit, qui fait la netteté, la correction, l'éclat du style et son énergie. Certains styles, comme ceux de La Bruyère, La Rochefoucauld, Fénelon, Montesquieu, doivent tout leur lustre à ce grand mérite.

Écoutez ce que dit La Bruyère et l'exemple qu'il nous donne dans son immortel conseil :

> Que dites-vous ? Comment ? Je n'y suis pas ; vous plaîrait-il de recommencer ? J'y suis encore moins. Je devine enfin : vous voulez, Acis, me dire qu'il fait froid ; que ne disiez-vous : il fait froid ? Vous voulez m'apprendre qu'il pleut ou qu'il neige ; dites : il pleut, il neige. Vous me trouvez bon visage, et vous désirez de m'en féliciter, dites : je vous trouve bon visage. Mais, répondez-vous, cela est bien uni et bien clair ; et d'ailleurs, qui ne pourrait pas en dire autant ? Qu'importe, Acis ? est-ce un si grand mal d'être entendu quand on parle, et de parler comme tout le monde ? Une chose vous manque, Acis, à vous et à vos semblables, les diseurs de *phébus ;* vous ne vous en défiez point, et je vais vous jeter dans l'étonnement ; une chose vous manque, c'est l'esprit. Ce n'est pas tout : il y a en vous une chose de trop, qui est l'opinion d'en avoir plus que les autres. Voilà la source de votre pompeux galimatias, de vos phrases embrouillées, et de vos grands mots qui ne signifient rien. Vous abordez cet homme, ou vous entrez dans cette chambre ; je vous tire par votre habit, et vous dis à l'oreille : Ne songez point à avoir de l'esprit, n'en ayez point ; c'est votre rôle ; ayez, si vous pouvez, un langage simple, et tel que l'ont ceux en qui vous ne trouvez aucun esprit ; peut-être alors croira-t-on que vous en avez.

On ne peut pas mieux dire. Et La Bruyère prêche d'exemple. Voilà un style sans locutions toutes faites. C'est écrit avec le mot propre, le mot qu'on ne peut pas remplacer.

On n'atteint l'originalité que par le mot naturel ou l'expression créée. Les deux ne font qu'un chez les grands écrivains ; l'expression créée est chez eux toujours naturelle, parce qu'elle est le mot qu'il fallait trouver pour caractériser une nuance nouvelle, un rapport inédit, une pensée neuve.

Il faut les deux pour être parfait. L'inimitable La Fontaine lui-même est un créateur de style incomparable.

La simplicité seule est souvent sans couleur et risque d'être pâle ; témoin *Télémaque,* si uniforme de ton, sans relief, quoique bien écrit [1].

Voici un passage de Bossuet, écrit avec les mots les plus ordinaires, les plus simples, les moins cherchés, avec des mots presque prosaïques et qu'on ne songera jamais à remplacer, d'abord parce que ce serait difficile, et ensuite parce que la *saillie* de l'idée compense tout.

> Ah ! que nous avons bien raison de dire que nous passons notre temps ! Nous le passons véritablement, et nous passons avec lui. Tout mon être tient à un moment ; voilà ce qui me sépare du rien ; celui-là s'écoule, j'en prends un autre : ils se passent les uns après les autres ; les uns après les autres je les joins, tâchant de m'assurer ; et je ne m'aperçois pas qu'ils m'entraînent insensiblement avec eux, et que je manquerai au temps, non pas le temps à moi. Voilà ce que c'est que la vie ; et ce qui est épouvantable, c'est que cela passe à mon égard ; devant Dieu, cela demeure, cela entre dans ses trésors. Ce que j'y aurais mis, je le trouverai. Je ne jouis des moments de ce plaisir que durant le passage ; quand ils passent, il faut que j'en réponde comme s'ils demeuraient. Ce n'est pas assez dire, ils sont passés, je n'y songerai plus : ils sont passés, oui, pour moi ; mais à Dieu, non ; il en demandera compte.
>
> (BOSSUET, *Sermons.*)

On le voit, le naturel et la simplicité sont la vraie énergie.

« *Il est un art,* dit Cicéron, *de paraître sans art.* Comme il y a des femmes à qui il sied bien de n'être point parées, l'élocution simple nous plaît, même sans ornements. C'est une beauté négligée, qui a ses grâces d'autant plus touchan-

1. *Télémaque* est un livre négativement bien écrit, remarquable par les défauts qu'il n'a pas, plutôt que par les qualités qu'il possède. Il a l'élégance sans éclat, la netteté sans relief, la correction sans couleur, la facilité qui n'est pas originale, la clarté qui ne brille pas, etc.

tes, qu'elle n'y songe pas... Ce genre n'admet ni la parure ni l'éclat ; c'est un repas sans magnificence, mais où le bon goût règne avec l'économie ; le bon goût, c'est le choix. »

Le don d'écrire *naturel* n'est pas une aptitude inconsciente. Le naturel s'acquiert. C'est presque toujours par le travail qu'on l'obtient. On peut même dire que le *naturel* est le résultat de *l'effort*. La Fontaine, par exemple, n'a atteint l'inimitable naturel de son style que par un labeur obstiné. Il raturait sans cesse et refaisait jusqu'à dix ou douze fois la même fable. On peut s'en convaincre, comme l'a fait Taine, en lisant ses manuscrits, qui sont à la Bibliothèque nationale. Condillac a donc raison de dire que « le naturel consiste dans la facilité qu'on a de faire une chose, lorsque après s'être étudié pour y réussir, on y réussit enfin sans s'y étudier davantage. C'est *l'art tourné en habitude* ».

L'illusion que donne le naturel, c'est que cela a été écrit sans peine. On dirait que ce n'est pas cherché et il semble que chacun en eût pu écrire autant. Or, c'est le rebours qui arrive.

On imagine pouvoir écrire comme La Bruyère, Pascal ou La Fontaine. Quand on s'y met, neuf fois sur dix, ce que l'on trouve, c'est le style tout fait, le style banal que nous signalons. Pourquoi ? Parce que c'est ce style qu'on a le plus lu ; parce qu'on l'a dans la tête ; parce qu'on n'a pas l'instinct ou l'art de s'en débarrasser ; parce qu'on ne sait pas, comme dit Pascal, que « l'éloquence se passe de l'éloquence » et que le meilleur style, selon Montaigne, va au fond de l'idée, est presque « parlé, voire soldatesque ». On *cherche trop à écrire.* Il faut bien chercher, en effet, mais il faut chercher à ne pas écrire.

Comment faire pour éviter le style élégamment banal et atteindre le relief ? Nous indiquerons les procédés au chapitre de la composition.

Il faut, en tout cas, trouver autre chose, écrire autre chose, voir l'idée autrement, prendre un autre ton. Ce n'est pas si difficile, une fois l'angle adopté et lorsqu'on est entré dans une certaine tournure d'esprit.

Prenons, par exemple, ces lignes de George Sand :

> Il y avait sur sa figure *d'un jaune brun,* dans sa *prunelle noire et ardente,* dans sa bouche *froide et dédaigneuse, dans son attitude impassible* et jusque dans le *mouvement absolu* de sa main *longue et maigre,* ornée de diamants, une expression de *fierté arrogante* et de *rigueur inflexible* que je n'avais jamais rencontrée.
>
> (G. SAND, *La Dernière Aldini.*)

Relisez ce morceau. Vous remarquerez un insupportable balancement d'épithètes incolores, chaque mot a son adjectif qui pend à côté : « figure jaune brun, prunelle noire, ardente, attitude impassible, mouvement absolu, main longue et maigre, fierté arrogante, rigueur inflexible... »

C'est intolérable. D'abord : figure *brune* suffisait ; *jaune* est une nuance qui se perd en route ; *prunelle ardente* suffirait aussi ; *impassibilité* pourrait remplacer *attitude impassible ; le mouvement absolu* (?) de sa main veut dire probablement le geste *autoritaire.* Son *arrogance* simplement remplacera *l'expression de fierté arrogante* (car c'est la même chose) et *rigueur inflexible* est d'un accouplement trop usé.

Essayons de refaire :

> Il y avait dans sa figure brune, dans son ardente prunelle, dans le dédain de sa bouche, dans son impassibilité et jusque dans le geste autoritaire de sa main maigre, une arrogance inflexible que je n'avais jamais rencontrée.

Même ainsi, ce ne sera pas trop bon, car cela revient à dire : « Il y avait de l'arrogance dans son dédain et de la rigueur dans son impassibilité », ce qui n'est pas fort et ne veut rien dire du tout.

On voit à peu près, aussi bien que nous pouvons le donner dans un aperçu préliminaire, comment on doit procéder pour chasser la banalité du style et lui donner l'originalité inséparable du vrai don d'écrire.

Un dernier exemple, pour finir cette entrée en matière. C'est un morceau de Lamennais. Nous ne le referons pas. Nous signalerons seulement ce qu'il faudrait biffer ou changer. L'auteur décrit la vision que donne la symphonie pastorale de Beethoven :

> Un chant simple et doux se fait entendre (pourquoi pas : *s'élève ?* ce serait plus court), les échos le répètent de vallée en vallée (*l'écho des vallées le répète,* serait plus rond). Il semble que vous *erriez* sur l'herbe humide encore.. (*On croirait marcher sur l'herbe encore fraîche* serait plus en relief), alors que les bois, les *prairies,* les *champs* exhalent comme une vapeur d'harmonie *indéfinissable* (alors que la *campagne exhale comme une vapeur harmonieuse,* serait mieux écrit). Mille accidents de lumière *déroulent sous vos yeux* (oh ! le vieux cliché ! cherchez autre chose : dévoilent, montrent...) *des tableaux variés* (quels affreux mots banals, pour dire : des scènes inattendues), le son invisible, *mystère étrange* (épithète obligatoire) s'obscurcit ou *se revêt d'un vif éclat* (un son qui *se revêt d'un vif éclat* est le dernier mot du médiocre). Peu à peu le soleil monte, l'air s'embrase. Aux travaux suspendus *succèdent les danses joyeuses* (style de traduction bucolique). Cependant les nuages *s'amoncellent* (vieux verbe obligatoire pour les nuages, qui se trouve sous la plume de tous les élèves), un bruit *sourd et lointain* (toujours !), parti on ne sait d'où, annonce l'orage ; on ne le voit pas encore ; il grossit et s'approche (s'il grossit, c'est qu'il s'approche, et s'il s'approche, c'est qu'il a grossi. Tout cela est peu en relief, peu vu !), l'éclair *sillonne* la nuée (style des devoirs de jeunes filles), la foudre la *déchire* avec un fracas horrible. Les danses s'interrompent, etc.

Et Lamennais ajoute cette phrase qui contient à elle seule toute la leçon que nous voulons donner :

> Les *pasteurs effrayés se dispersent...*

L'auteur a cru bien écrire en employant ces mots généraux et inexpressifs. Les gens habitués au style tout fait s'en contenteront et diront : que mettre à la place ?

Ce qu'il fallait mettre ? Mais les mots vrais, tout simplement, ceux que M. de Heredia emploie dans un cas semblable :

> Le pâtre épouvanté qui s'enfuit vers Tyrinthe.
> (*Les Trophées.*)

S'enfuir est plus fort que *dispersent ; épouvantés* est plus en relief qu'*effrayés ;* et pâtre est le mot propre, bien mieux que *pasteur* (pasteur d'hommes, pasteur évangélique, etc.). On eût pu mettre encore :

> Les pâtres s'enfuient de terreur[1].

L'originalité est donc, répétons-le, la première qualité du style. C'est par elle qu'on s'écarte de ce qui a été dit, qu'on évite les périphrases et les expressions toutes faites ; c'est par elle qu'on trouve la force et la vie.

L'originalité est un effort incessant. Elle consiste à dire mieux, à dire énergiquement, à chercher le mot propre, à trouver l'image neuve. Si vous avez cette qualité, écririez-vous à la diable comme Saint-Simon, vous seriez écrivain, en dépit des cours de littérature, de la grammaire et de l'orthographe.

1. Ce qui ne veut pas dire que le mot *pasteur* ne puisse être beau ; il peut, en d'autres cas, devenir nécessaire ; de même les mots *effrayés* et *dispersent.* Les expressions ne sont que des valeurs. Ne l'oublions jamais.

SIXIÈME LEÇON

LA CONCISION DU STYLE

Procédés pour acquérir la concision — Surcharges et mots trop nombreux — Locutions vicieuses — Prolixité — Sobriété — Condensation — Accumulation et répétition de mots — Emploi des auxiliaires *avoir* et *être* — Le sonnet d'Arvers — Les équivalents — Les transitions factices

La seconde qualité essentielle d'un bon style, c'est la *concision,* c'est-à-dire *l'art de renfermer une pensée dans le moins de mots possible*[1].

Une grande cause de faiblesse littéraire, ce qui ôte à un style sa force, ce qui le rend sans effet, c'est la diffusion. On n'est jamais captivé par des phrases où il y a trop de mots. « La netteté, a dit un critique, est le vernis des maîtres » ; or la netteté est l'éclat que donne la concision. Elle ne consiste pas dans les phrases courtes plutôt que dans les phrases longues. Chacun a sa mesure ; le moule importe peu, menue phrase hachée des portraits de La Bruyère, ou belle période des discours de Bossuet.

La concision, c'est l'art de se ramasser, de faire sortir l'idée, de condenser les éléments d'une phrase dans une forme de plus en plus serrée. C'est la haine du style lâche.

1. Nous avons dit dans la précédente leçon qu'il faut employer le mot *propre,* exact, imaginé, en relief, et non pas le mot banal et l'expression toute faite. Ces conseils, pour atteindre l'originalité, comprennent donc implicitement la précision, la correction, la clarté, la justesse, le naturel, etc., dont il m'a paru inutile de faire des qualités à part.

Dans la présente leçon, il est évident aussi que la concision renferme la sobriété, la tempérance, la force, l'éclat, etc.

L'éloquence n'est pas dans la *quantité* des choses dites, mais dans leur *intensité.*

Le manque de concision est le défaut général de ceux qui commencent à écrire et qui ne se surveillent pas. Les trois quarts des auteurs se contentent d'une forme qu'ils croient définitive et qu'on refait soi-même à la lecture.

La concision est donc une affaire de travail. Il faut nettoyer son style, le vanner, le cribler, le passer au tamis, lui ôter la paille, le clarifier, le pétrir, le durcir, jusqu'à ce qu'il n'y ait plus de copeaux au bois, jusqu'à ce que la fonte soit sans bavure, et qu'on ait rejeté toutes les scories du métal. Lisez Pascal, La Bruyère, Montesquieu ; on ne peut ôter un mot à leurs phrases. Jusqu'à ce que vous arriviez à cet état figé, solide, indestructible, votre style ne sera pas à point. En un mot, il ne faut pas qu'on puisse dire d'une manière plus concise les choses que vous avez dites.

C'est ce que Flaubert exprimait par ce mot : « La prose n'est jamais finie. » Ajoutons qu'elle ne *peut pas* être finie. Là où vous vous arrêtez, vous qui êtes Chateaubriand ou La Bruyère, un autre peut se présenter, un autre génie, plus grand que vous, qui verra plus loin que vous, et qui réalisera une forme plus parfaite. Nos grands écrivains représentent l'expression la plus haute de l'art d'écrire ; mais cette expression n'est pas la dernière ; il aurait pu en exister une plus élevée.

On emploie trop de mots, parce qu'on est embarrassé pour exprimer son idée ; on rôde autour ; et quand tous ces mots sont écrits, ils deviennent malheureusement inséparables de l'idée ; on ne peut plus voir la pensée qu'avec ses filaments ; il faudrait brutalement dégager ce qu'on veut dire, et secouer la terre qui adhère aux racines de la plante.

Certains styles manquent d'éloquence à cause de ce malheureux défaut de diffusion. Les mêmes choses seraient saisissantes, si elles étaient ramassées. Le lecteur ordinaire ne peut dire pourquoi il n'a pas d'attrait à lire ces pages. L'homme de métier voit ce qu'il y a de trop.

La même pensée devient faible ou forte, selon le resserrement qu'on lui donne.

Je serai lâche et diffus, si je dis : « Les femmes n'ont pas de limites dans leurs sentiments ; parfois elles valent mieux, d'autre fois moins, que les hommes. »

Mais je deviendrai saisissant, si je dis avec La Bruyère : « Les femmes sont extrêmes ; elles sont meilleures ou pires que les hommes. »

Je ne frapperai personne, si je dis : « Les pensées élevées, celles qui ennoblissent et exaltent l'homme, ont leur origine et leur source au fond de votre cœur. » Mais la concision rendra l'idée superbe, si je dis avec le moraliste : « Les grandes pensées viennent du cœur. »

Un style éparpillé et sans fermeté se supporte un instant, mais bientôt fatigue. On peut mettre dans son style autant d'incidentes qu'on voudra, l'orner, l'embellir, le découper en petites périodes, le canaliser aussi longuement qu'on le jugera nécessaire. Il pourra tout de même avoir de la concision dans chaque détail.

Ce qu'il faut éviter, c'est le superflu, l'encombrement, le verbiage, le surcroît des idées secondaires qui n'ajoutent rien à l'idée maîtresse et qui ne font que l'affaiblir.

Ainsi, dans cette phrase : « On ne peut voir de pareils malheurs chez autrui sans éprouver un sentiment de *pitié, de crainte, d'appréhension* sur soi-même, qui vous fait mieux savourer la *joie* et la *satisfaction* d'un être exempt », le mot *appréhension* n'ajoute rien à l'idée de *crainte,* et le mot *satisfaction* est trop faible après le mot *joie.*

De même dans cette phrase de Fléchier :

> Je plains en cette chaire un *sage et vertueux capitaine, dont les intentions étaient pures et dont la vertu semblait mériter une vie plus longue et plus étendue.*
>
> *(Oraison funèbre de Turenne.)*

Ce surcroît d'épithètes est indigne d'un écrivain. Quand on dit qu'une vie est plus *longue,* il est inutile d'ajouter qu'elle est plus *étendue.*

Le même genre de défaut se remarque dans ces vers de Corneille :

Trois sceptres, à son trône attachés par mon bras,
Parlerons au lieu d'elle, et ne se tairont pas.

Il y a des phrases qui semblent finies et qu'on peut rendre plus concises, telles celles-ci : « Vous *avez dit* que la duchesse serait mécontente *si elle savait que nous sommes* seuls. » Il vaut mieux écrire : « Vous *disiez* que la duchesse *serait* mécontente *de nous savoir* seuls. » Vous aurez remplacé huit mots par quatre, et ce sera plus élégant.

Cela n'a l'air de rien ; mais ce genre de correction a une grande portée, quand il est fait sur des pages et des pages.

On emploie trop de mots, nous l'avons dit, parce qu'on répète sa pensée de plusieurs manières. On accumule autour d'elle des pensées similaires qui, destinées à la faire valoir, ne font au contraire que la délayer et l'affaiblir. Ainsi dans cet exemple cité par M. Deltour[1], le mot de Henri IV : « Je veux que le paysan mette tous les dimanches la poule au pot » se trouve défiguré et éparpillé dans ces quatre vers d'un écrivain du siècle dernier :

Je veux qu'aux jours *marqués pour le repos,*
Le *paisible* habitant des *modestes hameaux*
Sur sa table *moins humble* ait, *par ma bienfaisance,*
Quelques-uns de ces mets réservés à l'aisance.

Voici encore un exemple de ce piétinement sur place des mêmes idées, pris dans l'abbé du Guet :

Tout le monde est capable de comprendre qu'elle serait la félicité d'une nation, ou *toute la force et toute l'autorité* seraient accordées à la vertu, où toutes *les menaces et tous les châtiments* ne seraient que contre le vice ; dont le prince ne serait terrible qu'à quiconque ferait le mal et *jamais à ceux qui aiment et font le bien ;* où l'épée que Dieu lui a confiée serait la protection

1. *Principes de composition française.*

des justes *et ne ferait trembler que leurs ennemis ;* où la *vérité et la clémence* s'uniraient ; ou la *justice et la paix* se donneraient un mutuel baiser, et où l'on verrait accomplir ce qu'a dit l'apôtre : la vertu *respectée et comblée d'honneurs* et le vice *humilié et couvert d'ignominie.*

Ces surcharges, ce dédoublement de chaque pensée n'ajoutent rien à l'idée, qui se perd en route, faute de concision. Il y a des écrivains qui ne peuvent quitter une idée sans l'avoir mâchée dans tous les sens, jusqu'à ce qu'elle n'ait plus de goût.

Que de phrases avons-nous lues dans le genre de celles-ci, que cite le fin critique Blair :

« Commettre une mauvaise action, c'est d'abord écarter une affection *bonne et sage* pour lui en subsituer une *mauvaise et désordonnée* » ou encore : « C'est commettre une action *inique, immorale* et *injuste*... enfin c'est agir contre *l'intégrité, la nature* et *la vertu*... »

C'est surtout dans l'art oratoire que cette prolixité devient abusive. Presque tous les orateurs tombent dans ce vice ; c'est ce qui rend leurs discours insignifiants à la lecture [1].

Dans les vers célèbres de Casimir Delavigne sur la mort de Jeanne d'Arc, ce procédé est frappant, car l'auteur y a encore ajouté la banalité des expressions toutes faites :

À qui réserve-t-on ces *apprêts meurtriers ?*
  Pour qui ces *torches qu'on excite !*
  L'airain sacré *tremble et s'agite...*
D'où vient ce *bruit lugubre ? Où courent ces guerriers*
Dont la foule a longs flots *roule et se précipite ?*
  La joie *éclate sur leurs traits ;*
  Sans doute l'honneur les enflamme ;
Ils vont pour un assaut *former leurs rangs épais.*
  Non, ces guerriers sont des Anglais
  Qui vont voir mourir une femme.

1. Démosthène est pourtant un modèle de concision. Quant à Cicéron, il incarne la diffusion, mais il l'incarne avec talent. Il orne tout et répète tout. Il procède par multiplicité de noms, de verbes et d'adjectifs.

L'airain sacré tremble et s'agite... un des deux verbes est inutile... Du moment qu'on dit : où *courent ces guerriers,* il est inutile d'ajouter : dont la foule *à longs flots, roule...* Et du moment que la *foule roule,* le mot se *précipite* devient inutile, ou réciproquement. Il n'y a que les deux derniers vers d'irréprochables, dont on ne peut remplacer ni retrancher un mot.

C'est par la concision, répétons-le, qu'on atteint la *clarté,* la *sobriété,* la *propriété,* la *correction,* la *brièveté,* la *pureté,* qualités qu'on a tort de vouloir démontrer séparément. Elles sont contenues dans la concision, comme nous avons vu que le relief, la force, l'expression, l'énergie, le naturel, la richesse, la netteté sont contenues dans l'originalité du style.

Ceux qui s'exercent à écrire constateront combien cet engendrement est logique.

Souvent, sans vouloir être plus clair, on allonge ce qu'on veut dire, tandis qu'on eût été lumineux, si l'on eût été concis; témoin ce passage de l'abbé du Bos, qui n'est pourtant pas un mauvais critique :

> Les peintres et les poètes excitent en nous les passions artificielles, en présentant des imitations des objets capables d'exciter en nous des passions véritables. Comme l'impression que ces imitations font sur nous est du même genre que l'impression que l'objet imité par le peintre ou par le poète ferait sur nous; comme l'impression que l'imitation fait n'est différente de l'impression que l'objet imité ferait qu'en ce qu'elle est moins forte, elle doit exciter dans notre âme une passion qui ressemble à celle que l'objet imité aurait pu exciter : la copie de l'objet doit, pour ainsi dire, exciter en nous une copie de la passion que l'objet y aurait excitée. Mais comme l'impression que l'imitation fait n'est pas aussi profonde que l'impression que l'objet même aurait faite, cette impression superficielle, faite par une imitation, disparaît sans avoir des suites durables comme en aurait une impression faite par l'objet que le peintre ou le poète a imité.

Le bon abbé du Bos tombe dans le galimatias et ne sait plus ce qu'il veut dire, pour avoir voulu s'exprimer trop clairement, trop techniquement, d'une façon trop terre à terre.

Il faut observer la concision non seulement dans les mots, en réduisant leur nombre au minimum, mais dans le tour des phrases, en employant de préférence les constructions rapides, celles qui allègent le style au lieu de l'alourdir.

LOCUTIONS VICIEUSES

Superbe était la matinée.
Admirable fut sa conduite...
Pas n'est besoin d'ajouter...
Associés qu'ils étaient...
D'autant qu'il...
À seule fin de...
De façon que...
De manière à ce que...
Il ne répondait pas, fatigué qu'il commençait à être...
Cette exaltation, si noble soit-elle...
Que si je considère...
M. X... de la mort de qui on avait fait courir le bruit. Ou : M. X... dont le bruit de la mort avait couru...

N'oubliez pas que les phrases sont faites les unes pour les autres et que c'est leur enchaînement serré qui fait une des beautés générales du style. Que vos phrases ne paraissent pas *greffées*, en surcharges, mais *engendrées ;* non pas *juxtaposées* facticement, mais logiquement *déduites*.

Voici un exemple où il semble que l'idée principale va finir, et où elle recommence toujours, traînant une suite de réflexions inutiles, comme une queue qui se déviderait à l'infini.

> Les blessures étaient plus mortelles pour les Maures ; car ils se contentaient de les laver dans l'eau de la mer, et disaient, par une manière de proverbe ou de centon de leur pays, que Dieu qui les leur avait données les leur ôterait : cela toutefois moins par le mépris que par l'ignorance des remèdes ; car ils estimaient au dernier point un renégat, leur unique chirurgien, à qui, par une politique bizarre, à chaque blessé de conséquence qui mourait entre ses mains, ils donnaient un

> certain grand nombre de coups de bâton, pour le châtier plus ou moins, suivant l'importance du mort; puis autant de pièces de huit réales pour le consoler, et l'exhorter à mieux faire à l'avenir.

On ne sort plus de cette phrase déroulée comme ces serpents de pharaon dont s'amusent les enfants. Elle est faite d'excroissances interminables.

Examinez bien si les phrases que vous ajoutez signifient quelque chose de plus que les précédentes. Soyez là-dessus impartial et rigoureux, et biffez impitoyablement au moindre doute. Le morceau y gagnera toujours.

Il y a des expressions qui, par elles-mêmes, ne signifient rien. Ainsi, ces phrases :

> Il y a en lui de *l'orateur dans le philosophe*... Cette méthode dans laquelle il *excelle de plus en plus*.
>
> (V. COUSIN, cité par Ph. Chasles.)

En voici un autre qui s'enroule sur elle-même et qui n'est qu'un exemple de prolixité amphigourique :

> Il n'y a pas jusqu'à ses romans, qui ne déposent par leur immense popularité, de la popularité non moins grande de cette disposition d'esprit qui les inspire.
>
> (DUC DE BROGLIE [le père]; cité par Ph. Chasles.)

De pareils exemples montrent pour ainsi dire le manque de concision à l'état grossier. Ce vice est peut-être le plus difficile à constater dans son propre style. Il faut un recul incessant, une surveillance toujours en éveil pour s'apercevoir qu'on manque de brièveté. C'est ce défaut universel qui rend les traductions ennuyeuses, parce que l'embarras d'exprimer exactement une pensée serrée dans le texte force le traducteur à employer trop de mots. De là une forme étendue et molle qui ne retient pas l'esprit et révolte le goût. La brièveté est la dernière qualité qu'on apprend, dans le mécanisme de l'art d'écrire.

Il faut donc bien se persuader qu'on doit toujours retrancher, toujours élaguer, nettoyer sans cesse son style ; il faut se dire qu'on en a toujours besoin, il faut le croire d'avance ; quand vous pensez avoir écrit un morceau définitif, reprenez-le, recorrigez-le ; tâchez de découvrir des formules plus rapides ; elles existent ; il s'agit de les trouver.

Encore une fois ce qui produit le plus souvent la diffusion, c'est l'emploi des idées semblables, qui se surajoutent et se juxtaposent dans le feu de la composition et l'inattention de la verve. Ôtez d'une idée tout ce qui ne la fortifie pas, tout ce qui est nuance identique, tout ce qui est sans relief, tout ce qui peut rester en route. Et ce qui demeurera, ce que vous garderez, tâchez de l'exprimer avec le moins de mots possible.

On a reproché la prolixité à l'historien Guichardin et à Gassendi. Les harangues de Tite-Live sont des modèles de bavardages héroïques, des morceaux de rhétorique paraphrasés, des amplifications laborieuses.

Le récit de Théramène dans la *Phèdre* de Racine est le plus bel exemple de cet art de décrire longuement et inutilement. Avec quelle minutie est peint le dragon qui sort des flots ! Comme on nous décrit la tristesse des gardes d'Hippolyte et la tristesse des chevaux ! Encore ces morceaux, en eux-mêmes, sont-il admirables, et l'on aurait tort de les considérer comme mal écrits.

N'oublions jamais les vers de Boileau :

> Tout ce qu'on dit de trop est fade et rebutant ;
> L'esprit rassasié le rejette à l'instant.

Comme le déclare Boileau, il faut savoir se borner pour savoir écrire. L'art de détacher sa pensée, de la sortir de son embryon, l'art de l'isoler et de la présenter en relief, n'est difficile que parce qu'on emploie trop de mots.

Il y a des auteurs comme A. de Pontmartin, par exemple, chez lesquels ce procédé est visible à chaque page. Écrivain élégant, attrayant de forme par son atticisme parfait, sa gentilhommerie et son joli ton, cet auteur ne peut énumérer sans entasser ; il ne procède que par épithètes multiples ; il piétine sur place, on n'avance pas, on s'impatiente. Cette répétition des mots, cette insistance à jouer le même air ôte toute espèce d'effet à des phrases comme celles-ci :

> Camille Desmoulins aspirait avec l'air tout ce qui peut *troubler et pervertir* la conscience humaine : *passion, ivresse, terreur, flamme, fureur, haine, espérance, fièvre, anarchie morale, esprit de destruction et de mort.* La faculté de surexcitation nerveuse, dangereux privilège de notre métier, était sans cesse *provoquée, exaltée, aigrie, exacerbée, décuplée* par les événements [1].

Enfiler des séries de mots, passion, ivresse, terreur, flamme, fureur, haine, espoir, fièvre (pourquoi pas aussi : douleur, vice, angoisse, misère, désespoir, envie, révolte, etc.), provoquée, exaltée, aigrie, exacerbée, décuplée, etc., tout cela, malgré une illusoire apparence de gradation, n'ajoute rien à l'idée : c'est de la diffusion, c'est de la prolixité facile, ce n'est ni de la vraie verve ni de la vraie inspiration, parce qu'il n'y a ni *énergie* ni *sobriété.*

> La vraie héroïne de *René,* dit plus loin le même Pontmartin, s'appelait, elle aussi, Lucile. Belle, poétique, plaintive, inquiète, visionnaire, hallucinée, on dirait le fantôme de la société morte, errant dans la nécropole peuplée par la Révolution. Vive, énergique, passionnée, héroïque, l'autre Lucile, Lucile Desmoulins, personnifie la jeune liberté.

Plus loin encore l'exemple est plus frappant :

> La curiosité ! elle a *été la Muse,* la *confidente,* la *compagne,* la *joie,* le *tourment,* la *maîtresse,* le *fléau,* le *refuge,* le *bon* et le *mauvais génie* de Sainte-Beuve. Si on nous accorde que pour les âmes qui ne se sont pas tout d'abord abritées sous l'aile de leur ange gardien ou dans les chastes caresses d'une fiancée, cette curiosité se fait aisément complice des sens, qu'elle a

1. Pontmartin, *Nouveaux Samedis,* 12e série, art. Jules Claretie.

tous les semblants de l'amour ou du désir *vague, agité, inquiet, précoce, fugitif,* mêlé d'*ignorance* et d'*instinct,* de *candeur* et d'*impudeur,* de *timidité* et de *hardiesse,* tel que le peint Beaumarchais sous les traits de Chérubin, on me permettra d'ajouter, etc.

Voici une phrase d'Alfred de Vigny, mal faite à cause d'un mot inutile :

> La grande route d'Artois et de Flandre est longue et triste. (...) Au mois de mars 1815, je passai sur cette route et je fis une rencontre que je n'ai plus oubliée *depuis.*
>
> (DE VIGNY, *Servitude et Grandeur militaires,* « Laurette ou le Cachet rouge », chap. IV.)

Le mot *depuis* est inutile et reste en l'air. Il n'ajoute rien, aucune idée, aucune nuance et retient, qu'on me passe le mot, la phrase par la patte.

De même, cette phrase d'un romancier contemporain :

> Sa structure mince le faisait paraître plus élevé de taille et plus jeune *qu'il n'était en réalité.*

Évidemment *qu'il n'était en réalité* est de trop. La phrase est finie après jeune.

J'ai lu ceci à propos d'un polémiste :

> Personne ne calomnia autant ses adversaires, *que ne le fit celui-là.*

C'est le dernier mot de la superfétation insipide... et incorrecte.

L'obligation d'être concis ne signifie pas qu'il faille couper les ailes à la fantaisie et à l'imagination, et renoncer à la couleur ou à la magie des mots; mais encore faut-il que ces mots soient magiques; qu'ils surenchérissent supérieurement sur la chose dite; s'ils sont eux-mêmes inexpressifs, incolores et banals, comme hardiesse, timidité, mauvais génie, muse, fléau, tourment, passion, ivresse, terreur, flamme, fureur, haine, ils deviennent inutiles et il faut les supprimer.

Un dernier exemple ; je le prends dans un auteur contemporain qui passe pour bien écrire. Si le lecteur supprime tout ce que nous allons mettre en italique comme similaire, répété ou déjà dit, il verra que ce qui reste du morceau peut constituer un style honorable.

> Son vieil ami le docteur, lui conseilla un air plus doux, *un climat plus chaud, un ciel plus pur, une lumière plus tiède, un séjour plus calmant.* L'hiver est rigoureux, *âpre, très rude* sur les côtes de Bretagne, *le long de ces falaises abruptes,* dans ce froid pays du Nord. Ce serait si bon, *si reposant, si réconfortant,* un rayon de soleil méridional ! Mais le docteur en parle à son aise !... Son malade est un prêtre, *un serviteur de l'autel, astreint à un service pieux,* qui ne peut quitter son poste, *déserter son devoir, abandonner le foyer de Dieu où ses ouailles viennent se grouper, se réunir et se réchauffer.* Que d'obstacles *et de difficultés* pour voyager ! Que de détails imperceptibles pour nous, pénibles, *alarmants, inquiétants et douloureux* pour un prêtre ! Peut-il courir les hôtels, s'asseoir aux tables d'hôte, *habiter une chambre étrangère, entendre les propos insolents,* aventurer *son grand âge et* ses cheveux blancs au milieu de ces colonies mondiales où chacun fait assaut de luxe, *d'entrain* et de frivolité, *d'élégance ?*

Les mots en italique supprimés, voici ce qui restera :

> Son vieil ami le docteur lui conseilla un air plus doux. L'hiver est rigoureux sur les côtes de Bretagne, dans ce froid pays du Nord. Ce serait si bon, un rayon de soleil méridional ! Mais le docteur en parle à son aise ! Son malade est un prêtre, qui ne peut quitter son poste. Que d'obstacles pour voyager ! Que de détails imperceptibles pour nous, pénibles pour un prêtre ! Peut-il courir les hôtels, s'asseoir aux tables d'hôte, aventurer ses cheveux blancs au milieu de ces colonies mondaines où chacun fait assaut de luxe et de frivolité ?

Certains esprits amoureux d'oripeaux et de fanfreluches préféreront le premier texte délayé. Un « bon esprit », un esprit sain n'hésitera pas.

Mettre trop de mots est un défaut grave ; mais répéter maladroitement les mêmes mots, c'est affaiblir son style d'une autre façon. On doit là-dessus être impitoyable. Rien ne décèle tant la pauvreté d'imagination et ne lasse plus vite le lecteur. Apportez-y une extrême attention, car il est facile de laisser passer sans la voir une expression déjà mise ou trop rapprochée.

Nous ne parlons pas ici des mots courants qu'on ne peut éviter, comme *il, elle, et, où, en, a, au,* qui sont à chaque instant nécessaires ; mais, si vous trouvez un mot, un épithète, un verbe employé quelques lignes plus haut, proscrivez-le.

Certains auteurs, comme Chateaubriand et Flaubert, ont pourchassé les répétitions jusqu'à ne pas les tolérer dans la même page. La limite de cette exigence est affaire de goût, mais il vaut mieux pécher par sévérité. C'est un point important en style. Les bons ouvriers de prose se reconnaissent là.

Il n'est pas besoin de nombreux exemples pour démontrer en quoi consiste la répétition de mots. On n'a qu'à ouvrir un auteur ordinaire pour en cueillir tant qu'on voudra. On en rencontre chez les meilleurs écrivains, tant l'attention est aisément trompée.

Cette phrase de Philarète Chasles, prise dans ses *Mémoires,* qui ont cependant beaucoup de verve et de saillie, me paraît typique. Il peint le portrait d'un auteur :

> Faisant le tour de *tout,* s'y incarnant un moment pour *tout* détruire, naturellement faux, insincère, cancanier, amoureux du petit, capable de transformer pour pénétrer *tout,* incapable de rien saisir au cœur, *d'atteindre* le centre et l'essence de quoi que ce soit ; fin jusqu'à la surpercherie ; *atteignant* une solidité apparente...

Un peu d'attention eût suffi pour effacer ces taches.

De même dans cette phrase de Bernardin de Saint-Pierre :

> Malgré cette position dangereuse, nos matelots se mirent à boire et à se réjouir, se croyant à l'abri de *tout danger, parce qu'ils se voyaient entourés de la terre de toutes* parts. Ils allèrent ensuite se coucher, sans qu'il en *restât* un seul pour veiller à la manœuvre. Nous étions *restés* sur le pont, Céphas et moi, assis sur un banc de rameurs [1]...

Et plus loin :

> Ma fille, il est temps de vous *aller* reposer. Songez que vous devez vous lever demain avant l'aurore pour *aller* à la fête du mont Lycée [2].

Ce sont là des négligences impardonnables.

Gustave Flaubert, dans sa correspondance, reproche à Chateaubriand, peignant dans ses *Martyrs* l'arrivée d'Eudore à Rome, d'avoir laissé passer deux ou trois répétitions qu'il ne se serait pas permises à sa place. En effet, on en constate peu chez Flaubert. En voici pourtant une que nous trouvons dans *Salammbô,* et qui eût désolé l'auteur, si on la lui eût montrée [3].

> La route traversait un champ, planté de longues dalles, aiguës par le sommet, telles que des pyramides, et qui portaient, entaillée à leur milieu, une main ouverte comme si le mort couché dessous l'eût *tendue* vers le ciel pour réclamer quelque chose. Ensuite étaient disséminées des cabanes en terre, en branchages, en claies de joncs, toutes de forme cônique. De petits murs en cailloux, des rigoles d'eau vive, des cordes de sparterie, des haies de nopals séparaient irrégulièrement ces habitations, qui se tassaient de plus en plus, en s'élevant vers les jardins du Suffète. Mais Hamilcar *tendait* ses yeux sur une grande tour, etc.

Cette répétition, quoique éloignée, est curieuse chez un écrivain si exigeant à cet égard.

1. *L'Arcadie,* p. 223, édition Delagrave *(L'Île d'Utopie).*
2. *Ibid.*, p. 239.
3. *Salammbô,* édition Charpentier, p. 138.

Il est des répétitions absolument inadmissibles, dans le genre de celles-ci :

> Il se défendit deux fois *contre* les attaques publiées *contre* lui dans la presse.
>
> (G. CLAUDIN.)

On rencontre à chaque instant des répétitions dans Saint-Simon. En voici une dont l'intention est douteuse. Elle est peut-être voulue :

> Le voilà qui enfile l'avenue. Bientôt il la *trouve* longue; après, il va aux arbres, et n'en *trouve* plus; il s'aperçoit qu'il a passé le but, et revient à tâtons chercher les arbres; il les suit à l'estime, puis croise et ne *trouve* point sa maison; il ne comprend point cette aventure.

S'agit-il d'une répétition dont le lecteur s'apercevra, il faut chercher un autre mot, d'autres tournures même, si c'est nécessaire. Il en coûte de sacrifier certains mots; mais l'absence de répétitions est une beauté supérieure aux expressions de détails. Déployez donc une grande surveillance, parce qu'il arrive souvent que, pour enlever un mot répété, on en met un qui se trouve quelques lignes plus bas. On commence ainsi une chasse qui mène loin. Mais on ne doit pas reculer.

Certaine école contemporaine, qui ne cherche que l'impressionnisme en littérature, affecte de ne pas se préoccuper des répétitions; elle les laisse, elle les affiche, elle en tire gloire.

Cicéron remarquait qu'il n'y a pas d'absurdité qui n'ait été dite par les philosophes. Il eût pu étendre sa réflexion à la littérature. Laissez dire. Les grandes règles de l'art d'écrire sont éternelles.

Il y a aussi des répétitions excusables. Plutôt que de changer le sens d'une phrase, plutôt que d'y introduire un mot faible, ou d'atténuer un passage, il faut maintenir les répétitions, lorsqu'elles sont exactes, nettes, lumineuses, et qu'elles ne peuvent être remplacées que par des expressions plus faibles.

C'est ce qu'a senti Pascal, quand il écrivait ces lignes, où il donne lui-même l'exemple d'une répétition qu'il eût pu éviter :

> Quand, dans un discours, on *trouve* des mots répétés et qu'essayant de les corriger, on les *trouve* si propres, qu'on gâterait le discours, il faut les laisser ; c'est la marque, et c'est la part de l'envie, qui est aveugle et qui ne sait pas que cette répétition n'est pas faute en cet endroit ; car il n'y a point de règle générale.

Si, il y a des règles générales, mais il y a aussi des exceptions. Les exceptions sont affaire de tact et dépendent des circonstances. Les règles générales résument les préceptes de l'art d'écrire.

Il est certain que les répétitions suivantes pouvaient être facilement enlevées de cette phrase de Montesquieu :

> Commode succéda à Marc-Aurèle son père : c'était un monstre qui suivait toutes ses passions et toutes celles de ses ministres et de ses courtisans. Ceux qui en délivrèrent *le monde mirent* en sa place Pertinax, que les soldats prétoriens massacrèrent d'abord. Ils *mirent* l'empire à l'enchère, et Didius Julius l'emporta par ses promesses : cela souleva tout *le monde ;* car quoique l'empire, etc.
>
> (MONTESQUIEU, *Grandeur et Décadence des Romains,* ch. XVI, 5e §.)

Cette autre répétition, dans Montesquieu, n'est également pas supportable :

> Il forme d'abord de grandes entreprises avec une puissance qui est d'accident, qui ne peut pas durer, qui n'est pas naturelle et qui est plutôt *enflée* qu'agrandie. Caracalla augmenta la paye des soldats ; Macrin écrivit au Sénat que cette augmentation allait à soixante-dix millions de drachmes. Il y a apparence que ce prince *enflait* les choses.
>
> (MONTESQUIEU, *Grandeur et Décadence des Romains,* ch. XVI, 21e §.)

Un peu d'attention aurait suffi pour corriger ces phrases de Fénelon :

> Ces armes étaient polies comme une glace, et brillantes comme les rayons du soleil. On y *voyait* Neptune et Pallas qui se disputaient entre eux à qui aurait la gloire de donner son nom à une ville naissante. Neptune, de son trident, frappait la terre, et on en *voyait sortir* un cheval fougueux : le feu *sortait* de ses yeux et l'écume de sa bouche.
>
> (FÉNELON, *Télémaque*.)

Parmi les répétitions qu'on se permet couramment et qui nuisent au style, signalons l'emploi épidémique des auxiliaires *avoir* et *être*. Tous les écrivains, et non des moindres, en fourmillent. On n'y prend pas garde, et rien n'est si pauvre, rien ne sent plus la stérilité, la diffusion, l'éparpillement. Pourquoi ? Parce que les auxiliaires doublés d'un participe sont des mots commodes tout trouvés pour remplacer les verbes propres, pour se dispenser de chercher le mot vrai, le seul qui dirait tout et qui le dirait mieux, le verbe serré et cohésif, le verbe qui *ferait balle.*

C'est ainsi que l'on écrit :

L'arbre *était* criblé de rayons.	Pour : les rayons criblaient l'arbre...
Elle *était* saisie de crainte.	Pour : elle craignait, ou : la crainte la saisissait, ou mieux encore : elle appréhendait...
Elle *était* persuadée que...	Pour : elle se persuadait que...
L'horizon *était* voilé de vapeurs.	Pour : l'horizon se voilait de vapeurs, ou mieux : des vapeurs voilaient l'horizon...
C'en *était* trop à la fin : il *était* disposé à parler.	Pour : c'en était trop : il se décidait à parler.
Puisque le hasard lui *avait* fourni cette occasion, il irait...	Pour : puisque le hasard lui offrait cette occasion, il irait...
Elle n'*avait* plus le sentiment de sa dignité.	Pour : elle perdait le sentiment de sa dignité.

Elle sentit qu'elle *était* abandonnée du ciel.	Pour : elle sentit que le ciel l'abandonnait, elle se sentit abandonnée du ciel.

Presque toujours on peut substituer à ces auxiliaires le verbe propre dont l'emploi donnerait de la force au style, et aurait son prix à la longue, comme on le voit dans cette phrase d'un auteur contemporain, qui ne veut rien dire :

> Ses cheveux et ses sourcils *étaient* châtain foncé et ses moustaches d'un blond très pâle, *ce* qui donnait à sa figure une singulière douceur.

Alors qu'il était si simple de dire :

> Ses cheveux et ses sourcils châtain, ses moustaches d'un blond très pâle donnaient à sa physionomie une singulière douceur.

De même, dans les lignes suivantes d'un autre contemporain, nous pouvons enlever les auxiliaires inutiles, et le style (irrémédiablement banal d'ailleurs) ne s'en portera pas plus mal :

> *C'était* un homme de quarante ans environ, grand et mince, avec des traits fatigués, mais réguliers, trop fins peut-être. Le caractère efféminé de ce beau visage *était* encore accentué par l'étrange langueur des yeux noirs très sombres ; les cheveux également noirs et soyeux devenaient rares ; la barbe qu'il portait pleine, *était* légère et naturellement frisée. Toute la personne *avait* un rare cachet d'élégance avec quelque chose d'inquiétant et de trouble qui *eût* frappé les moins habiles à démêler le jeu des âmes sous les physionomies humaines.

L'auteur pouvait dire, en faisant disparaître tous les auxiliaires, sauf le premier, si on veut :

> C'était un homme de quarante ans environ, grand et mince, avec des traits fatigués, mais réguliers, trop fins

> peut-être. L'étrange langueur des yeux noirs très sombres accentuait encore le caractère efféminé de ce beau visage ; les cheveux également noirs et soyeux devenaient rares ; la barbe, qu'il portait pleine, frisait naturellement. Toute[1] sa personne dégageait un air d'élégance exceptionnelle, avec quelque chose d'inquiétant et de trouble, qui pouvait frapper (ou : que pouvaient remarquer) les moins habiles à démêler, etc.

Tous les auxiliaires, on le voit, ont disparu d'un coup, mais le style reste banal.

Qui ne voit l'importance, pour la concision du style, d'un pareil travail continué à toutes les pages ?

En employant à satiété les auxiliaires, on tombe dans la diffusion, dans la mauvaise qualité du style ; et on écrit des pages comme celle-ci, prise dans un auteur contemporain qui a eu une grande vogue :

> Quant à Antoinette, en dépit des enseignements tumultueux de la tante Isabelle, elle *était* devenue une très simple et très moderne personne. Elle ne se montrait point du tout marquise dans ses manières, qui *étaient* douces et calmes autant que celles de son frère *étaient* vives et bruyantes. Elle *était* de haute taille et merveilleusement faite. Son visage arrondi au teint frais *était* éclairé par des yeux noirs brillants et profonds.

Presque tous les écrivains abusent des auxiliaires. Il suffit d'ouvrir un livre pour tomber sur des lignes comme celles-ci, au hasard :

> J'*étais* fort troublé, et convaincu qu'il me *serait* impossible d'articuler un son ; car il y *avait* bien un an que je ne m'en *étais* avisé. J'*avais* alors dix-sept ans. Ma voix *était* revenue ; je ne m'en doutais pas.
>
> (G. SAND, *La Dernière Aldini*.)

1. Pourquoi *toute ? Sa personne* suffisait.

Cette répétition des auxiliaires dépare même le style de quelques grands écrivains du XVIIe siècle. Ils ont beau nous dire de n'y pas prendre garde, il est impossible de ne pas signaler des phrases comme celles-ci, qu'on trouve à chaque page dans Fénelon, décrivant le char d'Amphitrite :

> Les tritons environnaient le char d'Amphitrite, traîné par des chevaux marins plus blancs que la neige, et qui, fendant l'onde salée, laissaient loin derrière eux un vaste sillon dans la mer ; leurs yeux *étaient* enflammés et leurs bouches *étaient* fumantes. Le char de la déesse *était* une conque d'une merveilleuse figure ; elle *était* d'une blancheur plus éclatante que l'ivoire, et les roues *étaient* d'or.

Ou il faut renoncer à l'art d'écrire, ou il n'est pas permis d'approuver de pareilles négligences.

Voici une phase plus caractéristique encore de Duclos, l'auteur des *Considérations sur les mœurs,* un livre un peu sec, mais fort bien écrit :

> Il avait le titre de chef du conseil des finances ; et comme il *était* incapable d'y rien entendre, il n'en *était* que plus jaloux du duc de Noailles qui, n'*étant* que le président, *était* cependant le maître de toute l'administration.
>
> (DUCLOS, *Mémoires sur la Régence,* p. 194, édit. Didot, 1865.)

Ceux qui veulent brouiller les écoles et les procédés ne manqueront pas de faire ici l'objection, réfutée plus haut, à propos du style banal.

Vous voyez bien, diront-ils, qu'on peut être grand écrivain, même en se permettant ces négligences.

À quoi nous répondons : Êtes-vous grand écrivain ? Vous pouvez l'être, en effet, et le rester malgré ces négligences ; mais si vous n'êtes pas grand écrivain, vous ne pourrez le devenir qu'en vous interdisant rigoureusement des négligences que vous n'êtes pas sûr de racheter par des qualités supérieures [1]. Personne n'est sûr d'avoir assez de talent pour se faire pardonner ce défaut. Si l'on commence à contracter des habitudes blâmables et à se permettre des vices littéraires, les qualités seront étouffées et les dispositions tourneront au médiocre. L'interdiction des répétitions, quelles qu'elles soient, est donc un principe absolu de l'art d'écrire. Il faut s'en tenir là et dédaigner toute concession, toute compromission.

Il y a même des occasions où un solécisme et une incorrection valent mieux qu'une répétition. C'est ainsi que Montesquieu s'est trouvé dans la nécessité d'employer le mot *davantage* au lieu du mot *plus,* bien que le mot davantage fût, dans cette acceptation, condamné par Vaugelas.

> Rien n'a plu *davantage* dans les *Lettres persanes* que d'y trouver, sans y penser, une espèce de roman [2].

Montesquieu n'a pas hésité à écrire : rien n'a plu *davantage,* plutôt que de mettre : rien n'a *plus plu* [3]...

Plus votre prose sera châtiée, travaillée, irréprochable, plus vous devrez vous interdire les répétitions. Il n'en faut pas davantage pour déparer un morceau parfait.

Voici un sonnet, celui d'Arvers, qui passe avec raison pour un des plus beaux qu'on ait faits et qui a rendu son auteur célèbre. Ce serait un chef-d'œuvre, l'idéal du sonnet sans défaut, s'il n'était gâté par trois répétitions.

Sonnet d'Arvers

Mon âme a son secret, ma vie a son mystère :
Un amour éternel en un instant conçu.
Le mal est sans espoir, aussi j'ai dû le taire,
Et celle qui l'a *fait* n'en a jamais rien su.

1. Arrangez-vous, par exemple, pour être un écrivain de génie comme Saint-Simon, et vous n'aurez plus besoin de conseils sur l'art d'écrire.
2. *Lettres persanes,* début de la préface.
3. Il est entendu que nous ne nous occupons ici que d'art et de style, et non de correction et de grammaire. Nous ne discuterons donc pas les accords de subjonctifs. Aucun écrivain n'osera écrire : j'aurais voulu que nous *déclinassions* cet honneur et que nous *marchandassions* les éloges...

Hélas ! j'aurai passé près d'elle inaperçu,
Toujours à ses côtés, et pourtant solitaire,
Et j'aurai jusqu'au bout *fait* mon temps sur la terre,
N'osant rien demander et n'ayant rien reçu.

Pour elle, quoique Dieu l'ait *faite* douce et tendre,
Elle ira son chemin, distraite et sans entendre
Ce murmure d'amour élevé sur ses pas ;

À l'austère devoir pieusement fidèle,
Elle dira, lisant ces vers tout remplis d'elle :
« Quelle est donc cette femme ? » et ne comprendra pas.

Pour remplacer les répétitions, on peut recourir aux *synonymes* et aux *équivalents.*

Une discussion sur les synonymes serait sans utilité. D'une façon absolue, on peut dire qu'il n'y a pas de synonymes. *Paresse, oisiveté, indolence, fainéantise* ont un sens différent ; *inquiétude, alarme, trouble, agitation,* n'expriment pas les mêmes idées, pas plus que *fuir, sortir, s'évader, s'en aller, s'échapper, se dérober.*

Mais dans le style, qui vit d'alliances de mots et de valeurs d'idées, incessamment de pareils mots peuvent passer pour synonymes, et ils abondent dans notre langue.

Quant aux *équivalents,* on peut dire qu'ils constituent précisément la variété de l'art d'écrire.

Nous trouvons dans Massillon la même pensée exprimée sous quatre formes :

Tout reprend sa place dans un état où les grands et le prince surtout adorent le Seigneur. *La piété est en honneur dès qu'elle a de grands exemples pour elle.*

1° Le culte peut encore être méprisé en secret par l'impie, mais il est vengé du moins par la majesté et la décence publique.

2° Le temple saint peut encore voir, au pied de ses autels, des pécheurs et des incrédules, mais il n'y voit plus de profanateurs.

3° Il peut se trouver encore des hommes corrompus qui refusent à Dieu leur cœur, mais ils n'oseraient lui refuser leurs hommages.

4° En un mot, il peut être encore aisé de se perdre, mais du moins il n'est pas honteux de se sauver.

C'est par la lecture qu'on se familiarise avec ces procédés, et que l'esprit s'habitue à voir les rapports des choses et à découvrir des tournures et des expressions.

Voici comment Montesquieu varie cette idée que, dans toutes les entreprises, on était obligé de recourir à Pompée :

> Fallut-il faire la guerre à Sertorius, on en donna la commission à Pompée. Fallut-il la faire à Mithridate, tout le monde cria : Pompée. Eut-on besoin de faire venir des blés à Rome, le peuple croit être perdu si on n'en charge Pompée. Veut-on détruire les pirates, il n'y a que Pompée ; et lorsque César menace d'envahir, le Sénat crie à son tour et n'espère plus qu'en Pompée.

Il faut aussi proscrire de son style ce que j'appellerais les *parasites,* ces conjonctions dont on abuse pour amener les transitions de phrases, comme : *en effet, certes, du reste, au surplus, d'autre part, par le fait, en définitive, d'un côté, à vrai dire, pour dire, le vrai, car, pour sa part, de son côté, de vrai, sûrement...*

Les phrases doivent se lier non pas par des amorces factices, mais par la logique de l'idée, par la force de la pensée. Elles doivent marcher côte à côte, indissolubles, n'ayant pas l'air d'être attachées. Il y a des cas, bien entendu, où ces conjonctions sont indispensables et font le meilleur effet ; c'est seulement contre l'abus que nous protestons.

On s'imagine que ces particules enchaînent les phrases, les rendent plus coulantes, plus solides. Au contraire, elles ont l'air lâche, parce qu'on voit la soudure, parce que la charnière joue, et que la vraie transition dépend de l'*esprit* d'une phrase et non d'une conjonction *mécanique.* Les styles inexpérimentés fourmillent de ces sortes de végétations parasitaires. Les bonnes phrases n'ont pas besoin d'être *boulonnées ;* elles font *bloc.* Le véritable écrivain les plante droites. Une fois debout, elles *ne remuent plus*. La lecture des maîtres nous en convaincra.

Voyez cette phrase de Montesquieu :

> Les vices d'Alexandre étaient extrêmes comme ses vertus : il était terrible dans sa colère ; elle le rendait cruel. Il fit couper les pieds, le nez et les oreilles à Callisthène, ordonna qu'on le mît dans une cage de fer et le fit porter ainsi à la suite de l'armée.
>
> (MONTESQUIEU, *Lysimaque*.)

Ou encore ce passage de *Salammbô*, le supplice de Mâtho :

> Ses jarrets plièrent, et il s'affaissa tout doucement sur les dalles. Quelqu'un alla prendre, au péristyle du temple de Melkarth, la barre d'un trépied rougie par les charbons ardents et, la glissant sous la première chaîne, il l'appuya contre sa plaie. On vit la chair fumer ; les huées du peuple étouffèrent sa voix ; il était debout.
>
> (FLAUBERT, *Salammbô*, p. 350.)

On apprendra la concision non seulement à force de travail, mais surtout par la lecture des écrivains classiques. Pascal, La Bruyère, sont, à cet égard, très profitables, et chez les contemporains, Gustave Flaubert, surtout dans ses *Trois Contes*.

SEPTIÈME LEÇON

L'HARMONIE DU STYLE

De l'harmonie — Nécessité de l'harmonie — Harmonie des mots — L'emploi des "qui" et des "que" — Harmonie naturelle : Chateaubriand — Travail d'harmonie : Flaubert — Harmonie imitative — Harmonie puérile

Nous avons sommairement expliqué en quoi consistent les deux grandes qualités générales du style : *l'originalité* et *la concision.*

Il en est une troisième, aussi importante, aussi nécessaire : *l'harmonie,* c'est-à-dire le *sens musical des mots et des phrases* et l'art de les combiner agréablement pour l'oreille.

L'harmonie, pour les mots, consiste dans leur son propre.

L'harmonie, pour les phrases, consiste dans leur cadence et leur équilibre.

Boileau l'a dit avec raison :

> ... La plus noble pensée
> Ne peut plaire à l'esprit quand l'oreille est blessée.

De notre temps, l'anarchie des procédés littéraires, l'extravagance des goûts esthétiques ont amené une réaction injuste contre l'architecture du style et la nécessité de l'harmonie. Il est convenu qu'on écrit comme on veut; qu'il n'y a plus d'ordre logique; qu'on peut se permettre toutes les inversions; faire attendre le régime, le mettre au bout d'une phrase; accumuler ses incidents; bref, qu'on écrit comme on l'entend.

Ne nous laissons pas influencer par ces déclarations décadentes. Les barbouilleurs passeront; l'impressionnisme n'aura qu'un temps; les chefs-d'œuvre resteront.

Maintenons donc l'harmonie comme une qualité essentielle de l'art d'écrire.

Nous verrons dans quel cas et pourquoi il faut parfois la dédaigner; et nous montrerons les qualités qui doivent passer avant elle.

En principe, l'harmonie fait partie d'un bon style. Tous les grands écrivains l'ont recherchée; ceux mêmes qui s'en moquent n'y renoncent pas, et l'on trouve à chaque page de leurs œuvres des exemples de phrases rythmées, des alliances de mots agréables, des sons de syllabes flatteurs.

L'harmonie est aussi nécessaire à la prose qu'à la poésie. C'est le *rythme*, si aimé des Grecs, le nombre oratoire, le *numerus* des latins.

L'harmonie n'est pas un agrément arbitraire; elle est fondée sur le génie de la langue, sur les exigences de l'oreille, qui a son goût comme l'imagination a le sien. Le sens de l'ouïe était pour Cicéron « un juge fier et dédaigneux ».

Toute la force du style, du moins une partie de sa force, réside dans l'arrangement des mots. Or, l'harmonie n'est que l'art suprême de l'arrangement des mots, le souci de cet arrangement en vue de la cadence et du son.

C'est Guez de Balzac le premier qui donna à notre prose, la suavité, la douceur, le nombre, le balancement, l'ordonnance, l'harmonie. Son succès fut considérable, et son nom a mérité de compter parmi les grands.

Depuis Balzac, il n'est pas un prosateur soucieux de l'art d'écrire qui n'ait recherché l'harmonie de la forme autant que l'originalité des idées. Ce souci s'est conservé jusqu'à Chateaubriand et Flaubert, qui écrivait ses phrases comme s'il les destinait à être lues à haute voix.

Harmonie des mots

« Quelquefois, dit Guy de Maupassant en parlant de Flaubert, jetant dans un grand plat d'étain oriental, rempli de plumes d'oie soigneusement taillées, la plume qu'il tenait à la main, il prenait la feuille de papier, l'élevait à la hauteur du regard et, s'appuyant sur un coude, déclamait d'une voix mordante et haute. Il écoutait le rythme de sa prose, s'arrêtait comme pour saisir une sonorité fuyante, combinait les tons, éloignait les assonances, disposait les virgules avec conscience, comme les haltes d'un long chemin. »

(*Lettres de Flaubert à G. Sand,* préface).

« Une phrase est viable, disait-il, quand elle correspond à toutes les nécessités de la respiration. Je sais qu'elle est bonne, lorsqu'elle peut être lue tout haut. »

« Les phrases mal écrites, ajoutait-il dans la préface des *Dernières Chansons* de Louis Bouilhet, ne résistent pas à cette épreuve ; elles oppressent la poitrine, gênent les battements de cœur et se trouvent ainsi en dehors des conditions de la vie. »

Nous traiterons sans trop de développements (car rien ne serait plus facile) d'abord l'*harmonie des mots,* puis l'*harmonie des phrases.*

Boileau a raison :

> Il est un heureux choix de mots harmonieux ;
> Fuyez des mauvais sons le concours odieux.

Certains mots par eux-mêmes n'ont aucun caractère, aucun son agréable, et ne prennent de l'harmonie que par leur alliance avec d'autres sons ; il en est de même qui, accouplés, donnent des duretés insupportables.

Règle générale : il faut s'abstenir de toute rudesse dans le son, de tout heurt, de toute dissonance marquée, à moins qu'il n'y ait, pour maintenir ces sons ou ces mots, des raisons de relief, d'originalité, ou d'autres motifs de beauté littéraire.

Fuyez donc les rencontres choquantes comme celles-ci :

Non il *n'est* rien que *Nanine n'honore.*

(VOLTAIRE.)

Et *si ses* sujets, *si ses* alliés, *si* l'Église universelle a profité de *ses* grandeurs.

(BOSSUET.)

Si *vous vous vou*ez à l'éducation.
Qu'avez-*vous vou*lu dire...
Il all*a à* Alexandrie...
C'est un qui*proquo* ordinaire...

Comme les maladies de l'esprit ne se *gué*rissent *guère*...

(MONTESQUIEU, *Grandeur et Décadence des Romains*, ch. XXI, § 14.)

Évitez non seulement la prédominance des consonnes fortes, mais la répétition trop fréquente de certaines voyelles, le grand nombre des monosyllabes, les nasillements, etc.

Tout cela, évidemment, est affaire de goût, et il ne faut pas tomber dans l'affectation contraire. Le mélange de ce qui est doux et de ce qui est rude est nécessaire pour faire un style [1].

On se demande par quelle négligence inexplicable de bons auteurs ont pu commettre de pareilles phrases :

1. Boileau, dans son *Épitre au Roi* sur le passage du Rhin, est parvenu à adoucir et à faire passer des mots très rebelles :

Des villes que tu prends les noms durs et barbares
N'offrent de toutes parts que syllabes bizarres;
Et, l'oreille effrayée, il faut depuis l'Issel,
Pour trouver un bon mot, courir jusqu'au Tessel
Oui, partout de son nom chaque place munie
Tient bon contre le vers, en détruit l'harmonie.
Et qui peut sans frémir aborder Waörden ?
Quel vers ne tomberait au seul nom de Heusden ?

Pourquoi *ce* roi du monde et *si* libre et *si* sage
Subit-il *si* souvent un *si* dur esclavage.

(VOLTAIRE.)

L'on hait ce que l'on a ; ce qu'on n'a pas, on l'aime.

(VOLTAIRE.)

Ô Parques ! sœurs inévitables assises à l'essieu des sphères...

(CHATEAUBRIAND.)

Il y a parfois des consonances malheureuses qu'un auteur aurait évitées, s'il avait relu sa phrase à haute voix.

L'abbé Maury ayant vanté je ne sais quel morceau d'Arnaud, Sainte-Beuve termine ses réflexions par ces mots :

> On ne *peut* que s'étonner de l'échauffement de l'abbé Maury pour si *peu*.
>
> (*Port-Royal.*)

Autre consonance fâcheuse :

> Le cardinal, en voyant le chevalier de Marcieu venir à sa ren*contre,* ne douta pas que ce ne fût pour l'observer et en rendre *compte.*
>
> (DUCLOS, *Mémoires secrets,* p. 257.)

L'EMPLOI DES « *QUI* » ET DES « *QUE* »

Une des grandes causes de dureté dans le style c'est l'emploi trop fréquent des *qui* et des *que.*

Ici, nous nous heurtons à une habitude invétérée chez les bons auteurs du XVIIe siècle. Leur style fourmille de *qui* et de *que,* ce qui ne les empêche pas d'être d'excellents écrivains, qui ont fait passer la fermeté et la vigueur avant l'harmonie. Pascal les multiplie. La Bruyère s'en sert à chaque instant.

Dans une de ses préfaces, la préface de la *Femme de Claude,* je crois, Dumas fils justifie Molière d'avoir abusé des conjonctions et des pronoms, sous prétexte qu'écrivant pour le théâtre et le dialogue, ils disparaissent dans le courant du débit. L'excuse n'est pas sérieuse, puisque tous les auteurs de cette époque, quel que soit leur genre, ont employé couramment les *qui* et les *que,* au détriment de l'harmonie.

Il est certain que ce défaut ne se remarque pas à la scène, lorsqu'on lit ces vers de Racine :

> Britannicus est seul ; *quelque* ennui *qui* le presse,
> Il ne voit à son sort *que* moi *qui* s'intéresse.
> Il n'a pour tout plaisir, seigneur, *que quelques* pleurs
> Qui lui font *quelquefois* oublier ses malheurs.

Et qu'on est choqué lorsqu'on lit dans Lamartine :

> Pareille au grand César *qui, quand* l'heure fut prête...

On n'a qu'à ouvrir n'importe quel auteur du XVIIe siècle, Corneille et Racine dans leurs préfaces, Boileau dans ses *Lettres,* Bossuet dans ses *Sermons,* pour constater cette épidémie, qui ne se calme un peu qu'à partir de Rousseau, pour disparaître avec Chateaubriand, à mesure que la langue s'écarte du génie latin.

Voici deux passages, l'un de La Bruyère, l'autre de Pascal, qui caractérisent le mode d'emploi des *qui* et des *que,* tel que nous le trouvons chez tous leurs contemporains :

> Comparez-vous, si vous l'osez, au grand Richelieu, hommes dévoués à la fortune, *qui* par le succès de vos affaires particulières, vous jugez dignes *que* l'on vous confie les affaires publiques ; *qui* vous donnez pour des génies heureux et pour de bonnes têtes ; *qui* dites *que* vous ne savez rien, *que* vous n'avez jamais lu, *que* vous ne lirez point, ou pour marquer l'inutilité des sciences, ou pour paraître ne devoir rien aux autres, mais puiser tout de votre fonds : apprenez *que* le cardinal de Richelieu a su *qu'il* a lu ; je ne dis pas *qu'il* n'a point eu d'éloignement pour les gens de lettres, mais *qu'il* les a aimés, caressés, favorisés ; *qu'il* leur a ménagé des privilèges, *qu'il* leur destinait des pensions, *qu'il* les a réunis

en une compagnie célèbre, *qu'il* en a fait l'Académie française.

Il savait *quelle* est la force et l'utilité de l'éloquence, la puissance de la parole, *qui* aide la raison et la fait valoir, *qui* insinue aux hommes la justice et la probité, *qui* porte dans le cœur du soldat l'intrépidité et l'audace, *qui* calme les émotions populaires, *qui* excite à leur devoir les compagnies entières ou la multitude ; il n'ignorait pas *quels* sont les fruits de l'histoire et de la poésie, *quelle* est la nécessité de la grammaire, la base et le fondement des autres sciences ; et *que,* pour conduire ces choses à un degré de perfection *qui* les rendît avantageuses à la république, il fallait dresser le plan...

Toutes les sortes de talents *que* l'on voit répandus parmi les hommes se trouvent partagés entre vous. Veut-on de diserts orateurs *qui* aient semé dans la chaire toutes les fleurs de l'éloquence, *qui,* avec une saine morale, aient employé tous les tours et toutes les finesses de la langue, *qui* plaisent par un beau choix de paroles, *qui* fassent aimer les solennités, les temples, *qui* y fassent courir : *qu'on* ne les cherche pas ailleurs, ils sont parmi vous.

(LA BRUYÈRE, *Discours à l'Académie.*)

Voici maintenant un passage de Pascal, pris au hasard :

Et ainsi, quand on leur reproche *que* ce *qu'ils* cherchent avec tant d'ardeur ne saurait les satisfaire, *s'ils* répondaient, comme ils devraient le faire *s'ils* y pensaient bien, *qu'ils* ne cherchent en cela *qu'une* occupation violente et impétueuse *qui* les détourne de penser à soi, et *que* c'est pour cela *qu'ils* se proposent un objet *attirant qui* les charme et les *attire* avec ardeur, ils laisseraient leurs adversaires sans repartie. Mais ils ne répondent pas cela, parce qu'ils ne se connaissent pas eux-mêmes ; ils ne savent pas *que* ce n'est *que* la chasse, et non la prise, *qu'ils* recherchent...

Ils ont un instinct secret *qui* les porte à chercher le divertissement et l'occupation au dehors, *qui* vient du ressentiment de leurs misères continuelles ; et ils ont un autre instinct secret, *qui* reste de la grandeur de notre première nature, *qui* leur fait connaître *que* le bonheur n'est en effet *que* dans le repos et non pas dans le tumulte ; et de ces deux instincts contraires, il se forme en eux un projet confus, *qui* se cache à leur vue dans le fond de leur âme, *qui* les porte à tendre au repos par l'agitation et à se figurer toujours *que* la satisfaction

> *qu'ils* n'ont point leur arrivera, si, en surmontant quelques difficultés *qu'ils* envisagent, ils peuvent s'ouvrir par là la porte au repos.
>
> (PASCAL, *Pensées,* ch. V, *Divertissement.*)

Chez les écrivains de deuxième ordre, cet abus atteint le procédé sec et la rugosité déplaisante, comme on peut en juger par ces lignes :

> Est-il possible qu'on ne puisse trouver personne *qui* représente au roi le misérable état où est le père du Breuil, pour obtenir au moins *qu'on* traite avec autant d'indulgence un si grand homme de bien, *qu'on* en a pour un aussi méchant prêtre *qu'est* celui *qui* est présentement si à son aise dans son officialité de Paris ?
>
> (Lettre d'Arnaud, SAINTE-BEUVE, *Port-Royal,* Livre V, ch. VI.)

Il est juste de dire que les écrivains dont nous parlons ont des foules de pages où l'on ne trouve presque pas de *qui* ou de *que,* et que celles-là sont les meilleures de leur œuvre. Presque tous avaient la construction latine dans la tête et préféraient souder leurs pensées avec ces durs boulons plutôt que d'en faire plusieurs phrases.

L'abus des *qui* et des *que* a fini par disparaître de notre littérature. Flaubert les proscrivait comme le plus grand écueil de l'harmonie.

Il est préférable de ne pas les multiplier et de s'en servir sobrement, mais il n'y a pas à hésiter lorsque la clarté où l'originalité l'exigent.

On peut néanmoins, dans bien des cas, les supprimer, comme dans les tournures suivantes :

> Cet usage *qu'on* trouvait ridicule, pour : cet usage jugé ridicule.
>
> Le jeune homme *qu'il* avait aperçu la veille, pour : le jeune homme aperçu la veille.
>
> Ce passage *qui* est cité dans tel livre, pour : ce passage cité dans tel livre...

Le *qui* relatif et le *que* régime peuvent à chaque instant se remplacer par le participe correspondant.

Il faut donc, quand on écrit, non seulement éviter les rencontres de sons désagréables et les dissonances malheureuses, mais rechercher la fluidité musicale. On peut ainsi, en se surveillant, habituer son oreille au style harmonieux, et arriver, en prose ou en vers, à de très jolis effets.

Écoutez les conseils qu'un poète nous donne dans des vers d'une cadence très variée :

> Peins-moi légèrement l'amant léger de Flore ;
> Qu'un doux ruisseau murmure en vers plus doux encore.
> Entend-on de la mer les ondes bouillonner,
> Le vers comme un torrent en roulant doit tonner.
> Qu'Ajax soulève un roc et le lance avec peine,
> Chaque syllabe est lourde et chaque mot se traîne ;
> Mais vois d'un pied léger Camille effleurer l'eau,
> Le vers vole et la suit aussi prompt que l'oiseau.
>
> (DELILLE.)

Que d'exemples harmonieux on pourrait tirer des bons auteurs, presque à chaque page !

Un mari pleure aux pieds du lit où sa femme agonise :

> Et de tous les bruits de la terre, elle n'entendait plus que l'intermittente lamentation de ce pauvre cœur, douce et indistincte, comme les derniers échos d'une symphonie qui s'éloigne.
>
> (FLAUBERT, *Madame Bovary*.)

> Le roi brillant du jour, se couchant dans sa gloire,
> Descend avec lenteur de son char de victoire.
> Le nuage éclatant qui le cache à nos yeux
> Conserve en sillons d'or sa trace dans les cieux,
> Et d'un reflet de pourpre inonde l'étendue.
> Comme une lampe d'or dans l'azur suspendue,
> La lune se balance aux bords de l'horizon ;
> Ses rayons affaiblis dorment sur le gazon,
> Et le voile des nuits sur les monts se déplie.
>
> (LAMARTINE.)

Ouïr sur des harpes jalouses
Se plaindre la romance en pleurs ;
Errer pensif sur les pelouses,
Le soir, lorsque les Andalouses
De leurs balcons jettent des fleurs.

(VICTOR HUGO.)

Il y a des mots qui, par leur couleur ancienne, grecque, latine ou exotique, ont une harmonie propre et qui, mis en valeur dans un beau style, produisent des effets merveilleux.

C'est ce qui fait le charme du morceau suivant, un des plus beaux qu'on puisse lire :

Une nuit à Rome

Écoutez ! La nymphe Égérie chante au bord de sa fontaine ; le rossignol se fait entendre dans la vigne de l'hypogée des Scipions ; la brise alanguie de Syrie nous apporte indolemment le parfum des tubéreuses sauvages... Les mânes de Délie, de Lalagé, de Lydie, de Lesbie, posés sur des corniches ébréchées, balbutient autour de toi des paroles mystérieuses. Tes regards se croisent avec ceux des étoiles et se mêlent à leurs rayons...

Une vapeur se déroule, monte et enveloppe l'œil de la nuit d'une rétine argentée ; le pélican crie et retourne aux grèves ; la bécasse s'abat dans les prêles des sources diamantées ; la cloche résonne sous la coupole de Saint-Pierre ; le plain-chant nocturne, voix du Moyen Âge, attriste le monastère isolé de Sainte-Croix ; le moine psalmodie à genoux les laudes sur les colonnes calcinées de Saint-Paul ; des vestales se prosternent sur la dalle glacée qui ferme leurs cryptes ; le pifferaro souffle sa complainte de minuit devant la Madone solitaire, à la porte condamnée d'une catacombe...

Vents des orangers de Palerme qui soufflez sur l'île de Circé ; brise qui passez au tombeau du Tasse, qui caressez les nymphes et les amours de la Farnésine ; vous qui jouez au Vatican parmi les vierges de Raphaël et les statues des Muses ; vous qui mouillez vos ailes aux cascatelles de Tivoli ; génies des arts qui vivez de chefs-d'œuvre et voltigez avec les souvenirs, venez : à vous seuls je permets d'inspirer le sommeil de Cynthie.

(CHATEAUBRIAND, *Mémoires.*)

Évidemment tout l'effet harmonique de ce morceau est tiré de la magie des mots. Certains mots ont une séduction particulière qui, alliée à de brillantes épithètes, donne un singulier charme musical.

Relisez, par exemple, le portrait du grand-prêtre dans *Salammbô* :

> Personne, à Carthage, n'était savant comme lui. Dans sa jeunesse, il avait étudié au collège des Mogbeds, à Borsippa, près de Babylone ; puis visité Samothrace, Pessinunte, Éphèse, la Thessalie, la Judée, les temples des Nabathéens, qui sont perdus dans les sables ; et, des cataractes jusqu'à la mer, parcouru à pied les bords du Nil. La face couverte d'un voile, et en secouant des flambeaux, il avait jeté un coq noir sur un feu de sandaraque, devant le poitrail du Sphinx, le Père de la Terreur. Il était descendu dans les cavernes de Proserpine ; il avait vu tourner les cinq cents colonnes du labyrinthe de Lemnos et resplendir le candélabre de Tarente, portant sur sa tige autant de lampadaires qu'il y a de jours dans l'année.
>
> (FLAUBERT, *Salammbô*.)

Et ces beaux vers, écrits dans une langue si douce :

> Oui, l'Anio murmure encore
> Le doux nom de Cynthie aux rochers de Tibur ;
> Vaucluse a retenu le nom chéri de Laure,
> Et Ferrare au siècle futur
> Murmurera toujours celui d'Éléonore !
> Heureuse la beauté que le poète adore...
>
> (LAMARTINE.)

Il y a un charme, une musique spéciale, non pas seulement dans les mots exotiques et rares, mais dans les mots *ordinaires* de la langue, suivant l'emploi qu'on en fait.

La preuve qu'il y a une harmonie dans les mots, considérés en eux-mêmes ou accouplés, c'est qu'on obtient très facilement des effets d'harmonie imitative.

Les mots viennent se ranger d'eux-mêmes sous la plume.

Le crépitement précipité de la pluie...
Le roulement sourd du tonnerre...
Le lion redouble ses rugissements...

Elle entendait encore la pulsation rythmique des mille pieds qui dansaient.

(FLAUBERT.)

Le long enfantement de la grandeur romaine.

(DELILLE.)

Le rugissement du lion, rauque et caverneux comme un écho dans un aqueduc.

(FLAUBERT.)

Le grignotement de la pluie sur la capote de ma calèche.

(CHATEAUBRIAND.)

Sous les pieds des éléphants qui les écrasent, « les poitrines craquaient comme des coffres ».

(FLAUBERT.)

L'âpre bise soufflait sur ces fronts sans cercueil.

(V. HUGO.)

Le cheval fait sonner son harnais qu'il secoue.

(V. HUGO.)

Le chagrin monte en croupe et galope avec lui.

(BOILEAU.)

Pour qui sont ces serpents qui sifflent sur vos têtes.

(RACINE.)

La fatigue :

Dans un chemin montant, sablonneux, malaisé,
Et de tous côtés au soleil exposé,
Six forts chevaux tiraient un coche.
Femmes, moines, vieillards, tout était descendu ;
L'attelage suait, soufflait, était rendu.

(LA FONTAINE.)

La mollesse :

... La mollesse oppressée
Dans sa bouche à ce mot sent sa langue glacée ;

Et, lasse de parler, succombant sous l'effort,
Soupire, étend les bras, ferme l'œil et s'endort.

(BOILEAU.)

Le vent :

Se gorge de vapeurs, s'enfle comme un ballon,
Fait un vacarme de démon,
Siffle, souffle, tempête...

(LA FONTAINE.)

Le torrent se livre à la pente précipitée de ses cataractes écumantes.

(BUFFON.)

Depuis un siècle, la prose française a été maniée par des artistes qui l'ont pétrie d'une admirable façon et lui ont fait rendre des sonorités nouvelles. (Chateaubriand, Gautier, Hugo, Flaubert, Leconte de Lisle, Heredia, etc.)

Notre langue a une harmonie réelle.

Elle peut exprimer la rapidité par une suite de syllabes brèves :

Le moment où je parle est déjà loin de moi ;

ou la lenteur, par une suite de syllabes longues ;

Traçât à pas tardifs un pénible sillon.

Il faut un effort pour lire ce vers. De même Boileau donne une sensation de lutte et d'obstacle dans ces vers de la prise de Namur :

Sur les monceaux de piques,
De corps morts, de rocs, de briques
S'ouvrir un large chemin

Un critique, pour caractériser la dureté, adressa ce quatrain à Victor Hugo :

Où, ô Hugo, juchera-t-on ton nom ?
Rendu justice enfin que ne t'a-t-on ?
Quand donc au mont qu'Académique on nomme,
De roc en roc, grimperas-tu, rare homme ?

Cependant ce même Victor Hugo a écrit des milliers de vers d'une harmonie irréprochable :

L'ombre était nuptiale, auguste et solennelle;
Les parfums de la nuit flottaient sur Galgala;
Un frais parfum sortait des touffes d'asphodèle...
(Booz et Ruth.)

Et ce vers plastique étonnant, coupé et modelé comme dans la langue italienne :

Chair de la femme, argile idéale, ô merveille !

Delille fait grincer les dents comme le cri de la lime :

J'entends crier la dent de la lime mordante,

ou ailleurs le bruit de l'enclume :

Tombent les lourds marteaux, qui domptent les métaux.

Cette poursuite de l'harmonie imitative ne peut être que passagère. Ce serait un abus que de la toujours rechercher. On tomberait dans l'artificiel et le puéril, comme dans ces vers où Ronsard a voulu imiter le vol de l'hirondelle :

Elle, guidée, du zéphire,
Sublime en l'air, vire et revire;
Elle y décline un joli cri,
Qui rit, guérit et tire l'ire
Des esprits mieux que je n'écris.

Ce qu'il faut réaliser, ce qu'il faut poursuivre, c'est l'harmonie générale des mots par un heureux mélange de voyelles et de consonnes, de longues et de brèves, comme dans les vers suivants, qui ont une flexibilité et une variété remarquables :

> Ainsi qu'un nuage qui passe,
> Mon printemps s'est évanoui ;
> Mes yeux ne verront plus la trace
> De tous les biens dont j'ai joui.
> Par le souffle de ta colère,
> Hélas ! arraché de la terre,
> Je vais d'où l'on ne revient pas ;
> Mes vallons, ma propre demeure,
> Et cet œil même qui me pleure
> Ne reverront jamais mes pas.
>
> (LAMARTINE.)

Les voyelles, dit Marmontel, ne sont pas toutes également pleines et brillantes : la voix se plaît mieux dans le son de l'*a* et de l'*o* que dans les autres voyelles. C'est à une oreille exercée à distinguer toutes ces nuances et à éviter les mots qui produisent un son désagréable et fâcheux.

La prose offre d'aussi beaux effets que la poésie dans l'art de rendre la vie d'une image par le son des syllabes :

> Le chat-huant vole d'une aile silencieuse, comme étoupée de ouate. La longue belette *s'insinue au nid* sans frôler une feuille. La fouine ardente, altérée de sang chaud, *est si rapide,* qu'en un moment elle saigne et parents et petits, égorge la famille entière.
>
> (MICHELET.)

Encore une fois, qu'on ne se préoccupe pas des difficultés que peut présenter la poursuite de l'harmonie imitative. On la trouve facilement. Toutes les langues ont les sons nécessaires pour produire un mouvement ou une impression physique. Il faut ajouter peu de chose à des mots tels que *siffler, murmurer, crier, craquer, hurler, mugissement, hurlement, retentissement, gazouillement, murmure, tapage, clameur, bourdonnement, gémissement,* pour obtenir de l'harmonie imitative.

Le caractère primitif des langues, a dit M. Villemain, est de faire entendre, autant qu'il se peut, l'objet et l'idée par le son ; et ce caractère leur est si essentiel, qu'il persiste à toutes les époques... La langue figurative, celle qui peint par le son, est restée la force et la vie de tout langage humain ; et l'esprit de l'homme n'y renonce jamais.

Ce rapport du son à l'objet n'est point borné à quelques cas, où il nous frappe par une forte *onomatopée,* on le retrouve partout ; dans les mots composés de notre langue, comme dans les dérivés des langues étrangères, pour l'expression des idées comme pour celle des choses. Il est à quelques égards, la première étymologie des mots. Ce n'est pas seulement par imitation du grec ou du latin *fremere* que nous avons fait le mot *frémir*; c'est par le rapport du son avec l'émotion exprimée. *Horreur, terreur, doux, suave, rugir, soupirer, pesant, léger,* ne viennent pas seulement pour nous du latin, mais du sens intime qui les a reconnus et adoptés, comme analogues à l'impression de l'objet.

HUITIÈME LEÇON

L'HARMONIE DES PHRASES

HARMONIE DES PHRASES — L'ÉQUILIBRE — LA CONSTRUCTION — LES PÉRIODES — COMMENT CONSTRUIRE SES PHRASES? — PROCÉDÉS CONTEMPORAINS — LA PROPORTION — DIGRESSIONS ET DÉVIATIONS — HARMONIE PAR COHÉSION — IMPORTANCE DE L'HARMONIE — LA FAUSSE HARMONIE — D'ARLINCOURT

De même que les mots, selon leurs sons et leurs combinaisons, produisent une harmonie qui anime le style, de même la construction des phrases produit une harmonie générale qui domine le style et lui donne sa cadence, son allure définitive.

Une phrase a du *nombre,* lorsqu'elle est construite et qu'elle se développe dans un rythme large, selon les exigences de la respiration.

Une *période* est une phrase *partagée entre plusieurs membres* (lesquels peuvent se subdiviser en phrases incidentes), *et dont le sens complet est suspendu jusqu'à un dernier et parfait repos.*

La construction des phrases est le secret de l'art d'écrire. Comme il y a une infinité de façons de construire ses phrases et que cela dépend des tournures d'esprit personnelles, il serait difficile de donner des conseils détaillés.

Tenons-nous-en à des remarques générales, à quelques principes qui expliquent la plupart des cas.

Quel que soit le sujet qu'on traite, il ne faut pas se croire obligé d'écrire toujours de longues périodes. On ne doit pas plus adopter le style à longues phrases que le style à phrases courtes. C'est le mélange seul qui produit la variété. Rien n'est agréable comme de se reposer l'esprit sur des phrases brèves, après avoir lu des phrases majestueuses.

Cependant un style ample et soutenu sera toujours plus saisissant, plus relevé, plus estimé qu'un style de courte haleine. Les belles périodes prouvent qu'on a du souffle. À mérite égal, les phrases courtes seront toujours plus faciles à faire. Les belles périodes exigent un travail compliqué, tandis qu'un article de journal se fait au pied levé.

La *période* constitue le mécanisme le plus savant de l'art d'écrire. C'est un attelage à conduire. Il ne faut perdre les guides d'aucun des chevaux qu'on dirige, toujours marcher vers le but, maintenir les incidentes rebelles, bien aligner ses régimes, garder la clarté et la logique, tout en prodiguant les images à travers l'encombrement de la marche.

Il n'y a pas grande utilité à expliquer les diverses formes que peut prendre une période. Il est bon cependant que le lecteur, qui les connaît d'ailleurs aussi bien que nous, ait sous les yeux quelques exemples de périodes à l'aide desquelles il pourra contrôler la portée de nos conseils.

Période à deux membres sans incidentes

> Quelle que soit l'indifférence de notre siècle pour les talents qui l'honorent, – il rend du moins justice à ceux qui ne sont plus.
>
> (THOMAS.)

On pourrait ajouter une incidente à chacun des deux membres de cette période simple, et on aurait une période à deux membres avec incidentes.

On peut, on le voit, augmenter chaque membre d'une ou de deux incidentes.

Période à deux membres avec incidentes

> CELUI QUI RÈGNE DANS LES CIEUX, *et de qui relèvent tous les empires, à qui seul appartient la gloire, la majesté et l'indépendance,*

— EST AUSSI LE SEUL QUI SE GLORIFIE DE FAIRE LA LOI AUX ROIS *et de leur donner, quand il lui plaît, de grandes et de terribles leçons.*
(BOSSUET.)

Période à trois membres

Si l'équité régnait dans le cœur des hommes; si la vérité et la vertu leur étaient plus chères que les plaisirs, la fortune et les honneurs, rien ne pourrait altérer leur bonheur.
(MASSILLON.)

Ce qui fait le charme et l'éclat d'une période, c'est la marche progressive des mots et des idées.

Période à quatre membres

Qu'un père vous ait aimé, — c'est un sentiment que la nature inspire ; — mais qu'un père si éclairé vous ait témoigné cette confiance jusqu'au dernier soupir, — c'est le plus beau témoignage que votre vertu pouvait remporter.
(BOSSUET.)

Il y a de longues phrases qui ne sont pas pour cela des périodes, mais seulement des phrases énumératives :

Vous verrez dans une seule vie toutes les extrémités des choses humaines : la félicité sans bornes aussi bien que les misères; une longue et paisible jouissance d'une des plus nobles couronnes de l'Univers; tout ce que peuvent donner de plus glorieux la naissance et la grandeur accumulées sur une seule tête, qui ensuite est exposée à tous les outrages de la fortune, etc.
(BOSSUET.)

La première condition pour écrire une phrase, quelle que soit sa longueur, c'est d'en bien observer la logique, l'équilibre et la proportion.

La logique. — Il faut construire ses phrases selon l'ordre naturel des pensées et des règles grammaticales : le sujet, le verbe et l'attribut.

On ne dira pas :

> Dieu a donné à toutes les créatures humaines sa grâce.

Mais :

> Dieu a donné sa grâce à toutes les créatures humaines.

On ne dira pas non plus :

> Cette preuve a semblé à tous les philosophes insuffisante ; mais bien : cette preuve a semblé insuffisante à tous les philosophes.

De même, dans une plus longue phrase, au lieu de :

> Comment oser croire, après de pareille menaces, qu'il revienne ?

On dira :

> Comment oser croire qu'il revienne, après de pareilles menaces ?

Ou mieux encore :

> Après de pareilles menaces, comment oser croire qu'il revienne ?

Ces compléments étaient beaucoup trop loin des verbes qui les régissent ; il fallait les placer plus haut ; défaut de logique qui est aussi un défaut d'harmonie. La preuve, c'est que vous pouvez, en allongeant le membre de phrase incriminé, employer la même tournure, qui cessera alors d'être défectueuse.

On pourra donc dire, en reprenant ces exemples :

> Dieu a donné à toutes les créatures humaines sa grâce divine et fortifiante, cette grâce dont il est prodigue, etc.

> Cette preuve a semblé à tous les philosophes insuffisante et mal présentée.
>
> Comment croire, après de pareilles menaces, qu'il revienne, qu'il ose se présenter...

C'est le défaut d'arrangement et de logique qui produit ce style *estropié* qu'on remarque dans cette phrase d'un auteur contemporain :

> Il était atteint d'une de ces fièvres terribles, dont il faut, pour se rendre compte de leur violence extraordinaire, les avoir éprouvées soi-même.

Nous lisions dernièrement, dans la *Revue des Deux Mondes,* cette phrase d'un académicien illustre :

> Il a passé en revue le dogme catholique, avec une sûreté de doctrine égale à l'éclat de sa parole.

Ce sont là des constructions dissonantes qui frisent l'incorrection.

Sainte-Beuve décrit une procession des filles de Port-Royal :

> Elles étaient, dit-il, plus brillantes de charité que les cierges qu'elles portaient dans leurs mains.
>
> (*Port-Royal.*)

On croirait qu'un cierge, à son tour, peut être brillant de charité. En construisant mieux sa phrase, il eût dit sans amphibologie :

> La charité rendait leurs visages plus brillants que le cierge qu'elles portaient dans leurs mains.

L'équilibre – C'est la proportion des membres de phrases entre eux qui fait l'équilibre et l'harmonie d'une période. Il faut que les incidentes ou les propositions principales soient entre elles à peu près d'une longueur égale et que la phrase finisse en sonorité étendue.

En d'autres termes, il faut que la construction soutienne la voix sans la fatiguer; qu'il y ait, de distance en distance, des repos de syllabes, avec assez de variété dans la cadence pour éviter la monotonie de structure et de dessin ; enfin que tout cela soit présenté sans inconvénient pour la clarté et la concision.

Bossuet a eu au suprême degré ce don admirable, soit dans ses phrases simples, soit dans ses périodes compliquées.

Voici une phrase simple qui est un modèle d'harmonie, de coupe, de pause et de repos :

> Cette orgueilleuse sagesse du siècle, qui, ne pouvant comprendre la justice des voies de Dieu, emploie toutes ses fausses lumières à les contredire, se trouve merveilleusement confondue par la doctrine de l'Évangile et par les très saints mystères du Sauveur Jésus.
>
> (BOSSUET.)

Lisez aussi à haute voix la phrase suivante de Bossuet, plus compliquée, mais exquise par le développement et la pause harmonique des voyelles :

> Multipliez vos *jours,* comme les cerfs et les *corbeaux* que la Fable ou l'histoire de la Nature fait vivre durant tant de *siècles;* durez autant que ces grands *chênes* sous lesquels nos ancêtres se sont *reposés,* et qui donneront encore de l'*ombre* à notre *postérité;* entassez dans cet *espace,* qui paraît *immense, honneurs, richesses, plaisirs;* que vous profitera cet *amas,* puisque le dernier souffle de la *mort,* tout faible, tout languissant, abattra tout à coup cette vaine *pompe* avec la même facilité qu'un château de *cartes,* vain amusement des enfants ?

Pour obtenir l'harmonie, il n'y a pas de meilleure règle que le conseil donné par M. A. Henry dans son *Cours de littérature :*

> *Tâchez que le son se soutienne ou même aille en croissant jusqu'à la fin de la phrase, et que celle-ci se termine par les membres les plus étendus et par les mots les plus sonores.*

Il faut, en d'autres termes, que la mélodie aille en croissant et en s'élargissant, comme dans cet exemple :

> À qui est-ce qu'il appartient de toucher les cœurs, sinon à la vérité ? C'est elle qui apparaîtra à tous les cœurs rebelles au dernier jour... Oui, jusqu'au fond de l'abîme, ils la trouveront ; *spectable horrible à leurs yeux ; poids insupportable sur leurs consciences ; flamme toujours dévorante dans leurs entrailles.*
>
> (BOSSUET.)

« Qu'il n'y ait rien de dur et de brusque dans la chute de la période, a dit Quintilien ; c'est là que l'esprit respire et se délasse ; c'est le repos du discours. »

La plupart des écrivains de notre époque ont perdu le goût des belles constructions classiques, des savantes ordonnances de la phrase bien faite. Il s'est produit un abus des incidentes vraiment déplorable. Au lieu de soigner l'architecture d'une phrase, comme Flaubert a été un des derniers à le faire, avec une conscience à laquelle la critique doit rendre justice, on aime mieux aujourd'hui, comment dirai-je ? écrire pêle-mêle, faire suivre les incidentes à la file, de sorte que les phrases sont surchargées de mots et demeurent longues sans être équilibrées. Elles ont un défaut de proportion et un manque de logique auxquels on a de la peine à s'habituer, lorsqu'on quitte les grands écrivains classiques. On affecte de dédaigner la forme pour ne se préoccuper que de la sensation. Les De Goncourt surtout ont été les plus audacieux désarticulateurs de l'ancien style : ils ont tout broyé, mélangé, mêlé, trituré. Voici une phrase caractéristique qui représente bien l'accumulation et l'abus des incidentes, dont nous parlons. Il s'agit du passage à Paris d'une pastelliste fameuse :

La Tour avait pu assister à ce triomphe du pastel, à cette fortune des crayons de la Vénitienne, visitée par le Régent, recherchée du plus grand monde, écrasée de commandes et d'argent, sollicitée, suppliée pour un portrait par les Parabère et les De Prie, les plus grandes dames de la cour, prises au charme de cet art, donnant à la femme je ne sais quelle légère vie de nuage, un souffle de ressemblance dans une fleur de couleur.

(E. et J. DE GONCOURT, *L'Art du XIXe siècle*, 1re série, p. 324.)

On le voit, les incidentes et les participes sont accrochés à la suite, comme un chapelet. Tantôt ils se rapportent à la « Vénitienne », tantôt aux grandes « dames de la cour », tantôt au « charme de cet art », le tout dans la même phrase, par un scandaleux procédé de pêle-mêle accumulatif.

M. Zola n'écrit pas autrement. Toute une école s'est mise à exploiter ce genre d'impressionnisme descriptif consistant à déconstruire la phrase et le style. On aura beau dire, il sera toujours plus difficile, plus esthétique et plus méritoire de faire une belle période française ; et après tout, les descriptions de Chateaubriand, surtout dans les *Mémoires d'outre-tombe*, bien que d'un style classique et régulier, n'ont pas moins d'intensité et sont aussi vivantes, aussi modernes que les descriptions d'aujourd'hui.

Pierre Loti, l'auteur émouvant de *Pêcheur d'Islande*, est aussi un de ceux qui ont le plus employé, au profit de la sensation crue, le style *désécrit :*

Toutes mes impressions changeantes de cette soirée se fondent à présent dans ce désir attendri de la revoir, dans *cet élan,* d'ailleurs presque sans espérance, *vers elle.*

(LOTI, *Fantôme d'Orient,* p. 39.)

Ou encore :

Seulement, de là-bas, lui, dans sa vision dernière, il s'était figuré... – La première fois qu'elle l'avait aperçu, lui, ce Yann... – Ce petit Sylvestre, il était tout de suite devenu une

> espèce de frère... Et, à ses noces, ils y étaient tous, ceux qu'il avait conviés jadis, tous, excepté Sylvestre qui, lui, s'en était allé dormir dans les jardins enchantés, très loin, de l'autre côté de la terre...
>
> (LOTI, *Pêcheur d'Islande.*)

Il ne faudrait pas en conclure que des auteurs comme Loti ne sont pas des écrivains remarquables. Ce serait tomber dans un préjugé et condamner du même coup le style désordonné de Saint-Simon, qui ne brille ni par l'harmonie, ni par l'ordre, ni par l'architecture. Le style tel qu'il existe de notre temps est le résultat de l'évolution même de l'art d'écrire depuis trois cents ans. Chacun, d'ailleurs, écrit comme il peut et comme il veut, puisque le style est l'expression *individuelle* de la pensée.

Toutefois, dans un livre comme le nôtre, dans un livre de théories et de démonstrations, il faut conseiller de remonter à la source, à l'unité, à la tradition de la langue, aux procédés logiques et classiques du véritable grand art d'écrire. C'est la bonne santé du style qui doit nous guider et qu'il faut atteindre, sa droiture, sa valeur durable. Constatons le laisser-aller, le raffinement, le renchérissement des procédés ; excusons-les parce que c'est encore du style ; mais ne les prenons pas pour exemple.

En résumé, c'est la proportion, l'équilibre, la logique qui détermineront *a priori* l'harmonie d'une phrase, et c'est en soignant surtout les *finales* qu'on obtiendra l'effet musical complet.

Une phrase doit être *bouclée,* cadencée, bien tombante, bien proportionnée.

Si, dans un premier membre, vous avez mis deux ou trois épithètes, il faut, dans le second membre, en mettre également deux ou trois. Sans cela, le style a quelque chose de hasardeux, d'inachevé, une allure qui chevauche.

> Impressionnable et vive dans la jeunesse, indifférente et lourde dans la vieillesse, l'imagination décroît et se perd à mesure que le corps s'affaiblit.

Voilà une phrase qui n'est pas harmonieuse à lire des yeux ou à haute voix. Ajoutons, pour équilibrer les épithètes, un adjectif à *languissante* et accouplons un autre verbe à s'*affaiblir.*

Nous aurons cette phrase, qui a du nombre :

> Impressionnable et vive dans la jeunesse, indifférente et lourde dans la vieillesse, l'imagination décroît et se perd à mesure que le corps s'use et s'affaiblit.

Le danger est, lorsqu'on veut balancer l'équilibre des mots, d'en ajouter d'inutiles ou d'inexpressifs. C'est le pire défaut ; mieux vaut être rocailleux et dissonant que fade et banal.

Les membres de phrases, le nombre des verbes ou des épithètes doivent donc toujours se répondre et correspondre, et les finales des phrases se terminer, autant que possible, musicalement, comme dans ces mélodieuses lignes :

> Le juste regarde sa vie tantôt comme la fumée qui s'élève, qui s'affaiblit en s'élevant, qui s'exhale et s'évanouit dans les airs ; tantôt comme l'ombre qui s'étend, se rétrécit, se dissipe, sombre, vive et disparaissante figure.
>
> (FLÉCHIER.)

Évitez aussi d'accumuler dans une même phrase des pensées qui n'ont pas assez de rapports entre elles et avec lesquelles on pourrait faire plusieurs phrases séparées.

Ainsi, dans cette phrase d'une traduction de Plutarque, citée par Blair :

> Les Grecs (commandés par Alexandre) marchaient à travers un pays inculte, dont les sauvages habitants n'avaient pour toute richesse qu'une race de moutons chétifs, dont la chair était sans saveur, parce qu'ils se nourrissaient continuellement avec du poisson de mer.

On passe ici, on le voit, d'un sujet à un autre, les idées se surajoutent, vont à *la queue leu leu,* sans raison. Il faudrait faire deux ou trois phrases et dire :

> Les *Grecs marchaient à travers un pays inculte ; les sauvages habitants de cette région n'avaient pour toute richesse qu'une race de moutons chétifs ; et encore la chair de ces animaux était-elle sans saveur, parce qu'ils se nourrissaient,* etc.

Il faut également s'interdire les digressions et les parenthèses. Par digressions, j'entends les sentiers de côté, les déviations que peut prendre une idée principale, en passant trop brusquement d'un objet à un autre, comme dans cet exemple :

> Dès que *j'eus* quitté la voiture, *mes amis* m'accompagnèrent et me présentèrent au maître de la maison, *qui* m'accueillit avec cet empressement aimable, *dont* lui et les siens possédaient le secret, depuis si longtemps qu'ils habitaient cette vieille *maison, bâtie* coquettement au bord de la mer, *dont* on voyait, sous le soleil, remuer et étinceler les eaux bleues.

Nous exagérons le procédé, pour qu'il frappe les yeux.

Une phrase est une pensée principale. Pour être fidèle au sens, à la logique, à l'harmonie, il faut que les accessoires ne la diminuent pas et ne la fassent jamais perdre de vue.

Les parenthèses nuisent également à l'harmonie des constructions.

Voici une phrase de La Bruyère :

> La plupart des hommes, pour arriver à leurs fins, sont plus capables d'un grand effort que d'une longue persévérance.

Une parenthèse suffirait à la gâter, si on disait, par exemple :

> La plupart des hommes, pour arriver à leurs fins (et chacun ici-bas poursuit une fin et un but), sont plus capables d'un grand effort que d'une longue persévérance.

Surtout n'ajoutez rien aux phrases, quand elles sont finies, comme dans cet exemple donné par Blair :

> Certains esprits présomptueux censurent si grossièrement la poésie ancienne, pour donner la préférence à la poésie moderne, qu'on ne peut lire ni l'éloge de l'une ni la critique de l'autre sans indignation, *sentiment que rien ne fait plus vivement éprouver que la suffisance.*

Ce dernier membre est placé pour arrondir la phrase ; en réalité, il est inutile, parce qu'il n'ajoute rien.

En examinant de près le ton et le son que rendent les styles des différents écrivains, on peut dire qu'il existe deux sortes d'harmonies : l'une ample, volontairement étendue, majestueusement solennelle, faite non seulement par la combinaison des phrases, mais où entre aussi l'effet musical de certains mots imagés, colorés et exceptionnels.

C'est dans cette catégorie qu'il faut ranger ce morceau célèbre que Fontanes ne pouvait jamais relire sans pleurer :

> Légers vaisseaux de l'Ausonie, fendez la mer calme et brillante ; esclaves de Neptune, abandonnez la voile au souffle amoureux des vents...
>
> Volez, oiseaux de Libye, dont le cou flexible se courbe avec grâce ; volez au sommet de l'Ithome et dites que la fille d'Homère va revoir les lauriers de la Messénie !
>
> Quand retrouverai-je mon lit d'ivoire, la lumière du jour si chère aux mortels, les prairies émaillées de fleurs, qu'une eau pure arrose...
>
> (CHATEAUBRIAND, *Les Martyrs.*)

La poésie n'a pas de musique plus divine qu'une pareille prose.

Il y a un deuxième genre d'harmonie propre aux écrivains qui ne la cherchent pas précisément dans les mots et la physionomie des mots. Cette harmonie est le résultat seul de la *cohésion.* En général, quand on ne peut retrancher un mot d'une phrase et qu'ils se tiennent étroitement ajustés, le style se trouve harmonieux par la seule force de la concision. C'est ainsi qu'écrivent Montesquieu, La Bruyère et Pascal.

Il est sûr que Racine n'a pas cherché à faire et n'a pas cru avoir fait un vers si harmonieux, quand il a dit en se servant de monosyllabes :

> Le jour n'est pas plus pur que le fond de mon cœur.

C'est la douceur sonore des mots *jour, pur* et *cœur* qui produisent cette harmonie, en rompant par deux repos la monotonie du vers. Au lieu de *cœur* mettez *âme,* l'harmonie disparaît. Vous ne pouvez changer un mot à ce vers. C'est un cas d'harmonie *par cohésion.*

Toute harmonie qui ne fait pas corps avec la phrase, qui n'est pas le résultat d'un style serré, n'est qu'une harmonie artificielle.

Hâtons-nous de dire que l'harmonie fait partie du goût d'écrire. Ce n'est pas une chose absolue, mathématique. L'arrangement des sons se fait à mesure que l'on écrit, le choix des mots majestueux ou musicaux se produit instinctivement. Le don d'harmonie vient à mesure qu'on y prend garde et qu'on se relit. La cadence d'une phrase est une affaire de construction. Il faut posséder du souffle, écrire largement, avoir l'haleine longue. On pourra alors façonner sa matière dans des proportions harmonieuses.

Pour juger si on a réalisé cet équilibre musical, il faut relire à haute voix ce qu'on a écrit. On verra alors si la respiration est facile, si le morceau est bien coupé, si l'oreille est satisfaite.

Qu'on ne dise pas que les livres sont destinés à être lus par les yeux et non entendus par l'oreille. Les yeux aussi entendent les sons. De même que le musicien entend l'orchestre en parcourant une partition, il suffit de lire une phrase pour en goûter la cadence.

Il faut néanmoins bien se convaincre que l'harmonie *n'est une qualité qu'autant qu'on l'associe aux autres qualités du style.*

Molière et Racine sont deux exemples frappants de la nécessité relative de l'harmonie.

Racine a certainement fait les vers les plus harmonieux de la langue française. C'est le poète par excellence.

Molière a écrit les vers les plus heureux, les mieux bouclés, les plus inattendus, les plus énergiques qu'on puisse lire. Et cependant ses vers sont rudes, raboteux, dissonants, écrits au hasard des sons et de la cadence.

C'est qu'il y a une certaine beauté de pensée absolue qui est au-dessus de l'harmonie même et qui peut s'en passer.

La Fontaine n'a pas craint d'écrire des vers extrêmement durs, comme celui-ci, dans les *Animaux malades de la peste :*

> ... Mais je pense
> *Qu'il* est bon que chacun s'accuse ainsi *que* moi.

De nos jours, depuis le romantisme, tout en cultivant la fluidité, l'élégance, la pondération musicale des phrases, on s'est habitué, et souvent avec raison, à mettre l'idée et l'image au-dessus de tout. C'est ainsi que Victor-Hugo a écrit tant de beaux vers, soit au théâtre, soit dans ses ouvrages, sans se préoccuper du son des syllabes.

Malgré cela, le souci de l'harmonie, déplacé peut-être et modifié par la poésie devenue libre, n'a pas plus abandonné Victor Hugo que Leconte de l'Isle, M. de Heredia et nos modernes poètes.

On objecte l'exemple de Saint-Simon, qui a écrit à la diable et a voulu faire de la vie. Cela prouve que le génie et la vie passent avant et se passent de tout, et que ce qu'il faut voir d'abord, c'est l'originalité, le don de peindre, le don d'imagination et de création. L'harmonie ne vient qu'après.

Il est sûr que l'harmonie seule, quand le fond n'y est pas, n'arrive qu'à affadir le style, et qu'elle devient alors une qualité insupportable. Elle n'est essentielle au style qu'autant qu'elle tire son charme de la valeur des mots, et non de leur seul balancement, toujours facile à obtenir et qui peut être quelquefois très vide.

« Il suffit, dit Buffon, d'avoir un peu d'oreille pour éviter les dissonances, et l'avoir exercée, perfectionnée par la lecture des poètes, pour que, mécaniquement, on soit porté à l'imitation de la cadence poétique et des tours oratoires.

Rien de plus juste. Une phrase aura beau être harmonieuse, si les termes n'en sont pas saisissants, si l'idée n'est pas saillante, s'il y a trop de mots, l'harmonie ne servira qu'à en faire ressortir la banalité.

Le vicomte d'Arlincourt, ce Chateaubriand sans talent, en est un mémorable exemple. Sa prose est très harmonieuse ; seulement, comme il n'y a rien dedans, elle donne envie de rire, malgré l'inexplicable succès qu'ont eu des romans comme *Le Solitaire* et *Les Trois Châteaux.*

Qu'on en juge par ces lignes prises au hasard :

> La journée avait été étouffante, et la brise du soir était encore imprégnée de ces lourdes chaleurs de juillet qui semblent préluder aux orages. Les jardins du manoir achevaient de s'illuminer en verres de couleurs. L'échafaudage d'un beau feu d'artifice s'élevait sur une des pelouses du parc ; et déjà les bosquets de Suzannin, prenant un air de fête qui tenait de l'enchantement, se peuplaient d'une foule avide d'émotions. Un brillant orchestre avait été placé, non loin du château, au fond d'une salle de danse champêtre établie sous une tente de toile pourpre, au milieu d'un grand bouquet d'arbres. Cette enceinte, garnie de fleurs, d'où s'exhalaient des flots d'harmonie, était entourée de gradins, tapissée de glaces, surchargée de candélabres et couronnée de lustres. La grâce y disputait le prix à la richesse, et la splendeur à l'élégance.
>
> Partout de ravissants aspects, partout des surprises nouvelles. Ici un pavillon de musique où de jeunes cantatrices soupiraient les airs à la mode ; là un petit théâtre en feuillages où des acteurs distingués devaient, tour à tour, chanter un vaudeville et exécuter un ballet. De toutes parts, les armoiries de la marquise en peinture et en illuminations. Tout cela n'avait qu'un défaut, mais un défaut cruel et tuant : trop de prétention et de pompe, une exagération continuelle en toute chose : bruit fatigant, élan sans bornes, et but constamment dépassé.
>
> (D'ARLINCOURT,
> *Les Trois Châteaux,* I, p. 140.)

Ce texte est aussi harmonieux que vide. Les cinq premières lignes du deuxième paragraphe sont étonnamment musicales. L'harmonie est un ornement qui fait mieux sentir la misère de ce style.

On doit donc aimer l'harmonie, la rechercher, la cultiver, mais jamais aux dépens de la vie, du relief, de l'observation, de l'originalité. Elle doit être une qualité par surcroît. Il faut placer avant elle la valeur de l'idée et la qualité des mots.

Les auteurs dont la lecture sera, sous ce rapport, le plus profitable sont Chateaubriand, Bossuet, Buffon et, de nos jours, Flaubert.

NEUVIÈME LEÇON

L'INVENTION

COMMENT ON INVENTE — LA GESTATION — LA SENSATION PERSONNELLE — CHOISIR DES SUJETS VRAIS

Nous avons dit quelles sont les conditions fondamentales de l'art d'écrire.

Nous avons examiné les trois grandes qualités que doit avoir le style et qui, selon nous, résument toutes les autres.

Sans nous attarder à étiqueter ce qu'on appelle les figures et les images, dont nous parlerons pratiquement dans nos prochaines démonstrations, tâchons d'expliquer comment on peut apprendre à écrire et à mettre en pratique les dispositions que la nature nous a données. Nous allons aborder, en d'autres termes, l'étude de la composition.

La composition littéraire peut se définir : *l'art de développer un sujet;* autrement dit, l'art de *trouver* des idées, de les *arranger* et de les *exprimer.*

D'où cette division, logique et naturelle :

— *invention ;*
— *disposition ;*
— *élocution.*

Ces trois opérations ne sont pas rigoureusement distinctes; au contraire, on ne peut les séparer. Trouver un sujet, c'est déjà le disposer et le mettre en ordre, du moment qu'on l'examine et qu'on le mûrit; souvent, au moment même où on découvre une situation, une scène, l'expression vous vient, et on la note pour ne pas la perdre. L'élocution empiète alors sur l'invention et sur la disposition.

D'une façon générale, pourtant, cette division est bonne. C'est de l'*élocution* que nous nous entretiendrons en dernier lieu plus longuement, car elle englobe aussi l'invention et la disposition, puisqu'elle fait trouver des choses nouvelles qu'il faut mettre en ordre.

L'Invention

L'invention est l'*effort d'esprit par lequel on trouve un sujet et les développements qui s'y rapportent.*

Pour découvrir un sujet et les ressources qu'il comporte, la première condition c'est d'y réfléchir, de le mûrir, roman, fable, dialogue, description, narration ou discours.

« C'est pour ne pas avoir assez réfléchi sur son sujet, dit Buffon, qu'un auteur est embarrassé pour écrire. »

Il faut donc *sentir* son sujet. Le difficile n'est pas de l'écrire, mais de le *sentir,* de se le *faire sentir.* Tout est là. C'est un grand principe : *on n'écrit bien que ce que l'on sent bien.*

Il vous arrive un accident, une douleur; un épisode de votre vie vous frappe. Rien de plus aisé que de sentir de pareils sujets; et, si vous voulez les décrire, vous le ferez excellemment; la difficulté, c'est de choisir un sujet étranger, de l'attirer à soi, de se l'assimiler, de se le rendre familier, pour pouvoir l'exploiter sous toutes ses faces, jusqu'à en être plein, saturé, débordant.

Si les idées ne viennent pas, c'est que le sujet n'est pas assez mûri. Il faut y repenser, y penser longtemps, jusqu'à ce qu'on soit dans un état d'effervescence telle, qu'on éprouve le besoin de s'en débarrasser. La vraie verve, la vraie inspiration ne *viendra qu'alors.*

La nécessité *de porter longtemps son sujet,* la gestation, en un mot, est une condition absolue du don d'écrire.

Chacun, évidemment, n'a pas le même procédé pour se mettre en train. Il en est qui, comme Rousseau, ne peuvent écrire qu'après avoir longuement pensé ; de sorte que ses pages étaient tracées dans sa tête avant de l'être sur le papier ; d'autres, au contraire, comme Chateaubriand, ne peuvent se mettre en ébullition qu'assis devant leur bureau ; si bien qu'on a dit de lui que « sa plume faisait feu sur le papier ».

Du choix du sujet et de son incubation préparatoire dépend la valeur du travail. L'invention consiste à sentir un sujet et à rendre l'impression qu'il fait sur votre imagination et sur votre sensibilité. C'est l'imagination et la sensibilité qui, par application et en se concentrant sur un thème, découvriront les rapports, les relations, les idées, les rapprochements et les images que contient ce thème.

Vous apportez une idée à un auteur dramatique. Il s'écrie : « Il y a une pièce là dedans. Je ne la vois pas ; mais il y a une pièce. » Il s'agit de la voir. Pour cela, que fera-t-il ? Il s'isolera, il méditera, il creusera l'idée jusqu'à ce qu'il entre en elle, jusqu'à ce qu'il en découvre toutes les conséquences, toutes les avenues, tous les sentiers, tous les aboutissants.

« Comment voyez-vous cette scène ? Comment la sentez-vous ? » a-t-on coutume de demander. C'est qu'en effet la grande affaire est de *sentir*, de quelque façon que ce soit, non d'après les règles et selon un mode obligatoire, mais selon son tempérament.

Un sujet est une idée, une unité, c'est quelque chose de simple. Si l'imagination et la sensibilité ne dédoublent pas cette idée, en décrivant les aspects qu'elle peut avoir et les formes qu'elle peut prendre, on aura bientôt tout dit et l'on restera court.

Il s'agit, par exemple, de décrire les sensations d'un homme tombé dans un puits pour vingt-quatre heures. Mettez-vous à la place de cet homme. Mais cela ne m'est pas arrivé. Comment deviner les sensations que peut avoir cet homme ? C'est pourtant en cela que réside le don de création. L'art n'est qu'une *substitution*.

Il s'agit, comme on dit, de se mettre dans la peau d'autrui. Pensez-y longtemps, rôdez autour, évoquez cette situation, et notez, au fur et à mesure, les idées qui vous viendront : le froid, l'eau, la nuit, l'étouffement, l'enfoncement progressif, la durée des heures, le son de la voix, l'écho, l'abolition du temps, le silence, la vue d'en bas de cet entonnoir, les appels désespérés, l'abandon des forces, l'exténuation lente, les mouvements inutiles de l'homme surnageant et s'enfonçant lorsqu'il remue, le ciel pur en haut, quelques cris d'oiseaux, un vol tournoyant de chouette, la vie des choses qui se continue au-dehors, ce contraste avec l'angoisse du patient, ces bruits de piscine sonore, etc. On tâchera, en un mot, de se donner l'illusion du fait dans toutes ses circonstances, avec la gradation, le *crescendo* douloureux, nécessaires à l'effet, c'est-à-dire à l'intérêt.

L'important n'est pas de décrire minutieusement tous les détails d'un fait, mais d'avoir de ce fait une sensation personnelle et vivante. L'évocation volontaire donnera cette sensation ; et, si vous avez cette sensation, les détails arriveront d'eux-mêmes.

C'est par le *travail*, la *sensibilité* et l'*imagination* qu'on entretient et qu'on fortifie la faculté d'invention.

L'art d'écrire est un perpétuel effort, sauf pour les grands génies qui ont, néanmoins, eux aussi, énormément travaillé.

Entre le choix d'un sujet et son exécution par l'écriture, il se passe un laps de temps, une durée, une incubation plus ou moins longue suivant les gens, et c'est peut-être le plus douloureux moment, la partie la plus pénible du labeur littéraire. Il y a là une attente et un malaise intolérables. Rien ne vient, il faut s'arracher de l'esprit des idées qui n'existaient pas et dompter l'apathie du cerveau. L'isolement, la concentration sont nécessaires pour ce grand effort.

On songe, on s'absorbe. Si la vision tarde, ne vous découragez pas. On la reprend le lendemain ; et de ce fait qu'on y a réfléchi la veille, elle apparaît souvent plus nette. On recommence et on note à mesure.

Le mot de Buffon reste vrai : « C'est faute d'avoir assez réfléchi qu'un auteur est embarrassé. » Plus le sujet sera loin de vos habitudes et de votre tournure d'esprit, plus il vous faudra de travail et de volonté.

Portez en vous votre sujet, portez-le longtemps, portez-le partout. Il finira par venir à vous.

On conçoit que l'inspiration soit toujours un *effort* puisqu'elle est une *création*. La verve vient *ordinairement* par *l'application*, par la *concentration* et non au hasard et par fantaisie.

Il faut, en un mot, se *monter l'imagination et la sensibilité*.

On a plus ou moins d'imagination, mais on peut toujours aiguiser, développer, perfectionner la part qui nous en revient.

Votre imagination reste-t-elle froide, nourrissez-la d'excitants ; lisez des choses qui se rapportent à votre sujet. Vous voulez écrire du théâtre, combiner des scènes, faire dialoguer des personnages ? Prenez vos auteurs dramatiques et absorbez-vous dans leurs œuvres.

Voulez-vous peindre une forêt que vous n'avez plus sous vos yeux ? Lisez, pour vous mettre en train, la description de la forêt de Fontainebleau, dans *L'Éducation sentimentale* de Flaubert, celle des Goncourt dans *Manette Salomon*, le *Voyage aux Pyrénées* de Taine, celles de Chateaubriand, Bernardin de Saint-Pierre, etc. Réveillez par la lecture votre imagination assoupie. Ce procédé réussit toujours.

Que de fois ne vous est-il pas arrivé d'être froid, indifférent, sans alacrité imaginative, sans idée dans le cerveau, à ne plus savoir si l'on est capable de sentir quoi que ce soit ! On passe au coin d'une rue, une musique s'élève, un piano, un orgue, on sort d'entendre un orchestre, on vient de voir un paysage, et tout à coup les idées s'éveillent, l'imagination change d'état et de disposition. Un rien suffit à modifier notre être mental ou intellectuel.

Parmi les excitateurs et les modificateurs imaginatifs, il n'en est pas de meilleur que la lecture, parce qu'elle a cet avantage qu'elle s'adapte à nos exigences et que nous pouvons choisir les pages dont nous voulons nous aider.

La culture de l'imagination, est d'une importance extrême. Il faut qu'elle soit permanente, entretenue, suivie, car *tout dépend de l'imagination.* La sensibilité elle-même, au point de vue littéraire, n'est que *l'art de se rendre ému par l'imagination.*

Qu'est-ce que l'imagination ? Le *pouvoir de se représenter les objets sous forme de tableaux et avec leurs détails.*

La mémoire entre bien pour moitié dans l'imagination littéraire. Faites, au mois d'août, une description d'une chute de neige. C'est la mémoire qui entre en jeu. Vous décrirez ce que vous avez vu ; vous évoquerez par le souvenir. Notre esprit est un fond photographique où demeure peint, plus ou moins longtemps, tout ce que nous avons vu. C'est un trésor qui s'accumule sans cesse et où nous allons puiser. Il faut donc enrichir, autant qu'on le peut, ce trésor ; bien regarder ce qu'on voit, noter ce qui frappe, observer en détail, relever les circonstances, emmagasiner et fixer ses sensations de tout ordre, nature, caractère, art, en se disant que c'est là qu'on ira puiser, et que tous ces éléments, c'est l'activité de la *mémoire* qui les combinera sous le nom *d'imagination.*

Plus le sujet sera difficilement assimilable, plus il faudra d'efforts pour arriver à le sentir.

Il faut donc, autant que possible, choisir un sujet que *vous ayez vécu* ou que vous *puissiez observer.* Vous aurez cent fois moins de peine à l'évoquer ; vous le sentirez plus vite ; les développements arriveront tout seuls. Son investigation offrira un attrait qui vous encouragera.

Le choix d'un sujet est donc d'une importance considérable. Tous ne vous conviennent pas ; ils doivent être porportionnés à vos forces ; on doit peser ce que l'on peut faire, ce dont on est capable. De là dépendent la valeur du travail, le talent qu'on y mettra, l'excellence de l'art d'écrire et le succès final.

Un sujet nous plaît, nous nous imaginons pouvoir le traiter. Quand nous essayons, « ça ne vient pas », on ne peut le saisir, rien ne sort. C'est faute quelquefois de l'avoir bien médité ; mais souvent aussi c'est qu'il n'est pas fait pour nous. Reconnaissons notre incompétence.

Choisissons donc des choses *vraies, vécues* ou *observables.* La *vérité,* la *vie,* l'*observation* sont les conditions fondamentales de toute œuvre littéraire. Nous les retrouvons partout, qu'il s'agisse d'invention, de disposition, d'élocution.

Le vrai a par lui-même, une force contagieuse, la vie communique la vie, l'observation soutient la verve.

Même quand vous inventerez, ayez des points de repère dans la vérité des choses, mettez des circonstances et des alentours pris dans la vie réelle et qui vous aideront à traiter le sujet ; empruntez le secours des milieux et des êtres que vous voyez et faites-les coïncider avec les rayons de votre lentille.

Cherchez-vous un caractère, un portrait ? Prenez-les parmi les gens que vous connaissez ; peignez-les tels qu'ils sont ; ou prenez un trait à l'un, un trait à l'autre, pour en composer un tout.

Molière a fait sa comédie des *Fâcheux* en notant ce que disaient les maniaques de la Cour. C'est ainsi que procédait Alphonse Daudet, qui doit à cette méthode d'avoir produit des œuvres très vivantes. N'oublions pas que Louis XIV lui-même a désigné à Molière certains modèles des *Fâcheux.* La scène des *Plaideurs* de Racine, entre Chicaneau et la comtesse, était le récit d'une aventure récente. La *Métromanie,* pièce classique de Piron, est fondée sur une anecdote vraie. La société de l'hôtel de Rambouillet a été mise sur la scène par Molière. Les portraits de la comédie de Destouches, *Le Médisant,* étaient faits d'après nature. *Manon Lescaut* est l'histoire de l'abbé Prévost, etc.

Un caractère pris dans la vie est une clef qui facilite les développements. Êtes-vous embarrassé pour décrire une scène ou faire dialoguer des personnages, le caractère connu *a priori* élucidera la difficulté. Du moment que c'est un tel qui est en jeu et que vous le connaissez, vous saurez comment il prendra la chose, comment il se comportera, ce qu'il répondra. C'est une condition importante, soyez-y fidèle.

Avez-vous besoin d'un paysage ? Allez le voir et prenez vos notes sur place, à moins que vous n'ayez assez de mémoire plastique pour le retenir. (Nous reviendrons là-dessus; v. *Descriptions.*)

Désirez-vous une intrigue ? La vie en fourmille. Vous n'aurez que l'embarras du choix.

Méditez-vous un dialogue ? Allez dans le monde. Écoutez les vrais causeurs, surtout les femmes, et retenez leur ton.

Le choix d'un milieu, contrôlé, exact, connu, est également décisif. Vous avez le plan d'une nouvelle ; vous êtes embarrassé pour le traiter, parce que le milieu où vous la posez reste vague. Mettez votre nouvelle dans un endroit connu et non pas imaginaire. Le plan prendra corps tout de suite et se dégagera. Essayez et vous verrez.

Voulez-vous écrire de la littérature imaginative, idéaliste, romanesque, voulue, construite ? Dans ce cas encore vous ne sentirez un sujet et vous ne le traiterez bien qu'en le transposant, en lui donnant l'illusion, le trompe-l'œil, l'apparence de la vie. Le *Don Quichotte* est un exemple frappant. Tout y est imaginé et tout semble vrai.

Si votre personnalité est le sujet que vous sentez le mieux, parlez-nous de vous. Voyez la verve que son *Moi* a inspirée à Montaigne. L'abbé Prévost, qui a écrit tant de livres, fit un chef-d'œuvre le jour où il écrivit sa propre histoire dans *Manon Lescaut.* Le meilleur ouvrage d'Alfred de Vigny est celui qu'il a personnellement vécu, *Servitude et Grandeur militaires.* Le secret du talent d'Alphonse Daudet et Pierre Loti est chez l'un l'observation rigoureuse, chez l'autre la force des choses vues ou vécues.

Vérité, vie, observation, voilà les trois qualités qui dominent l'art littéraire et auxquelles on doit soumettre toutes les opérations de l'esprit.

Comme on ne raconte que pour plaire et pour convaincre, on manque le but, si on choque la vérité, la vraisemblance et l'expérience.

Ainsi, l'auteur de la *Henriade* a eu tort de faire voyager Henri IV en Angleterre, puisque l'on sait que ce roi n'y a pas mis les picds et n'a jamais eu d'entrevue avec la reine Élisabeth.

Quel que soit le sujet qu'on traite, théâtre, poésie ou prose, il faut toujours conserver la couleur locale, c'est-à-dire les détails, le ton. Les circonstances et les nuances du temps où le fait se passe. On est devenu, avec raison, très exigeant sur ce chapitre, qu'on avait trop négligé jusqu'ici, malgré les sages conseils de Boileau.

On se rappelle le mot réjouissant de quelques hommes d'armes qui, dans une pièce qui se passe au Moyen Âge, viennent dire sur la scène :

> « Nous autres, bannerets du Moyen Âge... »

Dans une autre pièce sur Du Guesclin, un auteur de notre époque parle des régiments de Du Guesclin !

On trouvera un des plus beaux exemples de couleur locale, comme ton (car la couleur locale n'est pas seulement dans la peinture), dans le *Paysan du Danube* de La Fontaine *Salammbô,* de Flaubert, est une œuvre à relire souvent pour la peinture locale.

Telles sont les conditions générales sous lesquelles on peut considérer l'*invention.*

DIXIÈME LEÇON

LA DISPOSITION

De la disposition — Comment on arrange — Importance du plan — Le plan et la fermentation des idées — Le plan et les règles — Le plan, l'intérêt et l'action

On entend par « disposition » la mise en ordre des matériaux, l'art d'ordonner ce que l'on va écrire, ce qui doit passer avant, ce qu'on doit placer après, la vue de l'ensemble d'après les proportions. Il s'agit de reconnaître la mesure, l'importance, la valeur et la longueur des divers éléments dont se compose un morceau; de présenter les diverses parties fournies par l'invention, d'une façon progressive, enchaînée, logique et intéressante.

C'est de la disposition que dépendent le *plan*, l'*intérêt* et l'*action*.

Un morceau de littérature, quel qu'il soit, discours, description, lettre ou narration, est fait en vue d'une *unité*. Il doit tendre à un effet général. Mais les détails y sont nécessaires; les incidents plaisent; il faut qu'il y ait beaucoup d'idées, beaucoup d'images, en un mot, de la *variété*.

Concilier la *variété* avec l'*unité* est la grande affaire de tact et de goût. Il existe donc un art spécial pour pondérer tout cela, une science particulière pour le doser, pour distribuer et proportionner sa matière.

Faute de se montrer rigoureux sur ce sujet, de bons esprits sont tombés dans des longueurs impardonnables. Racine lui-même a montré dans son récit de Théramène une prolixité et un manque d'équilibre restés légendaires.

Richardson eût pu faire de *Clarissa Harlowe* un chef-d'œuvre, s'il ne se fût répété sans cesse et n'eût accumulé lettres sur lettres dans le but d'allonger l'intérêt du roman, qui est devenu monotone et languissant. Il y a dans *Don Quichotte* des contradictions de faits et des invraisemblances inadmissibles. L'*Œdipe roi,* de Sophocle, est plein d'impossibilités matérielles que l'auteur a dissimulées à force de génie.

Nous devons donc, nous qui n'avons pas le talent des grands écrivains, respecter les règles de raison et les exigences de structure nécessaires au plan, à l'intérêt et à l'action.

À notre époque d'improvisation et d'impressionnisme, on affecte de mépriser le plan. On est heureux, en revanche, de voir un artiste comme Goethe signaler à chaque instant l'importance du plan. « Tout dépend du plan », répétait-il. C'est qu'un bon plan, en effet, est la base d'une bonne exécution. On ne voit trop souvent dans ce conseil de professeur qu'une exagération de méthode, un parti pris de scolastique littéraire. Rien n'est plus sérieux pourtant. Le profit qu'on en retire n'est pas immédiat, mais, par la suite, il est immense.

Quoi que l'on écrive, il faut donc s'emprisonner dans un plan sévère, aussi développé que possible et d'où l'on ne puisse plus dévier. On ne doit plus sortir des proportions qu'on s'est imposées, parce qu'on les a établies par lucidité, par raison, par logique, et que le propre de la verve est précisément de tomber dans les digressions et les écarts.

Plus on écrit, plus on étudie, plus on lit les œuvres des maîtres, et plus on acquiert cette conviction qu'un bon plan fait la résistance et la valeur d'un ouvrage autant que le style. La composition est un signe de supériorité et de durée. Tous les chefs-d'œuvre des maîtres sont bien composés. Racine disait que lorsqu'il avait achevé son scénario en prose, sa pièce était faite ; c'est exagéré, mais rien ne montre mieux l'importance qu'il donnait au plan et aux développements.

Si l'imagination n'est pas inflexiblement dirigée qui peut savoir où elle s'arrêtera ? Le meilleur talent se laisse entraîner. Que d'œuvres étincelantes, déréglées, pleines d'intempérances magnifiques, qui eussent été supérieures avec plus d'ordonnance, de plan, de méthode, d'ordre ! D'éblouissants poètes, comme Saint-Amand et Théophile, sont oubliés parce qu'ils ont produit pêle-mêle au hasard de l'inspiration. Malherbe est resté, quoique moins poète peut-être, parce qu'il a su choisir, se régler, élaguer, ordonner.

Il n'est pas dit qu'on tombe fatalement dans la confusion par le seul fait qu'on n'aura pas suffisamment développé son plan ; mais c'est une vérité absolue, à forme et à style égal, que la supériorité d'exécution appartiendra à celui qui aura son cadre, qui saura ce qu'il doit dire, tout ce qu'il faut dire, rien que ce qu'il doit dire.

Les jeunes gens ne se font pas une idée assez nette de cette obligation. Il y a dans tout travail littéraire une part de préparation, de maturité, de réflexion nécessaires à la bonne exécution de cet ouvrage. Il faut s'astreindre à savoir construire. Rien ne tient debout sans cela.

Ce travail paraît aride à certains esprits. Ils aiment mieux se fier à leur fécondité. Ils croient pouvoir diriger l'attelage sans tenir les guides. L'avidité d'écrire vous presse. Le style veut sortir, la verve bouillonne. Pourquoi des retards ?

Eh bien, non ! Les idées ne perdent rien à être comprimées ; la liqueur qui fermente n'en est que plus forte. Pour ouvrir trop vite le flacon, il n'en sort souvent que de la mousse qui s'évapore.

Sans un plan arrêté, détaillé, l'exécution est problématique. On risque d'accorder de l'importance à tel passage, parce qu'il jaillira à souhait, et on s'y étendra complaisamment pour en négliger un autre plus difficile.

Ne perdons jamais de vue ce qu'a dit Buffon :

> C'est *faute de plan,* c'est pour n'avoir pas assez réfléchi sur son sujet qu'un homme d'esprit se trouve embarrassé et ne sait par où commencer à écrire. Il aperçoit à la fois un grand nombre d'idées ; et, comme il ne les a ni *comparées ni subordonnées,* rien ne le détermine à préférer les unes aux autres :

> il demeure donc dans la perplexité. Mais lorsqu'il *se sera fait un plan,* lorsqu'une fois il aura rassemblé et *mis en ordre* toutes les pensées essentielles à son sujet, il s'apercevra aisément de l'instant auquel il doit prendre la plume, *il sentira le point de maturité* de la production de l'esprit, il sera pressé de le faire éclore, il n'aura même que du plaisir à écrire...
>
> Pour bien écrire, il faut donc posséder pleinement son sujet; il faut y réfléchir assez pour voir clairement *l'ordre de ses pensées, et en former une suite, une chaîne continue,* dont chaque point représente une idée; et lorsqu'on aura pris la plume, il faudra la conduire successivement sur ce premier trait, sans lui permettre de s'en écarter, sans l'appuyer trop inégalement, sans lui donner d'autre mouvement que celui qui sera déterminé par l'espace qu'elle doit parcourir.

Et Fénelon ajoute :

> Il n'y a un véritable ordre que quand on ne peut en déplacer aucune partie sans affaiblir, sans obscurcir, sans déranger le tout...
>
> Tout auteur qui ne donne point cet ordre à son discours ne possède pas assez sa matière; il n'a qu'un goût imparfait et qu'un demi-génie. L'ordre est ce qu'il y a de plus rare dans les opérations de l'esprit : quand l'ordre, la justesse, la force et la véhémence se trouvent réunis le discours est parfait.

Si l'élocution, c'est-à-dire la forme, fait la magie d'une œuvre littéraire, l'*intérêt* et l'*action* dépendent du plan, de la distribution des matières, c'est-à-dire de l'ordre et de la disposition.

L'*intérêt* vient du rapport des parties, de leur gradation, de leur groupement, de l'art avec lequel on placera chaque fait à l'endroit qui lui convient. C'est la science de la composition.

Il faut donc apporter beaucoup de tact et de réflexion dans le choix et la succession des idées, puisqu'elles peuvent avoir de si graves conséquences.

Pour cela, montrez-vous inflexible, sachez retrancher, émonder, tailler dans votre propre champ. C'est lorsqu'un sujet est encore en morceaux, en matériaux, qu'il faut couper et trier. N'attendez pas que la séduction de la forme vous paralyse. Le sacrifice serait trop dur, vous reculeriez.

Prévoyez vos faiblesses et, dès maintenant, rejetez sans pitié ce qui n'est pas d'une utilité absolue. Eussiez-vous semé des perles, ôtes ces perles superflues, et renoncez aux détails, même exquis, qui ne concourent pas à l'ensemble, qui ne tendent pas au but et n'ajoutent rien à l'unité. Ayons toujours à l'esprit le mot de Pascal, qui s'y connaissait : « Ce n'est pas assez qu'une chose soit belle, il faut qu'elle soit propre au sujet, qu'il n'y ait rien de trop ni rien de manque. » Ceux qui ont l'expérience du style savent la quantité de choses inutiles, les scènes, les mots, les dialogues, l'excès de description ou d'analyse qu'on peut retrancher à chaque page d'une pièce ou d'un livre que l'on compose.

ONZIÈME LEÇON

L'ÉLOCUTION

L'ÉLOCUTION ET L'EXPRESSION — LE TRAVAIL — PREMIER JET — LES IDÉES NEUVES — LE TRAVAIL ET L'INSPIRATION — DOIT-ON IMPROVISER ? — HISTOIRE D'UN PREMIER JET — G. OHNET, MÉRY, ROUSSEAU — COMMENT ON REND LES IDÉES EN RELIEF — LE RELIEF DES EXPRESSIONS — BOSSUET — LES REFONTES — LE SECOND JET

Vous avez trouvé le sujet, vous avez disposé la matière, vous savez comment vous commencerez, comment vous finirez, votre plan est complet, tout est en ordre, début, milieu, développement, conclusion; il s'agit maintenant d'écrire.

Le style, c'est-à-dire l'expression, varie à l'infini et change, non seulement suivant la personne, mais suivant le genre et le sujet; de là, la diversité de ton qu'on remarque dans les œuvres littéraires.

Les conseils qu'on peut donner sur la façon d'écrire se modifieront donc d'après les sujets, et varieront, s'il s'agit de la narration, de la description, du discours, d'une pièce de théâtre, d'une poésie ou d'une fable.

Cependant, quoi que l'on écrive, l'expression, la bonne élocution, le style de valeur ne s'obtiennent que d'après les lois générales communes à tous les genres. C'est de ces lois, de ces conditions que nous allons d'abord parler.

Ce que nous dirons rappellera parfois certaines démonstrations que nous avons déjà faites à propos des qualités du style. C'est l'inconvénient d'un traité de l'art d'écrire de ne pouvoir bien délimiter des chapitres qui, par leur nature même, se ressemblent et se confondent. L'invention, la disposition, l'élocution se touchent de si près ! L'élocution n'est elle-même qu'une invention : c'est l'invention des mots au lieu d'être l'invention du sujet. Il s'agissait de trouver le fond ; il s'agit maintenant de trouver la forme. Nous étions dans la préparation ; nous sommes à présent dans l'exécution technique du style.

Vous êtes, la plume à la main, devant votre papier blanc. Que va-t-il se passer ? Tout dépend de la tournure d'esprit, de l'incubation antérieure, de l'activité imaginative, enfin des bonnes dispositions où l'on se trouve, si l'on a bien médité son sujet. Mais quelle que soit l'aptitude de chacun, le bon et le mauvais écrivain procèdent à peu près de même façon. Le plan est fait, il s'agit non seulement d'exprimer des pensées, mais d'en inventer au fur et à mesure que s'opère ce travail d'élocution. C'est l'opération la plus importante, puisque c'est la force d'une pensée qui fait son expression, et que l'*image* elle-même n'est qu'une *pensée*. D'ailleurs, dès qu'on se met à écrire, toutes les opérations qui constituent l'art d'écrire entrent en jeu simultanément. On crée, on ordonne, on colore...

Certains professeurs conseillent d'écrire tout ce qui vous passe par la tête, de donner libre carrière à l'inspiration, de jeter sur le papier toutes les idées qui arrivent, quitte à faire un choix et à garder ce qui est bon dans le deuxième jet.

C'est, je crois, une méthode dangereuse. Il n'est pas prudent d'écrire des choses qu'on juge n'être pas tout à fait bonnes. On ne doit s'habituer à écrire dans un premier jet que ce qu'on croit bon. C'est le seul moyen de ne pas répéter ce qu'on a dit et d'éviter la banalité.

Il y a si longtemps qu'on écrit, la production s'est tellement accrue depuis Buffon ; on risque si souvent de rabâcher, qu'il faut se décider à ne tracer d'abord que ce qui vous paraît à peu près *neuf*. C'est en cela que consiste le relief et le talent.

Dès le début, par conséquent, on s'efforcera de n'écrire que des pensées saillantes ; on se mettra à l'œuvre avec la résolution formelle de *rajeunir* les idées, en tâchant de les *voir autrement,* afin de les *dire autrement.* On ne saurait prendre trop au sérieux cette nécessité de tournures et d'idées neuves dans un premier jet. Il reste toujours assez de corrections à faire pour ne pas négliger d'en éviter d'abord le plus possible. Ne rien livrer au hasard, c'est économiser du travail.

Bien choisir ce que l'on va dire ne signifie pas qu'on doive dire peu de choses. Il en faut, au contraire, beaucoup, parce qu'on en retranchera beaucoup. Mieux vaut prêcher par excès que par manque. L'essentiel est de ne rien risquer de banal, de médiocre ou d'incolore. Plus le premier jet sera bon, plus les autres seront excellents, puisqu'ils seront la correction, la réfection, la perfection du premier.

Pénétrez-vous de cette idée que la bonne exécution littéraire et le bon style s'obtiennent par le travail, et qu'on peut par l'opiniâtreté et la persévérance doubler la force de son propre talent. Il y a quatre vers qu'on devrait inscrire en tête de tout manuel littéraire :

> Le temps respecte peu ce que l'on fait sans lui...
> Vingt fois sur le métier remettez votre ouvrage ;
> Polissez-le sans cesse et le repolissez ;
> Ajoutez quelquefois et souvent effacez.

Le talent n'est qu'une aptitude qui se développe. On peut en acquérir deux ou trois fois plus qu'on en a. « J'apprends tous les jours à écrire », disait Buffon, qui ajoutait, d'ailleurs, ce mot si vrai : « Le génie n'est qu'une longue patience. »

Qui a plus travaillé sa forme que Boileau ? Et il n'était pas le seul à faire difficilement des vers faciles. La Fontaine n'a atteint le naturel qu'en refaisant près de dix fois la même fable. Taine, qui a feuilleté ses manuscrits à la Bibliothèque nationale, était épouvanté de les voir noircis de ratures. Voiture, Guez de Balzac et d'autres auteurs n'ont survécu que par leur profonde conscience de stylistes et leur continuelle soif de perfection. La Bruyère n'a publié qu'un livre qui est parfait. Pascal est le dernier mot de la netteté condensée, qu'on ne réalise que par le labeur. Montesquieu se raturait sans cesse. Chateaubriand nous apprend qu'il a refait jusqu'à dix fois la même page. Buffon recopia dix-huit fois ses *Époques de la nature*. Flaubert, on le sait, s'est tué à la peine. Pascal nous dit qu'il a refait jusqu'à quinze fois certaines *Provinciales*.

Si tous nos classiques avaient raconté leurs procédés de composition, on verrait que Flaubert n'a pas été le seul à lutter contre les tortures de la phrase. Le style de la plupart des grands prosateurs sent le travail. Le travail est visible dans Boileau, Montesquieu, Buffon. Non seulement, je crois qu'il ne faut pas leur en faire un reproche, mais j'oserais dire que cette constante application, qui se manifeste à toutes leurs pages, ajoute un charme de plus à leur lecture, de même que la science d'orchestration augmente, pour les connaisseurs, l'attrait d'une audition musicale. Il n'y a guère que La Fontaine qui échappe à cette loi et chez qui le travail ne se sente pas. Or, c'est précisément celui qui a le plus travaillé !

Le principe de l'effort, du travail, du continuel raturage est donc indiscutable. Il faut l'adopter *a priori*, aveuglément.

Il n'en est pas moins vrai que nous avons, dans notre littérature, des pages admirables, jaillies du premier coup, de superbes morceaux venus d'une haleine, des fragments parfaits qui n'ont pas été retouchés. C'est le privilège du génie de trouver parfois le Beau immuable, l'expression supérieure qu'on ne dépasse pas. Mais, ne l'oublions pas, un livre sur l'art d'écrire est fait pour ceux qui ont un talent ordinaire ou seulement des dispositions littéraires. Tenons-nous-en donc à la règle générale, nous qui ne sommes pas des exceptions. La loi en art est faite pour la majorité des écrivains, au nombre desquels nous devons humblement nous ranger. C'est de l'immodestie déraisonnable que de s'insurger et de dire : « Mais Byron, Shakespeare, Corneille, faisaient autrement. » Ne nous égalons pas à ceux dont la vocation sublime n'a eu besoin ni de procédés ni de travail. Estimons-nous heureux de trouver parfois, à notre tour, des idées, des images, même des pages que nous ne soyons plus obligés de retoucher. Cela nous arrivera. La verve a des sourires pour tout le monde.

Il y a certainement des écrivains qui se raturent peu ou même pas du tout. M. Émile Zola ne pourrait écrire tous les ans un volume de cinq cents pages s'il refondait ses phrases. Le romancier Balzac ne corrigeait son style que sur les épreuves, et Stendhal a toujours affecté le plus profond mépris pour la perfection littéraire, dont l'idéal était pour lui dans le code. On peut gloser là-dessus. Il est certain que si Balzac n'eût écrit que deux ou trois volumes parfaits de forme, comme *Madame Bovary,* il eût été aussi célèbre qu'avec les cinquante volumes qu'il a laissés. La Bruyère n'en a fait qu'un, qui durera plus que ceux de M. Zola. Au surplus, puisqu'il s'agit d'art d'écrire et de conseils littéraires, personne ne soutiendra qu'il faut écrire comme Balzac et qu'on ne peut mieux écrire que Zola ou Stendhal. C'est chez les grands maîtres de la forme qu'il faut apprendre le style. Or, ceux-là, nous le savons, ont travaillé, sué, recommencé, raturé. La théorie est donc inattaquable.

Écrivez donc votre premier jet en vue du travail dont il sera l'objet dans un deuxième jet. Un premier jet ne peut être définitif, parce qu'on est trop échauffé, parce qu'on ne voit pas assez lucidement ce qu'on écrit ; la science du style ne s'exerce véritablement que sur une inspiration déjà refroidie. Il faut un premier recul pour bien se juger.

Persuadez-vous que rien n'est définitif des pages que vous avez écrites d'abord ; mais écrivez-les tout de même avec le plus d'application et de relief possible, pour vous faciliter la tâche ultérieure. Si votre premier jet est mauvais, ce n'est pas deux ou trois autres, mais six ou sept qu'il vous en faudra faire.

Je suppose que vous ayez à décrire une matinée de printemps. Vous êtes pressé, vous avez un talent d'improvisateur et, vous fiant à votre facilité, vous jetez sur votre papier les idées suivantes (qui sont pourtant prises dans George Sand) :

> Me voici sur la hauteur culminante. La matinée est délicieuse ; l'air est rempli du parfum des jeunes pommiers. Les prairies, rapidement inclinées sous mes pieds, se déroulent là-bas avec mollesse. Elles étendent dans le vallon leur tapis que blanchit encore la rosée glacée du matin. Les arbres qui pressent les rives de l'Indre dessinent sur les prés des méandres d'un vert éclatant, que le soleil commence à dorer au faîte.
>
> On vient d'ouvrir l'écluse de la rivière. Un bruit de cascade qui me rappelle la continuelle harmonie des Alpes s'élève dans le silence. Mille voix d'oiseaux s'éveillent à leur tour. Voici la cadence voluptueuse du rossignol ; là, dans le buisson, le trille moqueur de la fauvette ; là-haut, dans les airs, l'hymne de l'alouette ravie qui monte avec le soleil [1].

Avec de pareilles idées, exprimées de cette façon, vous ne pourrez pas aller loin. Il vous faudra un autres canevas, si vous voulez pouvoir tramer quelque chose de bon.

Il n'y a de saillant dans ce court morceau que le *parfum des jeunes pommiers*, la *rosée glacée* et la *continuelle harmonie des Alpes*. Tout le reste, y compris l'hyme de l'alouette ravie qui monte, a déjà été dit, aussi bien, sinon mieux. Il faudra donc garder ces trois idées et supprimer les autres, ou du moins leur donner plus de relief. Cela se fera dans un second jet ; mais si cela eût été fait déjà, cela eût mieux valu.

Que trouver à la place ? Comment donner du relief à ces images ? Il faudrait chercher autre chose, parler autrement, dire, par exemple, avec Amyot : « Les abeilles commençaient à bourdonner, les petits moutons bondissaient par les montagnes, *les mouches à miel murmuraient par les prairies* et *les oiseaux faisaient résonner les buissons* de leurs chants. » Ces deux dernières idées, ces « mouches à miel qui murmurent par les prairies » (au lieu des insectes ou des oiseaux qui

1. Cette description n'est pas plus mauvaise qu'une autre, comme effet général, parce qu'elle est très élégamment et très littérairement écrite ; mais elle est phrasée et faite avec des images de convention qui ont déjà servi.

s'éveillent, mot général), ces oiseaux qui *font résonner les buissons,* sont deux idées qui, par leurs expressions, font un effet absolument neuf.

Ce qu'on peut dire ? mais tout ce qu'ont dit sur ce sujet ceux qui ont dit quelque chose de mieux, Victor Hugo, par exemple :

> Sous toutes les rumeurs de la forêt comme du village, de la vague comme de l'atmosphère, il y avait un roucoulement. Les premiers papillons se posaient sur les premières roses. Tout était neuf dans la nature, les herbes, les mousses, les feuilles, les parfums, les rayons. Il semblait que le soleil n'eût jamais servi. Les cailloux étaient lavés de frais. La profonde chanson des arbres était chantée par des oiseaux nés d'hier. Il est probable que leur coquille d'œuf cassée par leur petit bec était encore dans le nid. Des essais d'ailes bruissaient dans le tremblement des branches. Ils chantaient leur premier chant, ils volaient leur premier vol.

Poursuivons cet exemple. Ajoutons à cette description quelques traits cueillis dans un roman contemporain qui a eu le plus grand succès :

> Le ciel était d'un bleu tendre. Une faible brise agitait le feuillage et rafraîchissait l'air. Une sensation de béatitude exquise emplissait le cœur et engourdissait la pensée. L'horizon était voilé d'une brume légère dans laquelle les lointains se fondaient, doucement estompés. Des bruits confus montaient de la vallée, animant la solitude des taillis profonds, qui moutonnaient comme une mer sombre au bas de la terrasse.

Ces détails, ainsi présentés, sont indignes de figurer même dans un premier jet. Il n'y a ni une expression ni une idée neuves. C'est la banale constatation de choses mille fois dites. Il est évident que par une belle matinée il y a toujours un peu de « faible brise » qui « agite le feuillage » et que « l'horizon est voilé de brume légère », et que les « lointains se fondent », et qu'il y a des « bruits confus qui montent des vallées ». À quoi bon prendre la plume pour faire de pareilles découvertes ? On écrit ainsi au collège, à dix-sept ans. L'insuffisance et la banalité d'un pareil style sautent aux yeux.

Mais voici d'autres traits pris dans un meilleur écrivain. Sous une apparence de fantaisie mieux écrite, ils cachent le même vide et la même nullité. Le passage est extrait d'une matinée dans l'Inde :

> La campagne rayonnait de gaieté matinale ; les arbres et les fleurs sauvages semblaient tressaillir aux premières caresses du soleil et se purifier sous la rosée des souillures de la nuit ; l'air était harmonieux du chant des petits oiseaux, du roucoulement des tourterelles grises et de la joyeuse symphonie des eaux vives, jouant avec les brins d'herbe et la tige flottante des iris. La nuit avait emporté l'ouragan avec elle et le jour ne trouvait en naissant qu'une verdure calme dans le paysage, l'éclat de toutes les nuances sur toutes les fleurs, les émeraudes, les saphirs, les topazes, les rubis ailés chantant sur toutes les feuilles, une ceinture d'or aux horizons et le bleu de l'Inde au firmament.
>
> (MÉRY, *La Guerre du Nizam.*)

C'est chatoyant, c'est papillotant, mais ce n'est qu'une fumée, qui à la longue fatigue les yeux et, au lieu de montrer, empêche de voir. Une description de l'Inde ! Et aucune couleur locale, aucun trait de terroir, rien de particulier ! Sauf se *purifier des souillures de la nuit*, la *symphonie des eaux vives* et *ceinture d'or à l'horizon*, il n'y a pas un trait à garder. Gaieté matinale, fleurs sauvages, caresses du soleil, brins d'herbe, emporte l'ouragan, verdure calme, éclat des nuances, émeraudes, saphirs, topazes, tout est du clinquant suranné.

En un mot, il faut chercher des traits nouveaux, du *neuf* qui soit vrai, de l'observation inédite, évoquer les *choses auxquelles on ne songe pas*, rendre frappantes celles qui ont été dites, renouveler l'ancienne description par une vision personnelle et imprévue.

Voici comment J.-J. Rousseau rajeunit la description du lever du soleil (répétitions à part) :

> On le *voit* s'annoncer de loin par des traits de feu qu'il lance au-devant de lui. L'incendie augmente, l'orient paraît tout en flammes : à leur éclat on attend l'astre longtemps avant qu'il se montre ; à chaque instant on croit le *voir* paraître : on le *voit* enfin. Un point brillant part comme un éclair et remplit aussitôt tout l'espace.

C'est saisissant : il n'y a là à retrancher que les trois répétitions du verbe *voir.*

Le principe qui domine la composition, le style et l'élocution, c'est qu'il faut écrire *en relief* des pensées et des images *neuves, saillantes,* saisissantes. C'est pour arriver à ce résultat que le travail est nécessaire et qu'on refait deux, trois, quatre fois la même page.

Mais qu'entend-on par écrire en relief ?

C'est trouver des *choses que les autres n'ont pas dites* et *c'est dire autrement ce qui a déjà été dit ;* c'est créer des alliances de mots inattendues ; c'est employer des tournures imprévues et vives, une façon variée et captivante, qui attire l'attention par les tressaillements de l'idée et la vie des mots.

Ainsi, il n'est pas en relief d'écrire :

> Je suis las de la vie, je vais partout traînant mon ennui. Au surplus, quand l'éternité m'aura couché parmi ceux qui n'entendent plus rien, personne ne m'importunera plus.

Il faut s'appliquer à dire cela autrement, trouver une image qui arrête le lecteur, employer d'autres mots, *exaspérer* son style, le chauffer, l'enfiévrer, et voici ce que cette phrase deviendra sous la plume d'un véritable écrivain :

> Je me décourage de durer et je vais partout bâillant ma vie. Au surplus, quand l'Éternité m'aura de ses deux mains bouché les oreilles, dans la poudreuse famille des sourds, je n'entendrai plus personne...
>
> (CHATEAUBRIAND, *Mémoires.*)

À propos de la douleur de Rancé (alors gentilhomme mondain) pleurant une femme aimée qui était morte, Chateaubriand écrit :

> Il la redemandait en vain. Mme de Montbazon était allée à l'infidélité éternelle.

C'est un peu précieux, mais c'est une pensée neuve et très en relief.

Chateaubriand dit de Napoléon :

> Aigle, on lui donna un rocher, à la pointe duquel il est demeuré au soleil jusqu'à sa mort, et d'où il était vu de toute la terre.

Et ailleurs, toujours sur Napoléon :

> Il s'assit sur ce magnifique piédestal, étendit les bras, se saisit des peuples et les ramassa autour de lui ; mais il perdit l'Europe avec autant de promptitude qu'il l'avait prise ; il amena deux fois les alliés à Paris, malgré les miracles de son intelligence militaire. Il avait le monde sous ses pieds, et il n'en a tiré qu'une prison pour lui, un exil pour sa famille, la perte de toutes ses conquêtes et d'une portion du vieux sol français.
>
> (CHATEAUBRIAND, *Mémoires d'outre-tombe,* III.)

Et plus loin, parlant de la légende napoléonienne, si populaire :

> Le monde appartient à Bonaparte ; ce que le ravageur n'avait pu achever de conquérir, sa renommée l'usurpe ; vivant, il a manqué le monde ; mort, il le possède.

On voit tout de suite ce qu'on entend par un style en relief. Quelques citations le montrent mieux que des théories. Un pareil style peut être, même chez Chateaubriand, qui travaillait tant ses phrases, le résultat de plusieurs refontes.

Chez Bossuet, on le rencontre à toutes les pages, surtout dans ses *Sermons,* qui n'ont pourtant pas été travaillés [1]. C'est sa façon ordinaire d'écrire. Le relief et la création de style lui sont familiers. Lisez au hasard ses œuvres, on rencontre à chaque ligne ce genre de phrases qui séduit le lecteur, comme celles-ci prises dans ses sermons :

> Nous languissons dans l'amour des choses mortelles...
>
> L'âme tout abîmée et toute noyée dans les affections sensuelles...
>
> Que de tromperies ! Que d'iniquités enlacées !
>
> Apportez une somptuosité plus raffinée à ce luxe curieux et délicat ; apportez des plaisirs plus exquis à cet appareil dégoûté par son abondance...
>
> Nos cœurs enchantés de l'amour du monde...
>
> Son état était une douleur mortelle, une douleur tuante et crucifiante...
>
> Les martyrs étaient animés par l'avidité de souffrir...
>
> Ô Jésus ! Dieu anéanti !...
>
> Votre grâce plus souveraine et plus détruisante que toutes les foudres et tous les tourments...
>
> Nous subissons la persécution de cet inexorable ennui qui fait le fond de la vie humaine, depuis que l'homme a perdu le goût de Dieu...
>
> Serons-nous toujours enchantés de l'amour de cette vie périssable ?
>
> La mort vient nous abîmer dans le néant.
>
> Les passions ont toutes une infinité qui se fâche de ne pouvoir être assouvie. L'amour impur a ses agitations violentes, ses résolutions irrésolues, et l'enfer de ses jalousies, et le reste que je ne dis pas. L'ambition a ses captivités, ses craintes dans sa hauteur même, qui est souvent la mesure de son précipice.

Nous avons donné plus haut un catalogue-spécimen d'expressions banales à éviter. On peut les comparer à la façon d'écrire de Bossuet, et relever au rebours chez lui un catalo-

1. Il y a pourtant dans les *Sermons* de Bossuet des ratures et des surcharges qui prouvent qu'il trouvait de très belles expressions par le seul travail de refontes et de retouches. Voir l'édition Lebarq.

gue d'expressions saisissantes, du genre de celles-ci, cueillies au hasard dans ses *Sermons :*

Les véhémences du désir.
Les ondes de la douleur.
Les épanchements de joie mondaine.
Ces égarements agréables.
Nos joies pernicieuses.
Nos convoitises indociles.
Les empressements infinis de la charité.
Nos complaisances pour la créature.
Nos cœurs désenchantés du monde.
Nos joies corrompues.
Nos duretés et nos méconnaissances.
Le dépérissement de son cœur.
Nos soifs inapaisées.
Le cœur délié et détrompé de tout.
La profusion d'amour.
Étourdi de désir.
Nos tendresses dissolues.
Tout affadi d'elle.
Les obscurcissements de notre raison.
La magnificence de son amour.
Les délices de cette rêverie.
L'affluence des souvenirs.
Les complaisances de la pensée.
Ses immolations précoces.
L'âme tarie à l'amour.
Les sublimes bassesses du christianisme.
La mobilité des passions.
L'homme passionné de Dieu.
Exténué de bonheur.
Les précoces disgrâces.
Le dépouillement de son âme, etc.

Voilà quel est le vocabulaire habituel de Bossuet. On voit en quoi consiste le style créé.

Est-ce à dire que tout le monde doive ou puisse écrire ainsi ? Évidemment non ; mais tout le monde est tenu de ne pas écrire banalement et de s'arranger pour écrire en relief. Comment faire ?

Travailler, recommencer, chercher, fouiller, s'acharner. Votre premier jet est fini. Il y a certainement des choses qui resteront, mais il y en a beaucoup qui ne resteront pas; il faut bien voir ce qui doit être *poussé,* et, ce qui doit être enlevé ou remplacé.

Vous raturez ce premier jet sur place, ou vous le recopiez, en le raturant au fur et à mesure. Ne perdez jamais de vue, pendant ce travail, ce que nous avons dit de la concision du style, condition aussi importante que la recherche des mots, la création des images et la vivacité des tournures. Pour exprimer les mêmes idées d'une façon plus intense, tâchez d'être plus brutal, de dire les choses plus crûment, de sortir l'idée de son enveloppe littéraire et rhétoricienne. Ayez l'audace d'employer les mots saillants. Mieux vaut la barbarie que la fadeur.

Songez à des mots inattendus et essayez-les; tentez d'accoupler des épithètes disparates; elles donnent souvent des effets surprenants; changez l'adjectif en adverbe; le verbe en substantif et réciproquement. Si vous avez : « Il étouffa un sanglot convulsif », mettez : « Il pleura convulsivement. » Si vous faites des énumérations de *verbes,* refaites la phrase *substantivement,* et vous aurez : « Les complaisances de sa pensée », au lieu de : « Il se complaisait à penser », « L'immolation précoce de son cœur », au lieu de : « Il immolait précocement son cœur »; « La dépendance », au lieu de : « Il dépendait »; ce qui vous donnera aussi : « Sa servilité à son égard »; les verbes contraires : « Se prendre, se déprendre, s'abuser, se désabuser. » Ayez surtout présents à l'esprit une multitude de mots, comme on a des numéros dans un sac de loterie; les trois quarts serviront, non seulement à être employés, mais à vous en faire découvrir d'autres. Il faut remuer tout cela pour que l'idée que vous voulez exprimer s'agite dans une effervescence constante. Cette effervescence, cette affluence des mots et des images, c'est la lecture qui les fournira.

Le principal moyen d'obtenir la variété du style, ou de l'améliorer lorsqu'on n'en est pas satisfait, c'est d'en refondre la matière par la substitution des mots et la transposition des épithètes; tout changer de place exprès, tout bouleverser.

PHRASE BONNE, QUI PEUT RESTER, MAIS QU'ON PEUT REFONDRE ENCORE	MÊME PHRASE REFAITE
Elle allait, ne pensant à rien, au balancement cadencé et rythmique des porteurs, laissant sa tête tomber en arrière à chaque cahot un peu brusque, suivie d'une foule sans cesse grossissante de gamins, saluée au passage par les rauques aboiements de chiens jaunes et pelés qui se décidaient à se mettre du cortège.	Elle allait, sans songer à rien, balancée par la cadence des porteurs, la tête renversée au roulis de la marche, suivie d'une nuée de gamins, saluée au passage par l'aboiement des chiens rauques, des chiens jaunes et pelés qui suivaient le cortège.

Des substantifs sont devenus adjectifs, et réciproquement; nous avons transposé des épithètes : « l'aboiement des chiens rauques », au lieu de « l'aboiement rauque des chiens », nous avons resserré la forme, supprimé des participes : « laissant sa tête tomber, etc. ».

Essayez, à chaque instant, essayez d'intervertir les rapports; cela donne des combinaisons agréables et *inattendues.* Dante parle du « soleil qui se tait »; on trouve chez lui un « lieu muet de lumière », une « clarté enrouée », comme il y a dans Virgile *silentia lunæ, clarescunt sonitus.* « Cet artifice du style, dit Rivarol, n'est autre chose qu'un heureux échange de mots que nos sens font entre eux : l'œil juge du son en disant : un son brillant; le gosier de la lumière, en disant : une clarté enrouée. »

À propos de cette autre expression de Dante : « L'air était sans étoiles », on peut, dit Rivarol, faire une observation sur ces mystères qu'on appelle caprices de langue, sur ces rapports secrets qui font que les mots s'attirent ou se repoussent entre eux[1]. Et Rivarol trouve que cette expression n'a pas de physionomie. Il eût, dit-il, préféré *nuit sans étoiles,* ce qui a été dit cependant beaucoup plus souvent. « L'air était sans étoiles » est bien plus nouveau et impressionnant, parce que le mot *air* rappelle ici le *vide,* et qu'on croit lire comme s'il y avait : *L'infini* ou *l'immensité était sans étoiles.*

Les conseils qu'on pourrait donner sont innombrables et rempliraient des volumes. Sainte-Beuve avait raison de les résumer dans la nécessité de peindre les choses *concrètement :*

« Au lieu du mot vaguement abstrait, métaphysique et sentimental, employez le mot propre et pittoresque. Au lieu de *ciel en courroux,* mettez *ciel noir et brumeux,* au lieu de lac *tranquille,* mettez *lac bleu ;* préférez aux doigts *délicats* les doigts *fuselés,* ou *maigres,* ou *longs.* Il n'y a que l'abbé Delille qui ait pu dire, en croyant peindre quelque chose :

> ... Tombez, altières colonnades,
> Croulez, fiers chapiteaux, orgueilleuses arcades !...

« Racine ne peint pas davantage, quand il fait d'un monstre marin un *indomptable taureau,* un *dragon impétueux.* Parny parle du *tendre* feu qui brille dans les yeux d'Éléonore[2]. » Fénelon était de ceux qui chantaient les bois *« pleins d'attraits ».*

1. Rivarol, traduction de Dante, *L'Enfer,* III.
2. Sainte-Beuve, *Pensées de Joseph Delorme,* XV.

DOUZIÈME LEÇON

PROCÉDÉ DES REFONTES

PROCÉDÉ DES REFONTES — EXEMPLES DE REFONTES — MAUVAIS STYLE REFAIT — LE TROISIÈME JET — EXEMPLES DE BON STYLE OBTENU PAR TROIS JETS SUCCESSIFS — L'EFFORT ET LE TRAVAIL — MAUVAIS STYLE LOUÉ À TORT — SE CORRIGER SANS CESSE

Il faut songer aux milliers de combinaisons que peuvent fournir les mots par leurs rencontres, leurs chocs, leur déplacement ; briser les phrases longues, souder les phrases courtes pour en faire de longues, changer les indicatifs en participes énumératifs et réciproquement ; voir, par la lecture, les ressources qu'ont employées les brillants écrivains.

Le premier travail fructueux à faire sur un premier jet, c'est le nettoyage : cribler, resserrer, nettoyer le style, passer à l'eau le filon, le débarrasser de tout ce qui l'encombre.

Voici un exemple des résultats qu'on obtient par le procédé d'élimination.

Prenons un morceau d'un écrivain contemporain. Il pourrait passer pour un mauvais premier jet. C'est donc comme premier jet que nous le considérerons.

Nous ne ferons que biffer ce qui est inutile, et intervenir ce qui peut être transposé.

Un coin de foire

TEXTE IMPRIMÉ	TEXTE REFAIT
Rien *de plus* intéressant *que* l'arrivée des roulantes de saltimbanques. *Parmi ces véhicules,* il en est *qui sont* d'un luxe	Rien d'intéressant comme l'arrivée des roulantes de saltimbanques. Il en est d'un luxe inouï : rideaux aux fenêtres,

inouï; *on aperçoit des* rideaux brodés aux fenêtres, *et dans* l'intérieur *tout est* reluisant de glaces et dorures. Mais ce qui *nous* séduit *de préférence*, c'est la vieille et classique roulante d'un vert *de* poireau, mal assise sur ses roues, *ayant ses* vasistas fermés par un méchant *morceau* de calicot et sur les brancards *de laquelle sèchent quelques torchons. Sur le devant est* accrochée une cage *éreintée* où une perruche déchiquette *une feuille* de salade.

intérieur reluisant de glaces et de dorures. Ce qui séduit, c'est la vieille et classique roulante, d'un vert poireau, mal assise sur ses roues, les vasistas fermés par du méchant calicot, et sur les brancards des torchons sèchent. Sur le devant s'accroche une cage où une perruche déchiquette de la salade.

Ce véhicule est *celui* du banquiste bohème; – *car* la banque a ses bohèmes *tout* comme la politique et la littérature, – *mais* il *nous* attire *plutôt* que l'entre-sort du saltimbanque renté *qui va* s'installer fièrement au *beau* milieu du champ de foire. La misérable roulante du paillasse, de la vieille somnambule extralucide, du pauvre diable d'aztèque, *elle* recherche les encoignures, les angles des *ruelles;* c'est le long d'un vieux mur, sur la lisière d'un terrain vague qu'elle *va caler* ses roues, avec quelques fragments de briques ramassés dans *un tas de* gravats. Elle recherche l'ombre, la solitude et ne *trahit souvent son existence* (! !) que par le mince filet de fumée qui *se tortille au-dessus de* son toit.

C'est le véhicule du banquiste bohème ; la banque a ses bohèmes comme la politique et la littérature. Il attire bien plus que l'entre-sort du saltimbanque renté, fièrement installé au milieu du champ de foire. La misérable roulante du paillasse, de la vieille somnambule extralucide, du pauvre diable d'aztèque, recherche les encoignures, les angles des ruelles ; c'est le long d'un vieux mur, sur la lisière d'un terrain vague, qu'elle cale ses roues avec quelques fragments de briques ramassés dans du gravat. Elle recherche l'ombre, la solitude : on la devine au filet de fumée qui sort de son toit.

Un autre spectacle *qui nous arrête,* est celui de la roulante du directeur du carrousel. L'autre soir, une de ces voitures béait contre un trottoir et par

Un autre spectacle, c'est celui de la roulante du directeur du carrousel. L'autre soir, une de ces voitures béait contre un trottoir et par son ouverture on son ouverture on distinguait les chevaux de bois empilés *les uns sur les autres. De-ci, de-là* éclataient le jaune d'une crinière ou le velours fané d'une selle. Devant la voiture s'étaient attroupés les gamins du quartier. *Parmi ces derniers,* les uns *avaient* la bouche *grande* ouverte, les autres *regardaient* immobiles, *comme* cloués d'admiration. *Toutes* ces petites têtes mal peignées pétillaient de curiosité. Un bambino qui *avait* la culotte *largement* écorchée s'approcha de la roulante et essaya *d'attirer à lui* la queue d'un des chevaux de bois. L'impresario arriva, le geste en l'air, éclaboussant de menaces ; aussitôt les polissons *s'enfuirent comme par enchantement et nous les vîmes qui s'étaient* juchés *un peu* plus loin, *tout le long d'une poutre, dans un chantier abandonné. On eût dit à distance,* un chapelet de moineaux sur le bord d'une corniche.

distinguait les chevaux de bois empilés. Çà et là éclataient le jaune d'une crinière ou le velours fané d'une selle. Devant la voiture s'étaient attroupés les gamins du quartier, les uns la bouche ouverte, les autres immobiles, cloués d'admiration, petites têtes mal peignées, pétillantes de curiosité. Un bambino à la culotte écorchée s'approcha de la roulante et essaya de tirer la queue d'un des chevaux de bois. L'impresario arriva le geste en l'air, éclaboussant de menaces ; aussitôt les polissons de s'enfuir, pour aller se jucher plus loin, sur une poutre, dans un chantier abandonné. On eût dit un chapelet de moineaux sur le bord d'une corniche.

Tel qu'il est refait dans ce deuxième jet, le morceau n'est pas bon encore, parce que la matière était médiocre. C'est un récit correct, sans saillie, sans traits amusants, sans incidents, sans particularité. Il faudrait le refondre tout, ce qui ferait déjà trois jets. Voilà pourquoi il est important de s'appliquer tout d'abord en prenant la plume.

Autre exemple. Un auteur fait le portrait de sa mère. Il est définitif et pourrait n'être qu'un premier jet médiocre. Le morceau est écrit avec les expressions toutes faites que nous avons signalées comme les signes du mauvais style : *élégance de la taille, finesse de la peau, pureté des traits, souplesse des cheveux, cheveux soyeux et ruisselants, rayonnement des yeux, mystérieux attrait, etc.*

Voici ce passage :

> Elle avait dans l'élévation et l'élégance de sa taille, dans la flexibilité du cou, dans la pose de sa tête, dans la finesse de sa peau rougissante comme à quinze ans sous les regards, dans la pureté des traits, dans la souplesse soyeuse des cheveux noirs ruisselants sous son chapeau, et surtout dans le rayonnement du regard, des lèvres, du sourire, cet invincible attrait, qui est à la fois le mystère et le complément de la vraie beauté.

Il est difficile d'être plus incolore. On ne voit pas *une* personne. Il n'y a là que les qualités de surface qui conviennent à *toutes*. On peut dire cela de toutes les femmes. Autant peindre sa *taille souple et svelte comme un roseau,* et louer *ses magnifiques cheveux,* l'*éclat de son teint,* la *fraîcheur de ses joues,* le *feu de son regard,* la *grâce de son sourire,* la *noblesse de son maintien,* la *distinction de sa personne.* Cela se vaut.

Mais alors que dire à la place ?

Mon Dieu ! Il fallait dire ce qui caractérisait cette femme et non pas une autre ; la peindre non point par ce qu'elle avait de *commun avec les autres,* mais par ce qu'elle avait d'*exceptionnel,* par les détails qui la différenciaient, par les choses qu'on ne voyait qu'en elle. Il fallait ou dire cela autrement, ou le voir autrement.

« Elle a les yeux tellement noyés de langueur qu'on la dirait aveugle », dit quelque part Flaubert très originalement.

Et ailleurs : « Ses deux yeux brillaient comme deux lampes très douces. »

Voici comment Mistral nous montre personnellement Mireille :

> Mireille était dans ses quinze ans. Coteaux de Fontvieille et vous, collines des Baux, vous *n'en avez plus vu de si jolies.* Le gai soleil *l'avait éclose,* et son visage, ingénu et frais, *à fleur de*

joue avait deux fossettes. Le *rayon des étoiles était moins doux que son regard;* ses cheveux en tresses noires formaient des boucles; et sa poitrine *arrondie était une pêche double et pas encore bien mûre.*

À la bonne heure ! On la voit, celle-là. Elle est vivante, quoique générale.

Si donc vous trouvez en premier jet des phrases comme celles que nous venons de citer, et qui passent pour bien écrites, il faut à tout prix rompre ce moule, et, si vous ne découvrez autre chose, essayez de changer la forme. À la rigueur, j'aimerais mieux quelque chose de tout bête et de tout simple, comme ceci par exemple :

TEXTE CITÉ	TEXTE PROPOSÉ
Elle avait dans l'*élévation* et l'*élégance* de sa taille, dans la *flexibilité* du cou, dans la pose de sa tête, dans la *finesse* de sa peau rougissante comme à quinze ans sous les *regards,* dans la *pureté* de ses traits, dans la *souplesse soyeuse* des cheveux noirs ruisselants sous son chapeau et surtout dans le *rayonnement* du *regard,* des lèvres, du sourire, cet *invincible attrait* qui est à la fois le mystère et le complément de la vraie beauté.	Elle avait dans sa taille bien droite, dans son cou altier, dans sa fine peau de jeune fille rougissante, dans ses traits purs, dans la noire chevelure qui ruisselait sous son chapeau et surtout dans la clarté de son sourire et de ses yeux, cet énigmatique attrait qui complète la vraie beauté.

Nous aurons du moins enlevé l'*élévation,* l'*élégance,* la *flexibilité,* la *finesse,* la *pureté,* la *souplesse,* le *rayonnement,* l'*invincible attrait,* énumération de mots *incolores* que rien ne *relève.* En tout cas, ce serait plus concis, moins traînant, moins complaisamment amplifié.

Mais ce sont d'autres idées qu'il faudrait trouver. La première condition du style, c'est d'être facile, dégagé, droit, d'aller jusqu'au fond, de sortir simplement, j'allais dire brutalement.

Une fois la deuxième inspiration écrite, il est nécessaire de la laisser reposer. On la reprendra le plus tard possible. Il faut du recul pour bien se voir, et ce recul ne se produit que lorsque la matière est refroidie. On émonde, on bâtonne, on refond, on pratique sur ce deuxième jet la même opération que sur le premier. Ce qui fait la magie d'un style, ne l'oublions pas, c'est la condensation, la force, le resserrement, l'originalité, le relief, qualités qui ne s'obtiennent que par les refontes successives et un raturage continuel.

Simplifiez encore vos formules, calculez vos expressions, montrez-vous plus rigoureux, ne laissez rien passer de ce qui peut vous paraître banal. Voyez bien si, à chaque mot, vous ne pourrez pas mettre une locution plus forte. Songez à la valeurs des verbes, à l'effet des substantifs. Ce sont les verbes et les substantifs qui grandissent le style de Bossuet. Cherchez le mot juste, creusez l'idée, non pas à la surface, mais pour voir ce qui est dessous, ce qu'on n'a pas encore vu ou pas encore dit. N'abandonnez une phrase qui si vous lui avez donné toute la perfection possible par la justesse, l'éclat, le naturel.

Quand ce travail sera fini et recopié, vous jugerez s'il n'y a pas un troisième effort à faire, et presque toujours vous en sentirez le besoin.

Il y aura alors à examiner des choses plus générales, l'équilibre du morceau, la variété des tournures, l'entraînement, la fluidité, l'harmonie définitive. On n'apprécie bien un morceau que lorsqu'il n'y a plus de rature. Il faudrait pour dépayser l'auteur, que l'œuvre fût recopiée par une main étrangère. C'est ce qui explique l'obligation où était H. de Balzac de corriger son style sur les épreuves. La netteté de l'imprimé, faisant ressortir les défauts d'exécution, le forçait à voir que son travail n'était pas à point, et il était bien contraint de faire quand même plusieurs jets.

Surveillez la facture générale, revoyez l'ensemble, contrôlez *sans cesse* les répétitions. Il faut recommencer le même effort, jusqu'à ce que l'on soit satisfait. Avoir du talent, c'est comprendre que l'on peut faire mieux, et avoir les moyens intellectuels de réaliser la perfection que l'on rêve. Les vrais artistes ne se rebutent pas ; c'est cette persévérance qui constitue la pierre de touche du style. Un style est bon lorsqu'on ne peut plus le retoucher ; une phrase est définitive lorsqu'on ne peut plus la refaire.

La limite de cet effort est évidemment individuelle. L'exigence s'arrête où finit le talent. Ma prose me paraît excellente ; un autre peut la corriger. Mais quoi ! chacun écrit selon ses moyens. Les opérations de l'esprit sont les mêmes pour tous ; mais chacun n'a pas le même talent. C'est l'unanimité d'admiration et l'impuissance universelle à concevoir autrement un style qui sont pour ainsi dire la consécration de ce style. Le meilleur écrivain ne pourra pas améliorer le style de Pascal. On peut défier n'importe qui d'y ajouter ou d'y enlever un mot. Le caractère du Beau est d'être indestructible.

Nous allons maintenant donner un exemple de refonte et de travail littéraire, pour montrer à quoi on peut arriver avec un point de départ ordinaire.

Une promenade à Saint-Denis après l'exhumation des restes de Louis XVI

Je veux évoquer des idées de néant. J'ai été frappé par cette ironie de la mort à travers l'histoire. Je me demande à quoi tend tout cela, cette succession de siècles tombés en poussière ? Devant ces cercueils, ces crânes, ces têtes de mort, on se dit : que sont devenues leurs pensées, leurs âmes ? Qu'est-ce que la vie ? Je veux quelques lignes rapides, un paragraphe, un morceau pour finir un chapitre, et qui soit énergique, quelques grandes idées remuées.

Premier jet

Voici ce que je trouve en premier jet :

Quand la cérémonie fut terminée, je me mis à marcher dans l'église dont on décrochait les tentures. Je songeais à la vanité de la vie devant ces tombeaux profanés, réflexion qui s'imposait d'elle-même : et je creusais cette idée terrible.

L'abîme de la mort ne contient-il que le néant ? L'âme humaine, par sa nature, serait-elle destinée à périr ? N'y a-t-il plus rien de vivant dans la mort ? Ces ossements insensibles ne tressaillent-ils plus ? Les passions de ce monde, la gloire, l'intelligence, la vertu ont-elles éternellement disparu avec la vie ? L'écho de la tombe n'est-il que le rire d'Hamlet ? Mieux vaut ne pas réfléchir, fermer les yeux devant cet abîme et jeter vers Dieu le cri de la foi !

Si je relis ce premier jet, je n'en suis pas mécontent ; mais je le trouve sec, sans images, sans grandeur. Il faudrait développer tout cela, trouver des expressions en relief, donner aux phrases l'altitude et l'élévation que comporte un pareil sujet ; car enfin c'est plat. Mieux vaut ne pas écrire que de se borner à exposer des pensées moyennes qui ne sont relevées par rien. Si on ne le met pas en saillie, quoi de plus fade qu'un lieu commun ?

Essayons donc et refaisons le tout.

DEUXIÈME JET

La cérémonie venait de finir. J'étais en train de me promener dans l'église obs*cure* que l'on dégarnissait peu à peu de ses tent*ures.* Comment, devant ces tombeaux saccag*és* et viol*és,* ne pas songer à la van*ité* des choses humaines ? Et comment ne pas aller plus loin, ne pas réfléchir, ne pas scruter notre destinée et notre nature ? N'y a-t-il que du vide dans la mort ? La tombe ne contient-elle vraiment rien ? Le néant n'a-t-il pas sa vie ? Les morts n'ont-ils pas leur existence ? Leurs passions et leurs rêves ont-ils éternellement disparu avec eux ? La gloire de ce monde, le crime et la vertu, les amours et les richesses, l'intelligence et le génie, tout cela n'est-il qu'une sensation d'un moment *qui* est à jamais anéantie avec le cœur *qui* les a conçues ? Dans le silence des tombeaux n'entend-on que la moquerie du rire ? Ce rire est-il la seule réalité qui doit survivre au mensonge de cet univers ?

Courbons la tête et répondons à l'abîme par ce cri des premiers martyrs : « Je suis chrétien ! »

Cela va déjà mieux. Il y a plus d'ampleur. C'est moins sec. Nous avons des images. Mais il en faudrait de plus saisissantes, de plus trouvées. Ce style ne sort pas assez du moule élégant et convenu. Si je pouvais faire choquer des mots ? Si j'accouplais quelques expressions disparates ? Il y a là matière à antithèses et le sujet est fertile. D'abord *église* est bien prosaïque ; *obscure* et *tentures* riment. Il me faudrait un participe au lieu de *dégarnissait* et cela me ferait une jolie phrase. La seconde phrase est gâtée par *saccagés* et *violés* et *vanité*. Comme c'est une transition, mieux vaudrait la dire simplement et harmonieusement. Ce qui suit est construit en complément indirect ; mieux vaudrait une phrase droite à complément direct. On pourrait, dans les deux ou trois phrases d'après, mettre des antithèses. C'est le cas, comme par exemple : ce qui est mort n'existe-t-il plus ? Tirer enfin des effets neufs. Introduire des mots ayant de la magie. Je continuerais en étendant les énumérations qui suivent. Ce ne sera pas déplacé. On s'y attend. À propos du rire et de la tombe, il faudrait des expressions plus brutales, plus macabres, si j'ose dire. Cette « réalité du rire » dont je parle est une *dérision*. Conserver ce mot. Ce « mensonge de l'univers » est bien ; mais « l'imposture de l'univers » serait plus neuf. Semons enfin quelques épithètes retentissantes, et interpellons les choses, au besoin, pour plus d'éloquence.

Je retravaille donc le morceau phrase à phrase, et j'obtiens la rédaction suivante, qui est celle de Chateaubriand (nous soulignons les expressions créées et en relief).

TROISIÈME JET

La cérémonie finie, je me promenais dans la *basilique* à demi *détendu*. Que je songeasse à la vanité des grandeurs humaines parmi ces tombeaux *dévastés*, cela va de suite : morale vulgaire qui *sortait* du spectacle même ; mais mon esprit ne s'arrêtait pas là ; je perçais jusqu'à la nature de

> l'homme. Tout est-il vide et *absence* dans la *région des sépulcres ? N'y a-t-il rien dans ce rien ?* N'est-il point d'*existences de néant,* des *pensées de poussière ?* Ces ossements n'ont-ils point de modes de vie qu'on ignore ? Qui sait les passions, les plaisirs, les *embrassements de ces morts ?* Les choses qu'ils ont rêvées, crues, attendues, sont-elles comme eux des idéalités, *engouffrées* pêle-mêle avec eux ? Songes, avenirs, joies, douleurs, libertés et esclavages, puissances et faiblesses, crimes et vertus, honneurs et infamies, richesses et misères, talents, génies, intelligences, gloires, illusions, amours [1], êtes-vous des perceptions d'un moment, perceptions passées avec les *crânes détruits* dans lesquels elles s'engendrèrent, avec le *sein anéanti* où jadis battit un cœur [2]. Dans votre éternel silence, ô tombeaux, *si vous êtes des tombeaux,* n'entend-on qu'un rire moqueur et éternel ? Ce rire est-il le Dieu, la seule *réalité dérisoire,* qui survivra à *l'imposture de cet univers ?* Fermons les yeux ; *remplissons l'abîme désespéré de la vie* par ces grandes et mystérieuses paroles du martyr : « Je suis chrétien ! »
>
> (CHATEAUBRIAND, *Mémoires,* III, p. 300.)

Cette fois, c'est admirable. Pittoresque, relief, images, saisissement, originalité, hauteur de pensées, variété, harmonie, tout y est.

Encore une fois Chateaubriand est homme à avoir écrit cette page du premier jet ; mais il est bien capable de ne l'avoir achevée qu'après cinq ou six refontes. Nous savons qu'il raturait éperdument ce qu'il écrivait.

Le discours du père Aubry sur la mort d'Atala, tel que nous le lisons aujourd'hui, a été improvisé d'un seul jet. Mais Chateaubriand l'avait déjà refait et manqué plusieurs fois.

C'est sur cet effort d'écrire que devraient tendre les conseils de certains professeurs de littérature, au lieu de se déclarer satisfait lorsque les élèves ont réussi à réaliser une forme facile et coulante, tenant le milieu entre le banal et

1. Remarquez comme la monotonie de cette énumération est bien coupée ; le milieu en est balancé par des mots reliés par un *et,* puis cela continue et se précipite pour venir se reposer sur la dernière syllabe de *amour.*

2. Il a mis d'abord : les crânes *dans lesquels ;* et maintenant le *sein où,* pour varier la formule.

l'élégant. De sorte que ceux qui ne songent pas à briser leurs langes et qui ne peuvent voler par eux-mêmes, demeurent condamnés au style médiocre, prisonniers d'une forme terre à terre et correcte, où leur talent sommeillera pendant des années et finira par s'éteindre.

On dirait que l'on a peur de l'originalité. Les copies d'élèves, couronnés ou non, publiées dans certains manuels, ont toutes le même style morne, la même forme invertébrée, la même froideur imaginative, la même ordonnance inexpressive et tranquille ! Et pourtant tous les élèves n'ont pas le même tempérament !

Encore une fois, on doit se montrer très sévère en matière de refontes et de ratures, et recommencer, jusqu'à ce qu'on ait atteint l'expression qui captive qui séduit, qui tire l'œil.

Au lieu de cela, on imprime dans les manuels de littérature, à titre de bonnes compositions, des morceaux d'élèves où le maître laisse passer, sans corriger et sans protester, des phrases d'une inexpérience et d'une dissonance enfantine, comme celle-ci :

> Tel est le crime que vous commett*ez* en ne croyant céder qu'à votre curiosi*té*. Songez-y bien, vous tous qui m'écou*tez*. Songez-y, vous surtout, etc.
>
> (Discours d'élève,
> H. J., Rhétorique, lycée ***.)

Ce n'est vraiment pas la peine d'enseigner l'harmonie.

On nous présente comme copies définitives des morceaux qu'on devrait à peine considérer comme des premiers jets insuffisants, dans lesquels on trouve des répétitions impardonnables du genre de celles-ci :

> Je *n'ai,* vous le savez, jamais affecté dans mes vers un sentiment que je n'avais pas ; je *n'ai* jamais chanté l'amour lorsque je n'aimais point ; comment *aurais-je* pu écrire des chants de haine, *n'ayant* pas de haine ? Car je ne haïssais pas les Français, quoique je remercie Dieu de nous en avoir délivrés ! Je *n'aurais* pu que donner des conseils de modéra-

> tion; mais quel est l'Allemand qui, en 1814 ou en 1815, songeait à la modération? En vain *aurais*-je, inutile Cassandre, fait entendre de sages avis; en vain, *aurais*-je parlé de justice, de fraternité et rappelé l'inévitable, etc.
>
> (Lettre de Goethe à Guillaume de Humboldt, par P., élève de rhétorique au lycée ***.)

Au lieu de louer de pareils morceaux, on devrait les signaler comme très mauvais et relever au moins les graves défauts qu'ils contiennent. Comment enseignerez-vous à écrire, si vous tolérez de pareilles négligences?

Bien plus : la forme banale et incolore contre laquelle nous mettons en garde le lecteur est acceptée comme satisfaisante; on lui accorde les honneurs des citations officielles :

> L'indépendance de l'Amérique! Que *de grandes idées éveille ce mot!* Que de *changements présage* cette assemblée, non seulement dans cette partie de la terre, mais dans tout le monde civilisé! Quoi! deux cents hommes qui ne *tiennent leur autorité* que du peuple! deux cents hommes *sans faste, libres de toute ambition* personnelle, qui ne *cherchent dans le pouvoir que de nobles fatigues* et l'occasion de *faire le bien!* Quel *spectacle merveilleux!* Et combien, en face de ces *modèles plébéiens,* paraissent misérables les congrès des princes que l'on *voyait s'assembler naguère encore* pour supprimer une nation!
>
> (Discours d'élèves, J.-J. W., Rhétorique, lycée ***.)

Peut-on imaginer un style plus plat? Tous ces morceaux sont d'ailleurs écrits dans ce style terne, avec les détestables expressions clichées qu'il faut fuir à tout prix. Les passages que nous citons sont pris au hasard. En voici un autre :

> Cher ami, toujours du *courage et de généreux sentiments!* Toujours le même dévouement pour *notre malheureuse patrie!* Pourrais-je m'en plaindre, moi qui l'aime comme vous, moi qui voudrais *partager vos espérances* et *approuver la sagesse de vos desseins,* autant que j'en admire l'héroïsme? Mais, hélas! si je vous disais d'essayer toujours, convaincu, *comme je le suis,* que

> vos efforts seraient inutiles, de combattre pour la liberté de la Grèce, quand vos arme ne *feraient qu'aggraver* son esclavage et *vous précipiter* vous-mêmes dans *un abîme de maux,* dites-moi, vous *prouverais-je ainsi* mon amour pour elle et pour vous ?
>
> (Lettre de Polybe à un ami,
> F.D., Rhétorique, lycée ***.)

Tant qu'on ne s'élèvera pas contre cette déplorable façon d'écrire, l'enseignement du style sera frappé de stérilité ; on n'apprendra rien, les conseils seront inutiles. Loin d'être approuvées avec indulgence, de telles expressions devraient être signalées comme le rebours de l'art d'écrire. De pareils morceaux seraient à peine bons comme premiers jets, comme matière à dégrossir !

Je trouve ces lignes dans un manuel très répandu :

> Si la mendicité *recouvre* toujours la plus grande misère, elle *recouvre* aussi parfois une *coupable oisiveté !* À ces pauvres qui pourraient travailler, nous ne devons pas nous contenter de donner une légère aumône qui ne peut leur *faire* aucun *bien* durable ; nous devons, si nous voulons leur *faire* du *bien,* leur *venir en aide*[1] en cherchant à leur *procurer du travail* à les *tirer de la misère,* et à *leur faire sentir* ce qu'il y a de *honteux et d'humiliant* à *vivre aux dépens de la charité* d'autrui, alors qu'on pourrait par quelque occupation gagner sa vie.

Ce style est tellement mauvais, que le professeur a mis en marge cette remarque indulgente : *Un peu traînant !...* Il aurait dû mettre : « Archimauvais, à refaire. » *Honteux* est la même chose qu'*humiliant, tirer de la misère* est un style de fait divers. *Faire* aucun bien, *faire* du bien est d'une pauvreté abominable. *Coupable oisiveté, venir en aide, vivre aux dépens de la charité,* style tout fait, style Berquin.

Résumons-nous.

1. Quel vice de tournure ! Il semble qu'on ait voulu dire : « Nous devons, si nous voulons leur venir en aide, en cherchant... » Nous devons quoi ? On attend le régime.

Il faut travailler son style, refaire ses phrases jusqu'à ce qu'on en soit content et qu'on ne puisse les faire mieux.

Cependant on doit s'arrêter. Il y aurait un grave écueil à corriger indéfiniment. La correction doit avoir un terme ; on peut gâter son œuvre à force de la retoucher.

> Il est des gens, dit Quintilien, qui ne sont jamais contents de leurs écrits : ils ne supposent jamais bonnes les pensées qui se sont présentées les premières ; chaque fois qu'ils remettent la main à leur ouvrage, ils changent, ils effacent et cherchent toujours quelque chose de meilleur. Il arrive par là que ces écrits sont pour ainsi dire tout marqués de cicatrices et plus faibles qu'ils n'étaient d'abord. Souffrons donc, ajoute Quintilien, que ce que nous avons écrit parvienne enfin à nous plaire ; que la lime polisse l'ouvrage, mais qu'elle ne l'use pas.

C'est fort bien dit. Gustave Flaubert est un exemple caractéristique. Doué de grandes qualités d'imagination, écrivain supérieur dans *Salammbô* et *Trois contes,* il a fini, à force de travail et d'exigence, par se désssécher dans une sorte de jansénisme littéraire, et par n'avoir plus ni chair ni muscles, rien que la maigreur et la ligne.

Il faut donc s'arrêter et savoir être content de soi. Pour savoir si vous avez le droit d'être satisfait, choisissez un maître éclairé, un ami clairvoyant, lisez-lui votre œuvre, soumettez-vous à ses jugements, écoutez ses conseils et faites les changements qu'il imposera.

Aucun écrivain, sauf les grands génies, n'arrive à se voir lui-même. Les meilleurs esprits ne sont pas en état de juger leurs propres œuvres. Un critique sincère est un trésor précieux. On doit s'estimer heureux de le rencontrer.

Ne soyez pas rebelles aux remarques qu'on vous fera. La marque du talent réside dans le plus ou moins d'aptitude à saisir les défauts qu'on vous signale. S'il est malaisé de se connaître, comme dit l'adage, il est plus malaisé encore de se connaître littérairement.

La docilité aux conseils d'autrui prouve la largeur d'esprit, le sens du métier et l'intelligence ; car rien ne coûte tant que de sacrifier ce qu'on a écrit et de retrancher ce qu'on croyait bon.

TREIZIÈME LEÇON

DE LA NARRATION

De la narration — L'art de conter — La narration vraie — La narration rapide — L'intérêt dans la narration — Pas de digressions — La brièveté peut sembler longue — Les bonnes narrations

L'élocution, c'est-à-dire la partie qui regarde l'exécution littéraire, vise principalement deux choses ; *raconter* et *décrire.*

Nous parlerons donc surtout de la *narration* et de la *description.* Les deux se confondent le plus souvent ; bien que la description soit plutôt une peinture, et la narration un récit.

La narration est un genre de composition indépendante, c'est un tout complet.

Sans entrer dans l'examen des diverses sortes de narrations, dont les manuels se plaisent à multiplier les divisions arbitraires, narrations oratoires, historiques, anecdotiques, poétiques, etc., nous parlerons des conditions qui conviennent à toutes et des lois générales qui les régissent.

Le talent de narrer est le plus séduisant, parce qu'il est la base de l'art littéraire. Bien que tout le monde s'en mêle, il est plus rare qu'on ne pense ; et, s'il est inné à quelques-uns, il exige pour le plus grand nombre beaucoup d'application et de culture. On n'écoute volontiers que ce qui est bien raconté. Il ne suffit donc pas d'avoir un sujet attrayant ; il faut encore le présenter avec charme et y mettre de l'intérêt.

Certaines personnes sont, en conversation, de merveilleux conteurs qui ravissent leur auditoire. Donnez-leur une plume, les voilà entrepris, la verve leur manque, ils s'embarrassent, et l'on regrette qu'ils n'écrivent pas comme ils parlent. D'autres, comme George Sand, ne savent pas causer et ne sont à l'aise que dans le style.

Nous n'apprendrons rien à personne en disant que toute la valeur de la narration est dans l'intérêt habilement distribué, c'est-à-dire dans la gradation avec laquelle on ménage et l'on accroît la curiosité du lecteur, en l'attachant aux événements qu'on expose et en lui donnant le désir d'arriver au dénouement.

L'intérêt d'une narration réside dans la façon de traiter, de coordonner, d'allonger, de développer l'*exposition,* le *nœud,* le *dénouement.*

L'exposition fait connaître le sujet et les événements. Elle doit être aussi rapide que possible, abréger les préliminaires, aller droit au but, ne pas faire languir, retrancher tout superflu, entrer vite en matière, sacrifier l'inutile et dédaigner les préambules. Suivez le précepte de Boileau :

> Que le début soit simple et n'ait rien d'affecté.

Mieux vaut un début dramatique, *ex abrupto,* que trop de précautions qui paralysent à force d'habileté. On s'égare d'abord, et, l'importance du commencement n'étant plus proportionnée avec les développements qui suivent, la narration n'a plus d'unité. Or, c'est l'unité qui produit l'effet total. Racine a spirituellement raillé ces raconteurs prétentieux qui prennent toujours les choses de trop loin et à qui il faut crier : « Ah ! passons au déluge ! »

M. de Ségur commence ainsi son incendie de Moscou :

> Deux officiers s'étaient établis dans un des bâtiments du Kremlin. De là, leur vue pouvait embrasser le nord et l'ouest de la ville. Vers minuit, une clarté extraordinaire les réveille. Ils regardent et voient les flammes remplir des palais dont elles illuminent et font bientôt écrouler l'élégante et noble architecture. Déjà des flammèches et des débris ardents volaient jusque sur les toits du Kremlin.

Ce début a la rapidité même de l'incendie.

Il faut surtout, dans une exposition, viser à la simplicité, ne pas enfler le ton, ne pas promettre trop.

> Il ne faut jamais dire aux gens :
> Écoutez un bon mot, oyez une merveille ;
> Savez-vous si les écoutants
> En feront une estime à la vôtre pareille ?
>
> (La Fontaine.)

Voici comment l'inimitable La Fontaine, le conteur par excellence, annonce qu'il va parler de la peste :

> Un mal qui répand la terreur,
> Mal que le ciel en sa fureur
> Inventa pour punir les crimes de la terre,
> La peste, puisqu'il faut l'appeler par son nom,
> Capable d'enrichir en un jour l'Achéron,
> *Faisait* aux animaux la guerre.

Cicéron dit que l'exposition doit sortir du sujet comme une fleur de sa tige.

La rapidité et le mouvement sont, du reste, deux qualités qui doivent dominer la narration.

Voici comment, en quelques lignes, Fénelon raconte la mort de Bocchoris, roi d'Égypte.

> Je le vis périr ; le dard d'un Phénicien perça sa poitrine ; les rênes lui échappèrent des mains ; il tomba de son char sous les pieds des chevaux. Un soldat lui coupa la tête, et, la prenant par les cheveux, il la montra comme en triomphe à toute l'armée.

Dans une page entière, Fénelon n'eût pas mieux peint ce tableau.

Le *nœud* de l'action est le moment où l'*intérêt* s'accroît, redouble, s'enchevêtre, se complique, où les événements, les personnages, les circonstances, le dialogue, tout se mêle et fusionne, en vue de séduire, de dérouter le lecteur, sans qu'il puisse prévoir comment cela tournera.

Tel est ce passage des *Martyrs,* si souvent cité. Le chrétien Eudore, prêt à subir le dernier supplice plutôt que de renoncer à sa foi, apprend que sa femme vient d'être condamnée à entrer dans un lieu infâme, et qu'il ne peut la sauver qu'en sacrifiant aux faux dieux.

> Une tentation horrible s'empare du cœur d'Eudore : Cymodocée aux lieux infâmes ! La poitrine du martyr se soulève, l'appareil de ses plaies se brise et son sang coule en abondance. Le peuple, saisi de pitié, tombe lui-même à genoux et répète avec les soldats : *Sacrifiez, sacrifiez !* Alors Eudore, d'une voix sourde : *Où sont les aigles ?* Les soldats frappent leurs boucliers en signe de triomphe et se hâtent d'apporter les enseignes. Eudore se lève, les centurions le soutiennent, il s'avance au pied des aigles, le silence règne parmi la foule. Eudore prend la coupe, les évêques se voilent la tête de leurs robes, les confesseurs poussent un cri, la coupe tombe des mains d'Eudore ; il renverse les aigles, et, se retournant vers les martyrs, il dit : *Je suis chrétien !*

Il est peu de narrations où l'intérêt, qui forme le nœud de l'action, soit si savamment ménagé.

Citons encore l'admirable récit de la mort de Turenne par Mme de Sévigné :

> Il monta à cheval le samedi à deux heures, après avoir mangé ; et comme il avait bien des gens avec lui, il les laissa tous à trente pas de la hauteur où il voulait aller, et dit au petit d'Elbeuf : *Mon neveu, demeurez là ; vous ne faites que tourner autour de moi, vous me feriez reconnaître.* M. d'Hamilton, qui se trouva près de l'endroit où il allait, lui dit : *Monsieur, venez par ici ; on tirera du côté où vous allez. – Monsieur,* lui dit-il, *vous avez raison, je ne veux pas du tout être tué aujourd'hui ; cela sera le mieux du monde.* Il eut à peine tourné son cheval, qu'il aperçut Saint-Hilaire, le chapeau à la main, qui lui dit : *Monsieur, jetez les yeux sur cette batterie que je viens de faire placer là.* M. de Turenne revint, et dans l'instant, sans être arrêté, il eut le bras et le corps fracassés du même coup qui emporta le bras et la main qui tenaient le chapeau de Saint-Hilaire. Ce

> gentilhomme ne le voit point tomber ; le cheval l'emporte où il avait laissé le petit d'Elbeuf ; il était penché le nez sur l'arçon ; dans ce moment le cheval s'arrête ; le héros tombe entre les bras de ses gens ; il ouvre deux fois de grands yeux et la bouche, et demeure tranquille pour jamais. Songez qu'il était mort, et qu'il avait une partie du cœur emportée...

Toutes les circonstances qu'on nous peint, les paroles même de Turenne, sont faites pour écarter l'idée de la mort, qui arrive foudroyante, ironique et inattendue.

Le *dénouement* est le point où l'intérêt est satisfait et où le nœud de l'action se résout. Il doit être préparé par *tout* ce qui précède et ne jamais se faire pressentir. Si le lecteur le devine, sa curiosité cesse et le charme est rompu. Le morceau que nous citons plus haut peut passer pour un modèle de dénouement.

En voici un autre également bien ménagé. Il s'agit d'une aventure arrivée à l'empereur Gallien :

> Un marchand avait vendu à l'impératrice de fausses pierreries, pour vraies : cette princesse, irritée, voulut qu'on fît un exemple du fourbe. Gallien y consentit, et donna l'ordre de conduire le marchand sur l'arène pour l'y livrer aux bêtes. Le joaillier tremblait de tous ses membres ; les spectateurs ne soufflaient d'attente ; on croyait voir à chaque instant s'élancer de sa loge un lion, un tigre ou un ours ; mais quelle fut la surprise lorsqu'on vit paraître... un mouton. Tout le monde se mit à rire. *Il a trompé,* dit Gallien, *et on le trompe.*

La première condition d'un bon dénouement est de n'y rien ajouter, parce que le lecteur n'a plus envie de rien savoir, quand il sait ce qu'il attendait ; l'accessoire n'intéresse plus dès que le principal a disparu.

Après la chute du pot au lait, le lait tombe. Adieu, veau, vache, cochon, couvée. La Fontaine a eu tort d'ajouter :

> La dame de ces biens, quittant d'un œil marri
> Sa fortune ainsi répandue,
> Va s'excuser à son mari,

En grand danger d'être battue ;
Le récit en farce fut fait ;
On l'appela le *Pot au lait*.

Il faut s'en tenir à ces principes, pour écrire des narrations intéressantes. Cela n'empêche pas les maîtres d'avoir péché contre ces préceptes. Le génie prend des libertés qu'on refuse au simple talent.

Il est entendu, par exemple, qu'il faut aller droit au but et qu'il faut fuir les digressions. Pourtant le *Don Juan* de Byron en est plein. Dans *Gil Blas* les épisodes tiennent presque autant de place que le fond principal. Les dénouements de Molière sont souvent mauvais, et M. Sarcey (qui connaît sa matière) n'a pas craint de dire qu'un détestable dénouement n'a jamais rien gâté, par la raison que lorsqu'il arrive, le tour est joué, la pièce ou la narration est finie.

Pas de digressions, pas trop d'épisodes, pas de longueurs, mais de la vigueur, de la sobriété, de la rapidité : voilà les qualités de la narration.

La concentration, la brièveté ne doivent pourtant pas dégénérer en sécheresse. Le récit doit avoir du mouvement, de la variété, de l'agrément. Tout cela, évidemment, dépend du talent qu'on y met. Une narration longue peut paraître courte, et un récit court peut sembler long. Les digressions de Saint-Simon n'ennuient pas. En matière de littérature, en dehors des genres et des règles, tout se réduit à cet aphorisme : « Ayez du talent. »

> La narration, a dit un critique latin, pour être courte, ne doit pas manquer de grâces ; autrement elle serait sans art... Un chemin riant et uni, quoique plus long, fatigue moins qu'un chemin plus court, qui serait désagréable ou escarpé.

Voici une fable de Boileau : *La Mort et le Bûcheron ;* elle est d'une brièveté rare :

Le dos chargé de bois, et le corps tout en eau,
Un pauvre bûcheron, dans l'extrême vieillesse,

Marchait en haletant de peine et de détresse ;
Enfin las de souffrir, jetant là son fardeau,
Plutôt que de s'en voir accablé de nouveau,
Il souhaite la mort, et cent fois il l'appelle.
La mort vint à la fin : « Que veux-tu ? cria-t-elle.
– Qui ? moi ! dit-il alors, prompt à se corriger :
  Que tu m'aides à me charger. »

Voici maintenant comment La Fontaine a traité le même sujet. Sa fable est deux fois plus longue, et cependant elle paraît beaucoup plus courte :

Un pauvre bûcheron, tout couvert de ramée,
Sous le poids du fagot aussi bien que des ans,
Gémissant et courbé, marchait à pas pesants,
Et tâchait de gagner sa chaumine enfumée.
Enfin, n'en pouvant plus d'effort et de douleur,
Il met bas son fagot, il songe à son malheur.
Quel plaisir a-t-il eu depuis qu'il est au monde ?
En est-il un plus pauvre en la machine ronde ?
Point de pain quelquefois, et jamais de repos :
Sa femme, ses enfants, les soldats, les impôts,
    Le créancier et la corvée,
Lui font d'un malheureux la peinture achevée.
Il appelle la Mort. Elle vient sans tarder,
    Lui demande ce qu'il faut faire.
    « C'est, dit-il, afin de m'aider
À recharger ce bois ; tu ne tarderas guère. »
    Le trépas vient tout guérir ;
    Mais ne bougeons d'où nous sommes :
    Plutôt souffrir que mourir,
    C'est la devise des hommes.

(La Fontaine.)

Néanmoins les conditions et les qualités dont nous parlions tout à l'heure subsistent et doivent être prises au sérieux. Il faut nous dire que nous sommes des humbles, des modestes, et que, n'ayant pas de génie, nous avons besoin de travail et de culture pour développer nos aptitudes.

Nous ne nous étendrons pas davantage sur ce sujet. Nos lecteurs apprendront dans les manuels de littérature, qu'on doit respecter dans la narration la vérité, la vraisemblance. Nous n'avons pas la prétention de dire ce que d'autres ont dit mieux que nous. Nous laisserons de côté la narration oratoire, qui doit être « vraie, ordonnée, impartiale et morale ». La bataille de Rocroy et la mort de Madame sont des modèles de narrations oratoires. Bossuet en a d'admirables. Quelques écrivains de notre temps ont porté l'art de conter à une rare perfection, pour ne parler que des *Lettres de mon moulin* d'Alphonse Daudet, qui devraient être classiques dans les collèges.

QUATORZIÈME LEÇON

DE LA DESCRIPTION

L'ART DE DÉCRIRE — LA DESCRIPTION DOIT DONNER L'ILLUSION DU VRAI — LA DESCRIPTION DOIT ÊTRE "MATÉRIELLE" — LE VRAI RÉALISME — COPIER LA NATURE — Y A-T-IL DES INCONVÉNIENTS ? — LA DESCRIPTION SANS VIE — *TÉLÉMAQUE* — DESCRIPTION VIVANTE — HOMÈRE — RÉALISME ET PROCÉDÉS D'HOMÈRE — LE RELIEF À TOUT PRIX

L'art de décrire constitue, en quelque sorte, le fond même de la littérature. Tout le monde ne fait pas du théâtre ; mais, en vers ou en prose, dès qu'on tient une plume, on est appelé à décrire. C'est la qualité nécessaire par excellence, et c'est sur cette matière qu'on peut le plus fructueusement et pratiquement enseigner à avoir du style. Tout homme qui écrit autre chose que de la philosophie doit être *peintre et artiste,* c'est-à-dire avoir un talent descriptif personnel.

La description est la peinture animée des objets. Elle n'énumère pas, elle fait plus qu'indiquer : elle peint. Elle ne se contente plus de caractériser ce qu'elle voit ; elle le montre aux yeux, elle en trace le tableau. *La description est un tableau qui rend les choses matérielles visibles.* En un mot, le but de la description est de donner l'illusion de la vie. Sa raison d'être, son effort, son ambition, c'est de *faire vivre,* de rendre vivants, matériels et tangibles les détails, les situations, les êtres, tout ce qui est physique, principalement la nature. Ici, c'est l'imagination surtout qui est en jeu, une certaine force de résurrection qui évoque ce qu'on a vu ou qui crée ce qui n'existe pas.

La description est la pierre de touche du talent. C'est elle qui distingue les bons et les mauvais écrivains. Certains auteurs ont beau accumuler les détails, embellir leurs phrases, on ne voit rien, on lit des mots, cela ne frappe pas. D'autres, avec quelques traits, sont des évocateurs admirables. C'est que les uns ne savent pas et que les autres savent *décrire.*

On peut savoir écrire et ne pas savoir décrire. Il y a de bons écrivains qui ne sont pas des descriptifs, comme Guez de Balzac et Saint-Évremond, et d'autres qui sont uniquement descriptifs, comme Théophile Gautier.

La *description doit être vivante.* C'est son essence. Comme elle est l'art d'*animer,* les objets *inanimés,* il s'ensuit que la description est *presque toujours une peinture matérielle,* une vision que l'on donne, une sensation qu'on impose, paysage ou portrait.

Nous laisserons de côté les conseils et les considérations superflues des manuels de littérature. Il est sans profit d'enseigner « qu'il faut bien choisir l'objet qu'on veut peindre, le point de vue le plus favorable, le moment le plus avantageux, les circonstances, les constrastes, etc. ». En outre, la connaissance de l'éthopée, prosopopée, l'hypotypose, etc., n'enseigne ni à bien décrire ni à savoir ce que c'est qu'une bonne description. Laissons à d'autres le soin de diviser la description en « chorographie, topographie, prosopographie, éthopée ». Il ne manque pas de livres où l'on pourra se renseigner sur ces étiquettes stériles, chères aux Le Batteux et aux Marmontel. Contentons-nous de retenir seulement deux divisions : *la description proprement dite* et le *portrait,* qui est une sorte de description réduite et de qualité particulière.

Donner l'*illusion de la vie* par l'image *sensible* et le détail *matériel,* voilà le but de la description. Plus les traits seront en relief, mieux on verra ; plus vous serez près de la nature vraie, plus vous serez vivant. Donner l'apparence de la réalité à une chose fictive, c'est placer sous nos yeux la vision même de la nature, y suppléer par l'évocation, la rendre palpable et tangible.

Ce point est extrêmement important. Aucun manuel, aucun enseignement littéraire ne songe à dire pourquoi une description est *bonne* et pourquoi elle est *mauvaise.*

Sachons-le une fois pour toutes et ne l'oublions plus, car tous les chefs-d'œuvre descriptifs sont là depuis Homère, pour attester cette vérité :

Une description est *bonne* quand elle est *vivante,* et elle n'est *vivante* qu'à la condition d'être *réelle,* visible, *matérielle,* illusionnante.

La réalité et le relief, voilà les deux qualités principales, nécessaires, dominantes de la description.

Mais, va-t-on dire, c'est la description réaliste que vous nous prêchez ?

Je réponds : il n'y a pas d'autre description que la description réaliste bien comprise.

À prendre le réalisme comme étiquette d'école, on peut le récuser, s'il représente les revendications d'un procédé sur un autre, le vrai dans son excès, le monopole de la laideur, le parti pris de ne montrer que ce qui est bas, violent, repoussant, écœurant. Il est alors aussi faux que l'école opposée, celle qui ne voudrait peindre que le romanesque, le convenu, le factice, le beau à outrance, l'héroïsme sans alliage, ce qui est irréel, hors nature, chimérique, pas observé.

Le *vrai réalisme,* celui des maîtres depuis Homère, n'est que le souci d'interpréter le vrai par le beau, la volonté impartiale de peindre le bon et l'honnête comme des *choses aussi réelles* que le laid ou le mauvais. Ce réalisme, qui sait voir les deux côtés de la vérité, le côté réel et le côté moral, doit être considéré comme le but même de l'art d'écrire et la base éternelle des littératures. C'est cette confusion qui occasionne tant de malentendus.

Ce noble réalisme, but de l'art, pourrait être ainsi défini : *Une méthode d'écrire consistant à donner l'illusion de la vie vraie, à l'aide de l'observation morale ou plastique.* Ne voir de la vie et des choses que le côté désagréable ou laid, c'est réduire l'art, c'est fausser la réalité même, qui en a d'agréables et de belles ; c'est tomber dans le factice et le convenu. Le réalisme est un procédé par lequel *on doit traiter selon la réalité* et conformément à la réalité les *choses que l'on veut peindre quelles qu'elles soient.*

La description surtout doit être réelle, vivante, vraie, matérielle et en relief. Pour cela, il faut, autant que possible, la faire d'après nature, tranchons le mot : il faut copier.

Nous l'avons dit : voulez-vous tracer un caractère ? Prenez-le parmi ceux que vous connaissez. Voules-vous peindre un portrait ? Choisissez-le autour de vous. Mais c'est surtout en matière de description qu'il faut copier la nature.

Il s'agit de peindre un paysage. Si vous l'avez vu, si vous l'avez présent à la mémoire, cela peut suffire ; mais si vous ne l'avez pas vu, allez-y, décrivez-le sur place, notez ce qui vous frappe, l'évocation, le ton, la sensation, les détails. Il faudrait tout faire d'après nature. L'imagination n'est qu'une mémoire évocatrice.

On objecte : « Non, l'art n'est pas une copie, la description n'est pas une simple photographie. Si on ne choisit pas ce qu'il faut dire, si on ne transforme pas, si on ne transfigure pas les choses à travers sa sensibilité personnelle, le tableau sera inexpressif et manquera d'idéal. L'art est avant tout une interprétation.

Il y a une confusion d'idées. Mettez-vous devant un paysage et décrivez-le. Il est impossible que vous fassiez de la pure et brutale photographie. Votre imagination est une lentille involontaire, à travers laquelle la chose vue ne peut passer sans se transformer, sans être *interprétée,* synthétisée, agrandie ou réduite, embellie ou attristée, commentée et présentée. Le cerveau humain n'est pas un appareil photographique et, le voudrait-il, il ne fera jamais de la photographie. Donc, lorsque nous disons : « Copiez vos descriptions, vos caractères, vos sujets, vos tableaux, vos portraits », que le manque d'interprétation ne vous préoccupe pas. Elle se produira seule et d'autant plus sûrement, que vous aurez mieux senti votre sujet. Pour le bien sentir, il faut le vivre, il faut le voir. Quand une description ne ressuscite pas matériellement les choses, c'est qu'elle n'a pas été vue ou que l'artiste n'a pas su voir. Avoir la vision et la montrer réelle, toute la force descriptive est là. Ne craignez pas de ne faire *que de la ressemblance.* C'est impossible, parce que l'âme humaine regarde avec son unité, c'est-à-dire avec sa sensibilité, son imagination et sa pensée.

Les peintres, avec leur palette et leur brosse, ne font-ils pas de même ? Vélasquez et Van Dyck sont-ils diminués pour avoir exécuté des portraits ? Ce qui s'en est allé de leurs toiles, ce qui ne nous frappe plus, c'est justement cette ressemblance qu'on suspecte. Vous les accusez de n'avoir cherché que cela, et c'est précisément ce qui a passé le plus vite. Ils ont fait des œuvres éternelles en copiant ce qui était fugitif. De même en littérature, c'est faire un portrait que de peindre un arbre, un paysage, un type, une figure, un pays. Reconstituer par le souvenir ce qu'on a observé, ou observer sur place ce qu'il faut peindre : il n'y a pas d'autre procédé à employer dans l'art de décrire.

Donc, faites *vivre,* faites *voir* ce que vous voulez peindre.

Voici une description qui n'est pas *vue,* qui ne montre rien, et qui est pourtant citée comme modèle dans les cours de littérature. C'est la description de la grotte de Calypso, prise dans *Télémaque.*

> Cette grotte était taillée dans le roc, en voûtes pleines de rocailles et de coquilles ; elle était *tapissée* d'une jeune vigne, qui étalait ses branches souples également de tous côtés. Les doux zéphyrs *conservaient en ce lieu,* malgré les ardeurs du soleil, une *délicieuse fraîcheur.*
>
> Des fontaines, coulant avec un doux murmure sur des prés semés d'amarantes et de violettes, formaient en divers lieux des bains aussi purs et aussi clairs que le cristal ; *mille fleurs naissantes émaillaient les tapis verts* dont la grotte était environnée. Là on trouvait un bois de ces arbres touffus qui portent des pommes d'or, et dont la fleur, qui se renouvelle dans toutes les saisons, répand le plus doux de tous les parfums ; ce bois semblait *couronner ces belles prairies,* et formait une nuit que les rayons du soleil ne pouvaient percer : là on n'entendait jamais que le chant des oiseaux ou le bruit d'un ruisseau

> qui, se précipitant du haut d'un rocher, *tombait à gros bouillons pleins d'écume,* et s'enfuyait au travers de la prairie.
>
> La grotte de la déesse était sur le penchant d'une colline. De là *on découvrait* la mer, *quelquefois* claire et unie comme une glace, *quelquefois follement irritée* contre les rochers, où elle se brisait en gémissant et élevant ses vagues comme des montagnes. D'un autre côté on voyait une rivière où se formaient des îles bordées de tilleuls fleuris et de hauts peupliers qui portaient leurs *têtes superbes jusque dans les nues.* Les divers canaux qui formaient ces îles *semblaient se jouer* dans la campagne : les uns roulaient leurs *eaux claires avec rapidité ;* d'autres avaient une *eau paisible et dormante ;* d'autres, par de longs détours, *revenaient sur leurs pas,* etc.
>
> (FÉNELON, *Télémaque.*)

Inutile d'aller plus loin. C'est le dernier mot de la banalité inexpressive, le type de la description *fleurie, poétique, imaginée,* où aucun détail n'est vivant, ou rien ne frappe et rien ne tient. C'est la fadeur souriante d'un style incolore et limpide. On y trouve tout le « vieux jeu » qui, du reste, nous l'avons vu et nous le verrons encore, a persisté jusqu'à nous. Cette grotte « *tapissée* de vignes », et ces « fleurs qui émaillent les *tapis* verts », ces « *doux* zéphirs », ces « *doux* murmures », ces « *doux* parfums », ces « belles *prairies* », ce ruisseau « qui s'enfuit à travers la *prairie* », cette mer qu'on « découvre » et qui est « follement irritée contre les rochers », ces « îles » qui se *« forment »,* ce verbe *« formait »* répété quatre fois, ces « canaux » qui « roulent des eaux claires, paisibles et dormantes » et qui « reviennent sur leurs pas », tout cela ne fait rien *voir,* parce que cela n'est pas *vu.* C'est un paysage fait de chic, traité avec la généralité de formules en usage dans les collèges.

Voilà les morceaux qui passent pour bien écrits ! Description comme peut en faire dans son cabinet un homme d'imagination ordinaire qui ne sent pas la nature.

C'est ce sens du vrai, du réel, de la vie observée, prise sur le fait et rendue telle quelle, qui fait la valeur des bonnes descriptions, comme on les trouve dans Homère, l'inimitable peintre, dans Théocrite, dans Virgile, et plus tard dans

Bernardin de Saint-Pierre et surtout Chateaubriand, qui doit être considéré comme le père de la description dans la littérature de notre siècle.

Taine l'a très finement remarqué. « Quand Ménélas est blessé par une flèche, dit-il, Homère compare son corps blanc taché par le sang rouge à l'ivoire qu'une femme carienne a trempé dans la pourpre... » et après avoir cité la comparaison, il ajoute : « Cela est *vu*, *vu* comme par un peintre et par un sculpteur; Homère oublie la douleur, le danger, l'effet dramatique, tant il est frappé par la couleur et la forme... Flaubert et Gautier, qu'on trouve singuliers et novateurs, font aujourd'hui des descriptions toutes semblables [1]... »

Toutes les belles descriptions en relief rappellent Homère. Les grands peintres littéraires, quels que soient leur école et leurs procédés, ont quelque chose d'Homère. Chez tous les écrivains illustres, Dante, Virgile, Cervantès, Théocrite, Chateaubriand, les meilleurs traits descriptifs portent la marque d'Homère.

Or, la description dans Homère, c'est la vision par la couleur, la notation par la matérialité, l'observation brutale des détails visibles. La marque d'Homère, ce qui le caractérise, en dehors de son élévation morale, de son souffle épique et du sens qu'il a des choses de l'âme et de l'être intérieur, c'est qu'il est un photographe de la nature et des mouvements humains. Sa description, c'est l'analyse, la décomposition poussée jusqu'à la dernière limite d'un acte physique, d'un fait observé, d'un effet rapide; une transcription vraie des choses, non seulement sans intervention apparente de personnalité, mais avec un manque d'intention et une absence absolue d'embellissements. En d'autres termes, Homère est un *réaliste de génie*, un photographe impassible, qui détache et qui grossit, qui fait du bas-relief, qui modèle et qui sculpte, plutôt qu'il ne peint [2].

1. TAINE, *Voyage en Italie*, t. I, p. 131.
2. Voir notre livre, *L'Art d'écrire. Ouvriers et procédés*, dernier chapitre : La Critique contemporaine et la Littérature grecque.

Ce n'est pas ainsi qu'il nous apparaît dans toutes les traductions, mais c'est ainsi qu'un artiste comme Leconte de Lisle a su nous le rendre, et c'est ainsi qu'on doit le classer.

Lisez cette rencontre, prise dans l'*Iliade* :

> Idoménée frappa de sa pique Erymas dans la bouche et la pique d'airain pénétra jusque dans la cervelle, en brisant les os blancs ; et toutes les dents furent ébranlées, et les deux yeux s'emplirent de sang, et le sang jaillit de la bouche et des narines, et le brouillard de la mort l'enveloppa.

En voici une autre :

> Pènéléôs et Lykôn, s'attaquant, se manquèrent de leurs lances et combattirent avec leurs épées. Lykôn frappa le cône du casque à aigrette de crins, et l'épée se rompit ; mais Pènéléôs le perça au cou, sous l'oreille, et l'épée y entra tout entière, et la tête fut suspendue à la peau, et Lykôn fut tué.

Patrocle attaque Thestôr :

> Et Thestôr était affaissé sur le siège du char, l'esprit troublé ; les rênes lui étaient tombées des mains. Patroklos le frappa de sa lance à la joue droite, et l'airain passa à travers les dents, et, comme il le ramenait, il arracha l'homme du char. Ainsi un homme, assis au faîte d'un haut rocher qui avance, à l'aide de l'hameçon brillant et de la ligne, attire un grand poisson hors de la mer. Ainsi Patroklos, enleva du char, à l'aide de sa lance éclatante, Thestôr, la bouche béante ; et celui-ci, en tombant, rendit l'âme.

C'est partout le même procédé. On n'a qu'à lire au hasard l'*Iliade* ou l'*Odyssée* :

> Il recula, tomba sur ses genoux, appuya contre terre sa main robuste et rendit l'âme...
>
> Il perça d'une flèche le pied droit de Diomède et, à travers le pied, la flèche s'enfonça en terre...
>
> Comme il sautait de son char, il le perça sous le bouclier, au nombril, et le Troyen roula dans la poussière, saisissant la terre à pleines mains. Son âme s'échappa d'entre ses dents...

> Patrocle lui mettant le pied sur la poitrine, il le perça de sa lance, puis il retira sa lance, et les entrailles la suivirent...
> Il fut frappé à la dernière vertèbre, et les deux muscles furent tranchés, et sa tête, sa bouche et ses narines touchèrent la terre avant ses genoux...
> Il fut atteint au front, au-dessus du nez, et ses os crièrent, et ses yeux ensanglantés jaillirent à ses pieds dans la poussière...
> Il tomba du haut du rempart, comme un plongeur...
> La flèche lui entra dans le cou, et il tomba du char, et les chevaux reculèrent, secouant le char vide...
> Il rendit l'âme, en mugissant comme un taureau.
> Il tomba en hurlant, sur les genoux (blessé au ventre) et, courbé sur la terre, il retenait ses entrailles à pleines mains.

On voit le procédé : il consiste à peindre les choses physiquement et photographiquement.

Homère y est fidèle, non pas seulement dans la description des batailles, mais lorsqu'il peint la douleur d'Andromaque, la frayeur d'Astyanax devant le casque de son père, le vieux Priam dans la tente d'Achille, les voyages d'Ulysse, Charybde et Scylla, la rencontre de Nausicaa, les jeux et les courses qui finissent l'*Iliade.* En face d'un personnage ou en face de la nature, il *décrit pour faire voir,* et sa vision est *matérielle.*

Citons encore l'inoubliable description de la mort des prétendants dans l'*Odyssée :*

> Il tira son épée aiguë à deux tranchants, et se rua sur Ulysse en criant horriblement. Mais Ulysse, le prévenant, lança une flèche et le perça dans la poitrine, auprès de la mamelle, et le trait rapide s'enfonça dans le foie ; et l'épée tomba de sa main contre terre, et il tournoya près d'une table, dispersant les mets et les coupes pleines ; et lui-même se renversa, en se tordant et en gémissant, et il frappa du front la terre, repoussant un escabeau de ses pieds, et l'obscurité se répandit sur ses yeux...
> Il dirigea sa flèche contre Antinoos. Celui-ci allait soulever à deux mains une belle coupe d'or à deux anses, afin de boire du vin. Mais Ulysse le frappa de sa flèche à la gorge, et la pointe traversa le cou délicat. Il tomba à la renverse et la

> coupe s'échappa de sa main inerte, et un jet de sang sortit de sa narine, et il repoussa des pieds la table, et les mets roulèrent épars sur la terre. Et les autres, se levant en tumulte, regardaient de tous côtés sur les murs, cherchant à saisir les boucliers et les lances.

Homère nous montre la nuit qui arrive, en disant : « Les chemins se remplirent d'ombre. » Pour exprimer qu'Ulysse regrettait sa patrie, il dit : « Il avait envie de revoir son pays et la fumée qui sort du toit natal. » S'il parle du bouclier d'Achille, vous l'avez sous les yeux : « Achille saisit son bouclier immense, d'où sortait une longue clarté comme celle de la lune, etc. »

Nous insistons sur cette nécessité de rendre les choses en relief, crûment, avec brutalité, parce que, si nos auteurs réalistes contemporains, comme Zola, Goncourt, Flaubert, en ont abusé, on peut dire que c'est ce qui manque le plus à ceux qui débutent dans l'art d'écrire, aux jeunes personnes qui essayent leur talent, à tous ceux qui sont ligotés de périphrases, prisonniers de la rhétorique de collège, encore hésitants dans le style sans mouvement et sans audace.

Donc, pour bien décrire, c'est-à-dire pour donner la sensation de la nature, il faut faire *d'après nature*.

QUINZIÈME LEÇON

L'OBSERVATION DIRECTE

DESCRIPTION PAR OBSERVATION DIRECTE — L'INTENSITÉ — VISER LA FORCE ET NON L'ÉTENDUE — EXEMPLES DE SENSATIONS FORTES — COMMENT ON POUSSE UNE IDÉE OU UNE IMAGE — COMMENT ON OBTIENT LE RELIEF

Il y a deux façons de faire d'après nature :
1° *par l'observation directe ;*
2° *par l'observation indirecte.*

L'OBSERVATION DIRECTE

C'est la copie prise sur place, le crayon à la main. Vous avez un paysage à peindre, une rivière, un coucher de soleil, un site. Allez-y, prenez vos notes, non seulement vos notes photographiques, la vue des choses et des couleurs, mais notez aussi l'impression que vous ressentez, votre mélancolie, votre état d'âme. Rien ne vaut l'éloquence, l'intensité d'une chose vue, notée sur place. Revenu chez vous, même le lendemain, vous recopiez, vous dressez vos notes ; vous donnez au croquis sa signification totale, synthétique, générale.

Même procédé pour un personnage, une figure, un caractère. On le compose en recueillant les traits qu'on entend, qu'on surprend, que l'on voit.

Ceci est bientôt dit. Vous êtes devant la nature. Vous voulez décrire une forêt. Quels détails choisirez-vous ?

Quelles choses faut-il voir et montrer ? Que retenir de préférence ? C'est le grand point, le grand problème, problème qui subsiste, d'ailleurs, si vous faites votre description dans votre cabinet, de souvenir et en l'imaginant.

Les détails à mettre dépendent de votre tournure d'esprit et de la sensation que vous voulez donner.

Dans la description d'une forêt, par exemple, un monde de sensations se présentent : sensations de silence, de solitude, de verdures, variété d'arbres, végétations immenses, fraîcheur, lumière surtout. Vous pouvez ne voir la forêt que sous une ou deux de ces sensations ; vous pouvez les mêler toutes, isoler les dessins, varier les peintures, ou peindre par masses, par fouillis, avec de la couleur générale, rutilante, éblouissante. Tout dépend du genre de votre imagination, sobre ou exubérante.

La meilleure description n'est pas celle qui met le plus de choses, mais celle qui donne la sensation la plus *forte*. Il ne s'agit pas d'accumuler les détails ; il s'agit d'en exprimer de saillants, d'énergiques, de définitifs. L'intensité est dans la qualité et le choix de ce qu'on dit. Il faut donc choisir des traits en relief qui soient d'une observation saisissante, inattendue, qui fassent image et tableau, qui montrent ce qu'il y a de plus vrai et de moins remarqué, de plus visible et de plus frappant.

Pour rendre le silence d'une forêt, Flaubert trouve ceci :

> Quand la voiture s'arrêtait, il se faisait un silence universel ; on entendait seulement le cheval souffler dans les brancards, avec un cri d'oiseau, très faible, répété...

Et plus loin :

> Le silence était coupé à intervalles rapides par le broutement d'une vache qu'on ne voyait pas.
>
> (FLAUBERT, *L'Éducation sentimentale,* 1re partie, I.)

Quelques traits suffisent au même auteur pour nous décrire la fin du jour, à mesure que le soleil se couche :

> Dans l'espace flotte une poudre d'or tellement menue, qu'elle se confond avec la vibration de la lumière... Le ciel est rouge, la terre complètement noire. Sous les rafales du vent des traînées de sable se lèvent comme de grands linceuls, puis retombent. Dans une éclaircie, tout à coup, passent des oiseaux formant un bataillon triangulaire, pareil à un morceau de métal, et dont les bords seuls frémissent.
> (FLAUBERT, *La Tentation de saint Antoine,* p. 1.)

Il y a deux sortes de descriptions : celle qui condense les choses, se contente d'en dire peu, choisit les détails les plus forts, à la façon d'Homère, et celle qui accumule, rassemble, multiplie, développe, amoncelle ; c'est le procédé des lyriques, des imaginatifs : Victor Hugo, Théophile Gautier, Barbey d'Aurevilly, Émile Zola.

La condensation et la simplicité produisent plus d'effet que les amplifications systématiques.

Quand Tourgueniev, l'écrivain russe qui a fait des descriptions admirables, pour rendre l'immobilité de la mort, nous décrit le cadavre exposé sur son lit, les yeux entrouverts, avec « une mouche qui se promène entre les cils », on a une sensation de la mort aussi profonde que s'il eût employé une page entière à nous la décrire.

On se rappelle l'Assemblée des Anciens à Carthage, dans *Salammbô* de Flaubert, cette séance de nuit merveilleuse. La discussion s'interrompt. Il y a un moment de répit. « Et le silence tout à coup devint tellement profond, qu'on entendit le bruit de la mer. » Le même auteur, pour rendre la sonorité des citernes, dit : « Le moindre bruit faisait un grand écho. »

Voici comment Tourgueniev fait sentir la grande paix, le repos d'une forêt en septembre :

> Le calme était si grand, qu'on pouvait entendre à plus de cent pas un écureuil sautiller sur les feuilles sèches, qui déjà jonchaient le sol ; ou bien une branche morte qui, se déta-

chant du faîte d'un arbre, heurtait faiblement d'autres branches dans sa chute et tombait, pour ne jamais bouger, dans l'herbe fanée...

Le même auteur décrit ainsi l'immobilité d'un pêcheur :

> Il était assis, immobile, sur la terre nue, tellement immobile, qu'à mon approche un petit oiseau partit de la vase desséchée, à deux pas de lui, et traversa l'étang à petits coups d'ailes, en sifflotant.

On le voit, ce sont là des détails qui semblent notés sur place, un crayon à la main, en regardant et en écoutant la nature. C'est la transcription de la réalité. On ne songeait pas à ces choses, et cependant, à la lecture, elles semblent les plus frappantes, les seules à dire.

Voici une sensation d'eau froide :

> Il y a le vivier, où toute l'eau de la montagne court en moussant, et si froide, qu'elle brûle les doigts... La rivière est pleine de truites. J'y suis entré une fois jusqu'aux cuisses ; j'ai cru que j'avais les jambes coupées avec une scie de glace.
>
> (JULES VALLÈS, *L'Enfant.*)

En un mot, l'art de décrire consiste dans le choix de certains détails frappants, dans certaines idées triées et en relief. Il ne faut pas les chercher nombreuses, il faut les vouloir fortes, et pour qu'elles soient fortes, il ne faut pas seulement qu'elles soient observées ; on doit s'attacher à les renforcer en les mettant en valeur, en les isolant, en les *poussant,* en appuyant dessus, en les faisant *saillir* davantage. Une idée moyenne, une sensation ordinaire donnent de grands effets, quand on sait la souligner, y insister, la sortir d'un coup de pouce. C'est dans Homère qu'il faut apprendre cet art de préparer le relief. En voici un exemple : il s'agit des jeux qui terminent l'*Iliade.*

> Il fit dresser le mât d'une nef ; et au sommet d'un mât, il fit attacher par un fil léger une colombe tremblante, but des

> flèches. – Celui qui atteindra la colombe emportera les grandes haches. Celui qui, manquant l'oiseau, aura coupé le lien, emportera les petites haches. – Le prince Teacros lança une flèche avec vigueur. Il manqua l'oiseau, mais il atteignit sous la patte le fil qui retenait l'oiseau, et la flèche coupa le fil, et *la colombe s'envola dans le ciel, tandis que le fil retombait.*

Il n'y a là aucune idée de premier ordre, aucune image grandiose, rien de génial, mais un art de description particulier, consistant à voir photographiquement les choses, à transcrire pas à pas la réalité avec une vérité telle, qu'on ne perd même pas de vue le fil qui retombe, quand tout est fini et que l'oiseau s'est échappé. C'est cet *appuiement* voulu qui, en terminant, fixe le tableau et prolonge la sensation.

Voici un autre exemple du relief que donne ce procédé : Apollonius de Thyanes et son disciple Damis se sont montrés à saint Antoine, et ont eu avec lui une conversation où ils ont raconté d'incroyables miracles. Ils s'en vont enfin.

> Il s'approche à reculons du bord de la falaise, *la dépasse, et reste suspendu.*
> Tous les deux côte à côte s'élèvent dans l'air, doucement.
> Antoine, embrassant la croix, les regarde monter.
> Ils disparaissent.
> (FLAUBERT, *La Tentation de saint Antoine.*)

Un autre aurait dit : « Ils s'élèvent en l'air et disparaissent pendant qu'Antoine les regarde monter » Flaubert a préféré détacher chaque idée, l'appuyer, l'isoler afin de nous donner la sensation de la durée même et de l'importance qu'ont eue, pour saint Antoine, ces divers mouvements.

Sans cet effort dans la précision et l'appuiement, *les meilleurs traits restent perdus.* Je suppose que je veuille décrire un duel au couteau.

J'écris ceci :

> Il s'élança sur moi. Je me retournai, fis volte-face et, grâce à ce mouvement, mon adversaire ne trouva plus d'obstacle devant lui. Mais, du même coup, je l'atteignis à la gorge, et

> lui plongeai l'arme jusqu'au manche. Je retournai la lame dans la plaie où elle se brisa ; elle ressortit avec le sang qui bouillonnait, et mon adversaire tomba.

Ce texte est satisfaisant, mais pas assez pour que les idées qu'il contient produisent tout leur effet. La forme est encore trop lâche.

Voici maintenant le texte de Mérimée, qui cette fois est vigoureux, serré, irréprochable et rappelle les meilleures pages d'Homère :

> Il se lança sur moi comme un trait ; *je tournai le pied gauche* et il ne trouva plus rien devant lui ; mais je l'atteignis à la gorge, et le couteau *entra si avant, que ma main était sous son menton.* Je retournai la lame si fort, qu'elle cassa. C'était fini. La lame *sortit de la plaie lancée par un bouillon de sang gros comme le bras.* Il tomba *sur le nez raide comme un pieu*[1].
>
> (MÉRIMÉE, *Carmen,* p. 8.)

C'est court, violent, imagé et saisissant. La façon de dire une chose en double l'intensité.

Si je dis : « Il lui coupa la tête pendant qu'il parlait » c'est très bien, et il semble qu'il n'y ait pas d'autre manière de le dire.

Pourtant j'aurais voulu l'idée plus dramatique, si je dis avec Homère (mort de Dolon) : « Il parlait encore, quand la tête tomba. »

On voit mieux la chose. Et c'est le but de la description : faire voir les choses.

Cette phrase : « Le jour se lève, l'aurore allait paraître », c'est *l'idée sans la vision.* Mais si je dis : « Une barre d'or se forma à l'horizon » (Châteaubriand), la vision y est.

Si j'écris : « J'ai vu les nuages passer sur la lune, qui semblait marcher derrière eux », j'aurai exprimé une chose bien observée, mais qui n'aura toute son intensité que si je

1. Il n'y a à blâmer dans ces lignes que deux répétitions : Il se lança sur moi... La lame sortit, *lancée* par un bouillon... Je *tournai* le pied gauche... Je *retournai* la lame. Il suffisait de mettre au début : « Il se précipita sur moi. Je me jetai de côté, etc. » et toute répétition était évitée.

dis : j'ai vu les nuages voler dans le ciel sur la face de la lune qui semblait courir rapidement. » (CHATEAUBRIAND.)

Voici deux phrases qui montrent mieux encore ce que peuvent ajouter à une même idée le réalisme de l'expression et l'énergie crue du style.

Chateaubriand écrit dans sa bataille des Francs : « Les cornes des taureaux *portaient des lambeaux affreux.* » Cette façon inexpressive est insuffisante ; *portaient* est un terme général et *lambeaux affreux* sont également des mots généraux de l'ancien style, souvenirs d'*Athalie,* dont on se servait faute d'oser risquer le mot propre.

Voici comment Flaubert, plus près d'Homère cette fois, exprime la même image à propos d'une bataille, en parlant des éléphants : « De longues entrailles pendaient à leurs crocs d'ivoire, comme des paquets de cordages à des mâts. »

C'est avec cet effort et ce surenchérissement qu'il faut décrire. On en éprouvera une impression de violence un peu gênante, lorsqu'on voudra peindre des tableaux réalistes ; mais ce procédé ne choquera pas lorsqu'on peindra la nature, les belles choses, les grands spectacles, tout ce qui ne perd rien à être précisé et appuyé, tout ce que le procédé contraire risquerait d'atténuer et de rendre banal.

Résumons-nous.

Pour bien décrire, il faut *faire vivant, peindre en relief,* avec la réalité. Pour cela il faut bien observer, et, pour bien observer, il faut *copier sur place d'après nature.*

C'est *l'observation directe,* le premier genre d'observation.

Passons maintenant à l'observation indirecte.

SEIZIÈME LEÇON

L'OBSERVATION INDIRECTE

Description par observation indirecte — Nécessité d'évoquer le vrai — Flaubert — Exemples frappants d'observation évoquée — Descriptions de souvenir — Chateaubriand — Identité des deux méthodes. Évoquer la vie ou la copier — Décrire ce qu'on a vu — Idéaliser le vrai — La description de fantaisie — Barbey d'Aurevilly — La fantaisie est un trompe-l'œil — Montrer de l'imagination n'est pas décrire — La fantaisie mène à la puérilité — Exemples de descriptions fantaisistes — Comment on montre et on anime — Le choix des sensations — Profusion et longueur — L'abus de la description

S'il y a des paysages, des lieux et des choses qu'on peut copier sur place, il en est d'autres que l'on n'a pas sous les yeux ou qui n'existent même pas.

C'est par un effort d'*imagination* qu'on peindra ce qui n'existe pas ; et c'est par l'effort du *souvenir* qu'on décrira ce qu'on n'a plus sous les yeux.

I — Description imaginée

Je veux peindre, par exemple, les Champs-Élysées anciens, le séjour des ombres, comme dans *Télémaque,* l'enfer comme dans la *Divine Comédie,* la chute d'un homme dans le vide, comme dans le *Bug-Jargal* (le nain Habibrah) et *Notre-Dame de Paris* (Claude Frollo), la mort d'un homme qui se laisse submerger par l'océan, comme dans les *Misérables,* les batailles des mercenaires et les rues de Carthage comme dans *Salammbô,* etc.

Il faut tâcher même dans ce cas, de s'aider de ce qu'on a vu, se rappeler tout ce qui peut se rapporter à son sujet, et donner par le vrai les apparences du vrai à ce qui ne l'est pas. On ira chercher ses idées et ses sensations dans les situations analogues ; on transposera, on adaptera à son sujet ce qu'on a déjà observé.

Rousseau mêlait à sa *Nouvelle Héloïse* les paysages qu'il aimait. Bernardin de Saint-Pierre faisait servir un naufrage vrai à la mort de Virginie. Chateaubriand transposait dans ses *Martyrs* les voyages qu'il avait faits et les lieux qu'il avait parcourus. Même quand le sujet et les développements d'une description sont imaginaires, c'est toujours d'après la vraisemblance, la vérité supposée, l'observation apparente, qu'il faut procéder. Dans son voyage à Lilliput, Swift est admirable sous ce rapport. Il peint avec un soin, une minutie, un sérieux, une observation calculée et persistante, des tableaux qui sont impossibles et fabuleux ; et c'est par là que la vie arrive et que l'illusion y est.

Je veux peindre l'enfer. Évidemment je n'ai jamais vu l'enfer ; mais je sais que c'est un lieu de tourments, et je puis y placer des supplices, des gens qui souffrent. Or, des gens qui souffrent, je puis en voir, en observer. D'autre part, on m'a dit que la privation de Dieu doit être une des tortures des damnés. Je puis imaginer ce genre de douleurs, l'avidité irréalisable, le désir impossible, l'irréparable regret. C'est du domaine de l'humanité. On peut observer des choses approchantes. Je mettrai mes scènes dans de ténébreuses vallées, que je peindrai bien, si j'en ai vu. J'y placerai des personnages fameux par leur vie et leur légende ; et si j'ai du génie, je ferais un chef-d'œuvre.

Dans *Salammbô,* Flaubert a reconstitué une ville qui n'existe plus et sur laquelle on a très peu de renseignements. Mais il y a des choses éternelles, toujours les mêmes, des similitudes de sujets dans l'histoire des peuples, certaines reconstitutions analogues, la nature qui ne change pas, les armées et les camps anciens sur lesquels on a les documents, des sièges connus, des faits assimilables, les batailles, les aspects de certaines villes d'Afrique actuelles, certains états de civilisation immobiles. Dans ce cas encore, on observe *avec le vrai,* au *nom du vrai,* en évoquant le vrai, en cherchant précisément à donner aux autres la sensation qu'on ne l'a pas imaginé et que ce doit être ainsi.

Victor Hugo a décrit quelque part l'enlisement d'un homme dans les sables du désert. Évidemment, il a été obligé de se figurer le fait, d'imaginer des sensations qui eussent l'apparence de la réalité.

Voici comment il peint le fait sans l'avoir vu :

> Il sent quelque chose comme si la lourdeur de ses pieds croissait à chaque pas qu'il fait. Brusquement il enfonce, il enfonce de deux ou trois pouces. Décidément il n'est pas dans la bonne route, il s'arrête pour s'orienter.
>
> Tout à coup, il regarde à ses pieds : ses pieds ont disparu. Le sable les couvre. Il retire ses pieds du sable. Il veut revenir sur ses pas, il retourne en arrière : il enfonce plus profondément. Le sable lui vient à la cheville. Il s'en arrache et se jette à gauche : le sable lui vient à mi-jambes; il se jette à droite : le sable lui vient aux jarrets. Alors il reconnaît avec une indicible terreur qu'il est engagé dans la grève mouvante, et qu'il a sous lui le milieu effroyable où l'homme ne peut pas plus marcher que le poisson n'y peut nager. Il jette son fardeau, s'il en a un, il s'allège comme un navire en détresse; il n'est déjà plus temps : le sable est au-dessus de son genou.
>
> Il appelle, il agite son chapeau ou son mouchoir : le sable le gagne de plus en plus. Si la grève est déserte, si la terre est trop loin, si le banc de sable est trop mal famé, s'il n'y a pas de héros dans les environs, c'est fini : il est condamné à l'enlisement. Il est condamné à cet épouvantable enterrement, long, infaillible, implacable, impossible à retarder ni à hâter, qui dure des heures, qui n'en finit pas, qui vous prend debout, libre, en pleine santé, qui vous tire par les pieds, qui, à chaque effort que vous tentez, à chaque clameur que vous poussez, vous entraîne un peu plus bas, qui a l'air de vous punir de votre résistance par un redoublement d'étreinte, qui fait rentrer lentement l'homme dans la terre en lui laissant tout le temps de regarder l'horizon, les arbres, les campagnes vertes, les fumées des villages dans la plaine, les voiles des

navires sur la mer, les oiseaux qui volent et qui chantent, le soleil, le ciel. L'enlisement, c'est le sépulcre qui s'est fait marée et qui monte du fond de la terre vers un vivant. Chaque minute est une ensevelisseuse inexorable.

Le misérable essaye de s'asseoir, de se coucher, de ramper : tous les mouvements qu'il fait l'enterrent ; il se redresse : il enfonce ; il se sent engloutir ; il hurle, il implore, crie aux nuées, se tord les bras, désespère. Le voilà dans le sable jusqu'au ventre ; le sable atteint la poitrine : il n'est plus qu'un buste. Il élève les mains, jette des gémissements furieux, crispe ses ongles sur la grève, veut se retenir à cette cendre, s'appuie sur les coudes pour s'arracher à cette gaine molle, sanglote frénétiquement ; le sable monte, le sable atteint les épaules, le sable atteint le cou ; la face seule est visible maintenant. La bouche crie, le sable l'emplit : silence. Les yeux regardent encore, le sable les ferme : nuit. Puis le front décroît, un peu de chevelure frissonne au-dessus du sable ; une main sort, troue la surface de la grève, remue et s'agite, et disparaît, – sinistre effacement d'un homme.

(VICTOR HUGO.)

La description est belle parce que l'auteur donne l'illusion du vrai. Il a accumulé une suite de sensations réelles. Il a fait poser son sujet devant lui, et il a si bien peint ce qu'il *s'est fait voir,* qu'on jurerait *qu'il l'a vu.*

Voici maintenant un morceau identique. Il est de M. de Saint-Paul Lias. Il s'agit d'un enlisement, non plus dans le sable, mais dans la boue. C'est une peinture de premier ordre, plus réelle encore et plus saisissante. Il sera curieux de comparer ces deux descriptions.

Un chef de tribu, Antar, a été pris par les sauvages et condamné à l'affreux supplice d'être jeté dans un lac de boue. Voici comment :

En quelques instants, Antar a été ficelé jusqu'aux chevilles, immobilisé et raidi : une barre de bois de fer tient son corps droit, partant des talons, montant le long du dos, soutenant la nuque et s'élevant d'une brasse au-dessus de sa tête.

Il est porté ainsi par deux hommes au pied du piquet qui retient l'extrémité de la longue perche à laquelle on a fait une entaille. Là, on l'incline de façon à accrocher à cette entaille l'anneau de rotang passé au bout de la barre à laquelle il est attaché ; en même temps qu'on lie à ses pieds une lourde pierre, comme lest. Je crois qu'on va le pendre en redressant la perche ; mais le supplice, tout imprévu pour moi, est autrement horrible !

D'un coup de hachette assêné de côté, par Kaïkaï sur le lien qui la retient, la longue perche subitement rendue à la liberté, détendant son puissant ressort, enlève l'homme, lui fait décrire, en l'air, un immense quart de cercle et le jette à vingt mètres, peut-être, du côté opposé. – Cela s'est fait en moins de temps qu'il n'en faut pour le dire : en un clin d'œil on a vu passer sur le ciel mat cette masse noire, vivante, traçant sa courbe... L'appareil a été disposé de telle sorte qu'arrivé au bout de sa course, l'anneau de rotang accroché à l'entaille de la perche, – qui était en dessus et qui passe en dessous quand elle s'incline du côté opposé, – se détache, et le malheureux lesté par les pieds, tombe debout, au milieu du vaste espace découvert, où il se plante, du coup, jusqu'à la ceinture, dans la boue noire...

Alors seulement je comprends !

Le terrain sur lequel il est tombé est un marécage, une tourbière sans fond, ce qu'on appelle à Sumatra un *pangdo,* c'est-à-dire un de ces bourbiers insondables, qui absorbent tout ce qui s'y laisse choir, sortes de terres en formation, où s'abattent et s'engloutissent, pendant des siècles, les grands arbres qui croissent sur leurs bords, avant de les combler. Malheur au voyageur qui, trompé souvent par l'aspect de la surface, s'aventure dans ces pangdos ! Il est perdu, s'il n'est pas secouru promptement. Il aura beau se débattre, il n'en enfoncera que plus vite dans le marais où il disparaîtra à jamais sans laisser après lui la moindre trace...

Antar a été condamné à cet affreux supplice de l'enlisement.

Une immense clameur a accompagné sa chute, – et maintenant la foule redevenue bruyante, joyeuse, le regarde s'enliser, ravie de la complète réussite de ce premier acte du spectacle ! – Tout a été admirablement calculé. Le supplicié nous fait face et l'on peut suivre le jeu de sa physionomie, pendant qu'il s'engloutit lentement.

Il descend d'un mouvement uniforme, – les paupières abaissées, comme pour soustraire son regard et ses pensées dernière la curiosité haineuse de la foule, les traits calmes, la physionomie toujours impassible.

Ce calme, cette impassibilité exaspèrent les spectateurs, qui l'interpellent, qui l'invectivent, qui lui crient des injures.

La boue monte... Elle atteint déjà ses aisselles...

Le visage semble être de bronze, pas un muscle n'a bougé.

Le mouvement implacable se continue. Le corps descend toujours dans cette tourbe qui semble l'aspirer lentement, par en bas. – Déjà il est enseveli tout entier : la tête seule émerge...

S'il conserve encore la sensibilité de ses membres, peut-être le malheureux sent-il déjà les morsures des tortues d'eau, des poissons aveugles, des iguanes, des reptiles de toute sorte, des êtres monstrueux et immondes, qui peuplent ces noirs abîmes et dont sa chair va devenir la pâture.

La vase fétide monte à ses lèvres.

La foule attend frémissante. – Un nouveau silence s'est fait.

À ce moment, la tête a une convulsion; ce visage jeune, – exprimant la santé, la vigueur, l'énergie, – se contracte : c'est la lutte de la vie contre l'envahissement de la mort, un mouvement instinctif, involontaire, – mais qui était attendu de la foule et qu'elle accueille par un hourra. Elle trépigne, comme au bon morceau de la pièce, lorsque l'acteur s'est surpassé.

La tête enfonce...

Les paupières se soulèvent tout à coup. Les yeux injectés, mais encore vivants, se tournent vers le ciel. Antar dit adieu au monde, à la lumière... Peut-être revoit-il une dernière fois sa pirogue, sa paillotte, les cocotiers qui l'ombragent, la femme et l'enfant qu'il y a laissés, que tant de dangers menacent et qui ne seront plus protégés... Peut-être prend-il le ciel à témoin de la lâcheté de cette foule... Peut-être fait-il aux Antous des conjurations pour sa vengeance !

Les spectateurs ne se possèdent plus : ils crient, ils battent des mains, il se frappent les cuisses : c'est un délire !

Antar a disparu...

Mais le spectacle se prolonge au-delà de sa présence. – Voilà l'explication de cette barre de bois de fer, qui reste plantée droite, saillante encore de deux mètres, et qui va doubler la durée des plaisirs de ces spectateurs insatiables. Tant qu'ils l'apercevront, ils pourront suivre la descente de leur victime dans les profondeurs de la tourbe.

Un moment après l'ensevelissement complet du condamné, une secousse de la barre, qui se répète à deux ou

> trois reprises, vient redoubler les clameurs et les trépignements. – Sans doute, il n'était pas mort encore. Familier de la mer, comme s'il eût plongé dans l'eau amère, il avait dû retenir son souffle. La nuit s'était faite à jamais au-dessus de sa tête; il descendait dans les ténèbres sans fin, mais son cœur battait encore : il avait de l'air dans les poumons. La boue noire n'avait pu que l'envelopper; maintenant elle le pénètre, elle fige son sang, elle prend possession de ce corps qui désormais lui appartient. – Une suprême révolte de l'être : les dernières convulsions de l'agonie...
>
> Une bulle d'air soulève la boue : on dirait l'âme immatérielle que la terre n'a pu retenir, – qui se dégage et s'envole...
>
> Tout est fini !
>
> La barre continue à descendre, de ce mouvement persistant, opiniâtre, entêté, qui finit par donner le vertige...
>
> À force de fixer cet homme qui a disparu, cette barre qui descend toujours et va, à son tour, disparaître, – je me vois moi-même attiré d'un mouvement irrésistible.
>
> (SAINT-PAUL LIAS, *Ayora,* p. 200.)

La première fois que j'ai lu cette page, j'ai exprimé toute mon admiration à l'auteur. J'étais persuadé que cette description avait été vue par lui, dans un de ses courageux et si curieux voyages aux Indes. Eh bien, non, l'auteur m'a assuré qu'il avait *tout imaginé,* sujet et détails, et qu'il n'avait jamais rien vu de pareil.

La force de cette description vient donc de l'*évocation* vraie et *réelle.* Je doute qu'on puisse mieux faire, en copiant d'après nature. L'auteur a copié à sa façon ce qu'il s'est figuré, sans phrases, sans fantaisie, sans lyrisme. Ainsi comprise et rendue, la description par *observation* indirecte peut atteindre le même effet que la *description sur place,* ou que la *description de souvenir,* dont nous allons parler.

II – DESCRIPTION DE SOUVENIR

Il y a des esprits qui sont rebelles à la notation immédiate, qui ne savant rien retenir, rien choisir sur le moment, et ne se rappellent qu'après coup la physionomie et les détails. Tout leur revient, sitôt qu'ils n'ont plus les objets sous les yeux.

Que ce soit par nécessité ou par goût, du moment que vous n'êtes plus devant le sujet de votre description, il vous faudra l'évoquer. Vous n'aurez plus la vision immédiate, mais, cette vision immédiate, vous essayerez de la ressusciter par l'évocation et vous ne la peindrez bien que lorsque l'illusion sera complète, c'est-à-dire lorsque vous l'aurez présente à l'imagination et que vous la verrez, pour ainsi dire, *sur place,* avec les yeux de l'esprit. De sorte que c'est encore, par une puissance d'évocation particulière, le même procédé d'exactitude sur le fait que vous emploierez. Les détails que vous n'aurez pas notés instantanément vous reviendront aussi frappants, aussi nets et détachés, avec le relief d'une chose aperçue sur le moment. Certains cerveaux sont des accumulateurs qui emmagasinent et gardent les empreintes.

Voici une description de tempête, de Chateaubriand, qui n'est pas assez citée et qui devrait être célèbre. Nous n'avons pas, dans toute notre littérature française, de pages plus belles. Remarquez que l'auteur n'a pu écrire ce morceau sur place. Quand la vie est en danger, on ne songe pas à prendre un crayon et à ouvrir un carnet. C'est donc après coup et de souvenir que Chateaubriand a écrit, mais l'impression reçue a été si profonde, que l'évocation a la vigueur d'un instantané.

> J'avais passé deux nuits à me promener sur le tillac, au *glapissement des ondes* dans les ténèbres, au *bourdonnenemt du vent* dans les cordages, et sous les *sauts de la mer* qui couvrait et découvrait le pont : c'était tout autour de moi une *émeute de vagues.* Fatigué des chocs et des heurts, à l'entrée de la troisième nuit, je m'allais coucher. Le temps était horrible. Mon hamac craquait et blutait aux coups du flot qui, crevant sur le navire, en disloquait la carcasse. Bientôt j'entends courir d'un bout du pont à l'autre et *tomber des paquets de cordages :* j'éprouve le mouvement que l'on ressent lorsqu'un

vaisseau vire de bord. Le couvercle de l'échelle de l'entrepont s'ouvre : une voix effrayée appelle le capitaine ; cette voix, au milieu de la nuit et de la tempête, avait quelque chose de formidable. Je prête l'oreille, il me semble ouïr des marins discutant sur le gisement d'une terre. Je me jette à bas de mon lit : une vague enfonce le château de poupe, inonde la chambre du capitaine, renverse et roule pêle-mêle tables, lits, coffres, meubles et armes ; je gagne le tillac à demi noyé.

En mettant la tête à l'entrepont, je fus frappé d'un spectacle sublime. Le bâtiment avait essayé de virer de bord ; mais, n'ayant pu y parvenir, il s'était *affalé sous le vent.* À la lueur de la lune *écornée,* qui *émergeait* des nuages pour s'y *replonger* aussitôt, on découvrait, sur les deux bords du navire, à travers une *brume jaune,* des côtes hérissées de rochers. La mer *boursouflait ses flots* comme des monts, dans le canal où nous nous trouvions *engouffrés ;* tantôt ils *s'épanouissaient* en écume et en étincelles ; tantôt ils n'offraient qu'une surface *huileuse et vitreuse,* marbrée de taches noires, cuivrées, verdâtres, selon la couleur des bas-fonds sur lesquels ils *mugissaient.* Pendant deux ou trois minutes, les *vagissements de l'abîme* et ceux du vent étaient confondus ; l'instant d'après on distinguait *le détaler des courants, le sifflement des récifs, la voix de la lame lointaine.* De la concavité du bâtiment sortaient des bruits qui faisaient battre le cœur des plus intrépides matelots. La proue du navire *tranchait la masse épaisse des vagues avec un froissement affreux ;* et, au gouvernail, des torrents d'eau s'écoulaient en tourbillonnant, comme à *l'échappée d'une écluse.* Au milieu de ce fracas rien n'était aussi alarmant qu'un certain murmure sourd *pareil à celui d'un vase qui se remplit...*

Un essai restait à tenter : la sonde ne marquait plus que quatre brasses sur un banc de sable que traversait le chenal ; il était possible que la lame nous fît franchir le banc et nous portât dans une eau profonde : mais qui oserait saisir le gouvernail et se charger du salut commun ? Un faux coup de barre, nous étions perdus... Un matelot de New York s'empare de la place désertée du pilote. Il me semble encore le voir, en chemise, en pantalon de toile, les pieds nus, les cheveux épars et diluviés, tenant le timon dans ses fortes serres, tandis que, la tête tournée, il regardait à la poupe l'onde qui devait nous sauver ou nous perdre. Voici venir cette lame, embrassant la largeur de la passe, *roulant haut sur elle-même,* ainsi qu'une mer *envahissant les flots d'une autre mer ;*

> de grands oiseaux blancs, au vol calme, la précèdent comme des oiseaux de la mort. Le navire touchait et talonnait. Il se fit un silence profond ; tous les visages blêmirent. La houle arrive : au moment où elle nous attaque, le matelot donne le coup de barre ; le vaisseau, près de tomber sur le flanc, présente l'arrière, et la lame, qui paraît nous engloutir, nous soulève. On jette la sonde ; elle rapporte vingt-sept brasses. Un hourrah monte jusqu'au ciel.
>
> (CHATEAUBRIAND, *Mémoires d'outre-tombe.*)

Voilà une page qui peut passer pour le modèle de toute espèce de description. On voit le procédé. Rien ne semble avoir été accordé à l'imagination. On dirait de la photographie. Ce sont des sensations vraies qui se succèdent. Et telle est la force des détails, qu'on dirait qu'il n'y a plus d'images, la métaphore se confond avec l'idée, l'intensité de la vision absorbe tout. On jurerait que l'auteur a noté les choses à mesure qu'elles se produisaient. En évoquant son sujet, l'écrivain l'a fait poser devant lui ; la mémoire physique a été si réelle, que le trompe-l'œil est absolu. Et grâce à la puissance d'imagination personnelle, qui transforme, interprète et traduit à notre insu, chaque sensation est exprimée dans une forme absolument neuve, avec une propriété et un retentissement de mots extraordinaires.

Si on ne copie pas rigoureusement la réalité, soit par évocation, soit par l'observation immédiate, on risque de tomber dans le général, dans le morceau littéraire, dans la composition factice et voulue.

À la place de Chateaubriand, un Saint-Lambert ou un Delille, peignant la même tempête, aurait décrit « une tempête » quelconque, comme on décrit un lever de soleil, une bataille, un tremblement de terre, une peste.

Au contraire, la tempête de Chateaubriand est la sienne et non pas une autre. Elle ne ressemble pas à celles que vous avez lues, parce qu'il n'a dit que ce qu'il avait senti lui-même. Il n'y a rien ajouté par fantaisie ; il n'y a mis aucun de ces traits qu'on lit ailleurs et qui rappellent le *morceau.* Tout y est particularisé, avec la technicité d'un procès-verbal, parce que tout a été vécu.

Comme les réalistes ont appliqué cette méthode et ne s'en sont servis que pour peindre exclusivement le trivial, le bas et le répugnant, on confond ce procédé avec leur école, et on nous accusera d'être réaliste. On nous dira : « Vous conseillez la photographie matérielle. Mais que devient l'imagination, la fantaisie, la moralité, le bon et le beau ? »

Nous répondrons : ce qui est blâmable, c'est le choix du sujet, le parti pris de ne traiter que le mauvais et le vulgaire. Décrivez ce qui est *bon,* ce qui est *beau,* ce qui est *moral,* ce qui est *élevé et noble ! mais décrivez cela avec ce sens du réel* et du *vrai* en dehors duquel rien n'est durable.

Une description ne doit *jamais paraître imaginée.* Voilà le grand principe.

Mettez-y votre cœur, vos élans, vos réflexions morales, vos aspirations imaginatives ; réhabilitez l'idéal, peignez la vertu, méprisez la bassesse et le vice ; mais soyez fidèle à cet art de décrire exactement, photographiquement et en relief, qui fait de *Paul et Virginie* un chef-d'œuvre de vérité, et un livre magnifiquement idéal.

Deux écueils surtout sont à éviter dans la description : la *banalité* et la *fantaisie.*

Nous ne parlerons plus de banalité. On n'a qu'à se reporter à certaines pages de ce livre pour apprendre à fuir le style qui ne *montre rien.* On est banal quand on ne dit que ce qui a été dit, quand on ne montre que des détails ordinaires, comme dans ce portrait :

> Elle était belle, mais, quoique blonde et blanche, d'une beauté moins faite pour inspirer l'amour que le respect. Ses cheveux, d'une rare magnificence, couronnaient un front droit et ferme. Le nez était aquilin et fier, le regard impérieux et hautain, la bouche facilement dédaigneuse. Sans manquer d'élégance, sa taille n'avait rien des formes éthérées...
>
> (JULES SANDEAU.)

Ce sont là des descriptions de passeport, des signalements insignifiants. C'est être absolument banal que de dire d'une femme qu'elle est belle, blonde et blanche, que sa beauté inspire le respect, que ses cheveux sont magnifiques, son front droit et ferme, son regard impérieux et hautain, sa bouche dédaigneuse, etc.

Le second écueil c'est la fantaisie, ou plutôt l'*excès dans la fantaisie.*

L'imagination est une folle, il faut la guider, la tenir, s'en servir comme d'un instrument, mais non l'employer pour elle-même, en faisant d'elle le but de l'inspiration et de l'art d'écrire. Si on ne la dirige pas, on s'habitue à n'écouter qu'elle, on écrit de *chic,* on se laisse aller, on fait du feu d'artifice, on brode, on découpe, on parade, on veut éblouir et on s'éblouit. On fait, en un mot, de *la fantaisie ;* et, pour vouloir briller dans la description, on ne parvient même pas à montrer ce que l'on décrit.

Lisez ce portrait de femme, fait par un écrivain roi de la fantaisie et de la verve :

> Elle était brune, brune de cheveux, jusqu'au noir le plus jais, le plus beau miroir d'ébène que j'aie jamais vu reluire sur la voluptueuse convexité lustrée d'une tête de femme ; mais elle était blonde de teint, et c'est au teint, et non aux cheveux, qu'il faut juger si on est brune ou blonde... Elle avait les cheveux de la nuit, mais sur le visage de l'Aurore, car son visage resplendissait de cette fraîcheur incarnadine éblouissante et rare, qui avait résisté à tout dans cette vie nocturne de Paris dont elle vivait depuis des années et qui brûle tant de roses à la flamme de ses candélabres. Il semblait que les siennes s'y fussent seulement embrasées, tant sur ses joues et sur ses lèvres le carmin en était presque lumineux ! Leur double éclat s'accordait bien, du reste, avec le rubis qu'elle portait habituellement sur le front ; car dans ce temps-là, on se coiffait en ferronnière, ce qui faisait dans son visage, avec ses deux yeux incendiaires dont la flamme empêchait de voir la couleur, comme un triangle de trois rubis. Élancée, mais robuste, majestueuse même, taillée pour être la femme d'un colonel de cuirassiers, elle avait, toute grande dame qu'elle fût, la santé d'une paysanne qui

> boit du soleil par la peau, et elle avait aussi l'ardeur de ce soleil bu, autant dans l'âme que dans les veines...
> (BARBEY D'AUREVILLY, *Les Diaboliques.*)

Ceci n'est pas du banal, c'est de la fantaisie ; l'on ne *voit* rien. Pure ornementation littéraire, arabesque amusante, démangeaison de style, description arborescente, virtuosité et feu d'artifice.

Ces *miroirs,* ces *jais,* ces *ébènes,* ces *convexités lustrées,* ces *nuits,* ces *Aurores,* ces *fraîcheurs incarnadines,* ces *roses brûlées,* ces *carmins lumineux,* ces *yeux incendiaires,* ces *rubis,* ces *ardeurs de soleil bu,* etc., tout cela ne peint ni une femme, ni une personne, ni un type.

Et pourtant Barbey d'Aurevilly est un écrivain ; il a la fièvre, le mot, le choc, l'étincelle, l'expression attirante, la séduction du style, un style efflorescent, érubescent, tailladé, drapé, éclatant, insolent, tourbillonnant et criard. Mais chez lui tout vient de l'imagination, de la *fantaisie* et du caprice.

Lisons encore ce portrait :

> Son front régulier, mais bas, avait de l'audace. Sa lèvre rasée était d'une immobilité à désespérer Lavater et tous ceux qui croient que le secret de la nature d'un homme est mieux écrit dans les lignes mobiles de sa bouche que dans l'expression de ses yeux. Quand il souriait, son regard ne souriait pas, et il montrait des dents d'un émail de perles, comme ces Anglais, fils de la mer, en ont parfois pour les perdre ou les noircir, à la chinoise, dans les flots de leur affreux thé. Son visage était long, creusé aux joues, d'une certaine couleur olive, qui lui était naturelle, mais chaudement hâlé par-dessus, des rayons d'un soleil qui, pour l'avoir si bien mordu, n'avait pas dû être le soleil émoussé de la vaporeuse Angleterre.
> (BARBEY D'AUREVILLY, *Les Diaboliques.*)

De pareilles descriptions ne sont qu'une agitation de mots remués comme un miroir d'alouettes. C'est parler beaucoup pour dire peu, et même pour ne rien dire. Il n'y a personne sous ces lignes ; on n'aperçoit pas de figure. C'est de la fantaisie à propos des traits d'un visage.

Nous avons cité Barbey d'Aurevilly, parce qu'il incarne toute une école de description fantaisiste. Si Homère eût employé ce procédé, ses œuvres auraient tenu cent volumes et ne seraient pas venues jusqu'à nous. La broderie vaporeuse se serait dissipée en route.

Qu'on juge ce que la *fantaisie* peut inspirer aux disciples, quand les maîtres en abusent à ce point.

Évitez donc à tout prix ce genre de description, évitez-le parce qu'elle a tous les défauts de l'imagination et pas une de ses qualités.

La vérité n'est pas là, le droit chemin de l'art est dans Homère et dans ceux qu'a immortalisés le procédé différent. Joueurs de flûte, embrouilleurs de mots, jongleurs lyriques et coloristes, exécuteurs de variations séduisantes, ce n'est ni avec de l'esprit ni avec de la fantaisie qu'on fait de la description vivante.

C'est un danger quelquefois que d'écrire trop facilement. On ne sait plus s'arrêter, on veut mettre de la poésie partout, on poursuit des papillons, on poudre son style.

J'ai, par exemple, à parler d'un joli teint de visage, et j'improvise ceci :

> Elle avait la peau transparente et rose, de ce rose de fleur fraîche éclose où l'âme, comme une haleine de printemps, souffle sa fraîcheur embaumée. C'était le ton mat des lis, des beaux lis penchés, quand le jour a essuyé leurs larmes d'or; une blancheur où le carmin des roses de mai se mêlerait en douceur fondue; il y avait de la transparence et de la matité, de la neige pourprée de soleil mourant, etc.

On peut continuer indéfiniment sur ce ton et faire mille descriptions de ce genre; au bout du compte, j'aurais broyé de la couleur, j'aurais fait de la poésie sur palette, mais je n'aurais rien montré, rien créé, rien fait voir.

Bien des écrivains accumulent ainsi des phrases sur chaque trait d'un visage, sur chaque détail d'un caractère.

> Ses yeux avaient cette fixité du regard qui dénote la pensée profonde, l'énergie intérieure. Ils étaient noirs, de ce noir qui absorbe l'éclat, le noir de l'ébène dans l'ombre, le jais, etc., la teinte, le corbeau, la dilatation des pupilles, clarté irradiée quand ils sourient... l'eau vue la nuit, étoiles noyées, etc.

L'abus de la fantaisie a souvent inspiré des puérilités à de bons écrivains, comme Chateaubriand décrivant le nez du père Aubry, ce nez qui « s'inclinait vers la tombe !... » (*Atala,* 1re édition.)

On remplirait des volumes avec les bizarreries fantaisistes de Victor Hugo et de Saint-Amand.

Un écrivain aimé de Rousseau, croyait être touchant en écrivant ceci :

> Je vois avec plaisir ma barbe grise flotter en ondes blanchâtres sur ma poitrine et rendre témoignage de la constante bonté des dieux. Doux zéphirs qui voltigez autour de moi, ne dédaignez pas de vous jouer dans les replis argentés que ma barbe forme sous mon menton.
>
> (GESSNER.)

Chez les imitateurs, la description de fantaisie arrive à n'être plus que de l'image papillotante. On pique un trait sur chaque idée, et on tombe dans le mauvais goût, en se croyant original et varié.

Ainsi, cette description, prise chez un écrivain connu :

> La mer souriait encore au soleil disparu. La grande indolente s'enlaçait amoureusement aux rochers, repliée dans les anses, offrant son miroir aux pins penchés sur elle. Le sentier qui descendait vers les flots contournait la colline, se cachait un moment, reparaissait plus loin, jouait coquettement en circuits imprévus, le long des pins toujours verts, qui lui faisaient cortège de place en place et que la brise balançait, comme un salut monotone devant la nature. La nuit était venue. La coupole infinie du ciel brodait d'étoiles son voile bleu, diamants lointains que piquait çà et là la perle blanche d'une planète. Au couchant, les collines loin-

> taines, barrière idéale, gardaient l'horizon de la terre, évaporant ses parfums comme une bouche embaumée qui s'endort. Et cette heure avait une lenteur exquise, en ces ténèbres alanguies où s'apaisait le bercement de la vague, en de mols apaisements sans fin, etc.

Tout cela ne montre pas grand-chose. Rien n'est vivant; ce sont des fleurs, de la verroterie, du clinquant, du panache, des grelots attachés aux mots et qu'on secoue pour les badauds, du bariolage insignifiant, de la mauvaise littérature qu'il faut se garder d'imiter. Je puis le dire sans crainte, puisque c'est moi encore et non pas un écrivain connu, qui viens d'improviser ce morceau.

On aimera toujours mieux les sensations simples, sobres, choisies, limitées.

Une jeune fille en larmes :

> Ses regards brillaient comme des flammes sous l'onde.
> (FLAUBERT.)

Vingt lignes fantaisistes sur la pluie ne nous donneront pas une sensation aussi forte que cette image :

> Je m'endormis, au grignotement de la pluie sur la capote de ma calèche.
> (CHATEAUBRIAND.)

Aucune page à la Barbey d'Aurevilly ne vaudra cette comparaison sur la lune :

> Pareille à un grand morceau de glace, plein d'une lumière immobile.
> (G. FLAUBERT.)

Et ceci encore :

> C'est une grande brune avec des yeux énormes, des yeux noirs, tout noirs, et qui brûlent; elle les fait aller, comme je fais aller, dans l'étude, un miroir cassé, pour jeter des

éclairs ; ils roulent dans les coins, remontent au ciel et vous prennent avec eux.

(JULES VALLÈS, *L'Enfant.*).

On reproche à la description en relief de mettre tout au premier plan, de n'avoir pas de perspective. C'est le défaut d'Homère (si c'en est un). Homère a toujours fait du bas-relief. Mieux vaut tomber dans cet inconvénient que de décrire longuement. La description longue noie les choses, au lieu de les mettre en saillie.

Tout l'art est dans la sobriété et l'énergie.

Le secret d'ennuyer est celui de tout dire.

(VOLTAIRE.)

Évitez la profusion et la fatigue, si justement critiquées par Boileau :

Je saute vingt feuillets pour en trouver la fin,
Et je me sauve à peine au milieu du jardin,
Fuyez de ces auteurs l'abondance stérile,
Et ne vous chargez pas d'un détail inutile.
Tout ce qu'on dit de trop est fade et rebutant...
Qui ne sait se borner ne sut jamais écrire.

Il suffit aux vrais grands maîtres d'un coup de pinceau, *de quelques traits* artistement choisis, pour peindre vivement les objets et les mettre devant nos yeux. Voyez la peinture du *chat* et du *coq,* par le *souriceau* de La Fontaine :

L'un doux, bénin et gracieux.
Il est velouté comme nous,
Marqueté, longue queue, une humble contenance,
Un modeste regard, et pourtant l'œil luisant.

Puis, le coq :

Et l'autre turbulent et plein d'inquiétude.
Il a la voix perçante et rude,
Sur la tête un morceau de chair,
Une sorte de bras dont il s'élève en l'air
Comme pour prendre sa volée,
La queue en panache étalée.

Les rogations :

Les cloches du hameau se font entendre, les villageois quittent leurs travaux, le vigneron *descend de la colline,* le laboureur accourt de la plaine, le bûcheron sort de la forêt, les mères, *fermant leurs cabanes,* arrivent avec leurs enfants, et les jeunes filles *laissent leurs fuseaux,* leurs brebis *et les fontaines* pour assister à la fête.

Mais, dira-t-on, Homère lui-même est tombé dans la prolixité, il a des énumérations fatigantes, des redites ennuyeuses, des comparaisons à « longues queues », comme les appelait Perrault. Sans doute ; mais c'est en ce qu'il a de bon qu'il faut lui ressembler, et ne pas suivre l'exemple de Chateaubriand, qui a parfois maladroitement imité Homère dans ses *Martyrs,* entre autres dans le passage suivant : (combat des Francs et des Romains).

La cavalerie romaine s'ébranle pour enfoncer les Barbares. Clodion se précipite à sa rencontre. Le roi chevelu pressait une cavale stérile, moitié blanche, moitié noire, élevée parmi des troupeaux de rennes et de chevreuils, dans les haras de Pharamond : *les Barbares prétendaient qu'elle était de la race de Rinfax, cheval de la Nuit à la crinière gelée, et de Siknfax, cheval du Jour à la crinière lumineuse. Lorsque pendant l'hiver elle emportait son maître sur un char d'écorce, sans essieu et sans roue, jamais ses pieds ne s'enfonçaient dans les frimas ; et, plus légère que la feuille de bouleau roulée par le vent, elle effleurait à peine la cime des neiges nouvellement tombées.* Un combat violent s'engage entre les cavaliers sur les ailes des deux armées, etc.

Cette généalogie du cheval de Clodion arrête la marche du récit, auquel elle ne tient pas, et le fait perdre de vue.

À notre époque, on a abusé de la description, qui est en train de mourir dans l'afféterie alambiquée, comme elle mourut de fadeur et de banalité, au XVIIIe siècle, après Saint-Lambert, Roucher et Delille. Ce genre a persisté en prose et, dans la dernière moitié de ce siècle, il a sévi avec rage. M. Zola s'en est fait une spécialité.

Évitez cet abus. Surtout ne plaquez pas vos descriptions, c'est-à-dire ne faites pas des morceaux séparés, placés de parti pris à tel ou tel endroit, comme fait encore M. Zola. Tâchez, au contraire, que vos descriptions ne soient jamais longues ; qu'elles pénètrent la trame des faits ; qu'elles fassent corps avec le reste ; qu'elles soient partout et nulle part, perdues en quelque sorte dans la substance de l'œuvre, comme les nerfs dans la chair. Alphonse Daudet a eu ce rare mérite. Ses *Lettres de mon moulin,* ses *Contes* et l'*Évangéliste* sont des modèles de fusion descriptive.

La description continue ne peut s'admettre que dans les récits de voyage, comme l'*Été dans le Sahara* de Fromentin, le *Désert* de Loti, etc.

DIX-SEPTIÈME LEÇON

LES IMAGES

LES IMAGES — NÉCESSITÉ DES IMAGES — CE QUE C'EST QU'UNE IMAGE — C'EST UNE SENSATION VRAIE — IMAGES FORCÉES — LES SURCHARGES D'IMAGES — IMAGES PRÉCIEUSES ET BOURSOUFLÉES — IMAGES TROP SUIVIES — LE GOÛT EST LA MESURE DES IMAGES — LES IMAGES SONT LA MAGIE DU STYLE

Comme nous l'avons dit, nous laisserons de côté l'examen des figures de mots et des figures de pensée. Le lecteur trouvera dans les manuels de littérature les plus abondants détails sur la signification et la valeur des *tropes,* soigneusement catalogués, classés, circonstanciés, selon le procédé des anciennes méthodes littéraires. On n'a qu'à ouvrir le premier recueil venu pour savoir ce que c'est que la *prosopopée, l'exclamation, l'apostrophe, la réticence, la prétérition, l'interrogation, la gradation, l'antithèse, l'épiphonème, la litote, l'hyperbole, la syllepse, l'antonomase, le pléonasme, l'allégorie, la catachrèse, la synecdoque.*

Tout cela est sans importance.

Nous ne parlerons que des *métaphores* ou plutôt des *images,* car la métaphore est toujours une image.

La *métaphore consiste à transporter un mot de sa signification propre à quelque autre signification, en vertu d'une comparaison qui se fait dans l'esprit et qu'on n'indique pas.* C'est une transposition par comparaison instantanée.

Si vous dites en parlant de Condé : *ce lion s'élance,* vous faites une métaphore. Mais dites ensuite : *Condé s'élance comme un lion,* vous faites une comparaison.

Quand le prophète-roi dit au Seigneur : *votre parole est une lampe devant mes pas,* il fait une métaphore ; s'il avait dit : *votre parole éclaire mes pas comme une lampe de sa lumière,* il aurait exprimé la comparaison, et il n'y aurait point eu de figure.

La métaphore est une image résultant d'une comparaison sous-entendue. Mais une image n'est pas toujours une métaphore.

L'image est une manière forte d'écrire, *une façon de rendre un objet plus sensible.*

Quand Bossuet dit que les hommes « allaient s'enfonçant dans l'iniquité », il ne fait pas une comparaison, il dit d'une façon plus forte, imagée, que les hommes devenaient de jour en jour plus méchants. Il peint l'iniquité comme un gouffre où l'homme descend par degrés.

Au contraire, ce vers de Delavigne :

> La vie est un combat dont la palme est aux cieux

est une image qui renferme une comparaison.

> Sa voix redoutable
> Trouble les enfers.
> Un bruit formidable
> Gronde dans les airs.
> La terre tremblante
> Frémit de terreur;
> La lune sanglante
> Recule d'horreur.

Ces vers de J.-B. Rousseau offrent des images qui ne sont pas des métaphores.

La *métaphore* fait partie du style même. Elle est inhérente non seulement au style, mais à la langue. On ne peut écrire sans en faire; on en fait à chaque instant en parlant.

> *Bouillants de colère, voler au combat, aborder froidement, parler avec sécheresse,* planter un drapeau, la *pénétration* de l'esprit, la *rapidité* de la pensée, la *chaleur* du sentiment, la *dureté* de l'âme, l'*aveuglement* du cœur, le *torrent* des passions. Le *feu* de la jeunesse, le *printemps* de la vie, la *fleur* de l'âge, les *glaces* de

> la vieillesse, l'*hiver* de la vie, le *poids* des années. *Enivré* de gloire, *glacé* d'effroi, *bercé* d'espoir, *ballotté* de crainte, etc.

Ce sont là autant de métaphores plus ou moins heureuses.

Ce sont là aussi autant d'images. C'est dans les métaphores et, pour simplifier, dans les images, que réside la grande force du style.

Au lieu de dire que Dieu soutiendra une personne faible et malheureuse, Voltaire dit dans *Zaïre :*

> Le Dieu qui rend la force aux plus faibles courages,
> Soutiendra *ce roseau plié par les orages.*

Cette idée : *je meurs avant le temps,* s'embellit d'une riche métaphore dans ce vers de M. de Lamartine :

> La *coupe* de mes jours *s'est brisée* encor *pleine.*

Au lieu de dire : *empêcher la destruction de la race de David,* Racine dit :

> Et de *David éteint rallumer le flambeau.*

La science d'écrire ne consiste pas toute dans l'image ; mais la magie du style, sa couleur, son éclat, son effet, sa vie sont certainement dans l'image.

Nous parlerons donc des images dénominatives sous laquelle sont comprises les métaphores.

Il ne faut pas abuser des métaphores, parce qu'à la longue elles fatiguent, comme une ornementation surchargée ; mais il ne faut pas craindre de multiplier les images. Suivez le conseil de Buffon, qui a été jusqu'à dire, à propos du style : « Que chaque pensée soit une image. »

Il y a des *métaphores hardies,* celles qui sont tirées d'objets trop peu semblables à ceux qu'on veut exprimer, comme si l'on appelait le tonnerre la *trompette du ciel.* On ne peut faire passer de pareilles métaphores qu'à l'aide d'un *pour ainsi dire* ou de quelque autre tournure :

> ... Les soins ne purent faire
> Qu'elle échappât au temps, cet insigne larron ;
> Les ruines d'une maison
> Se peuvent réparer. Que n'est cet avantage
> Pour les *ruines du visage !*
>
> (La Fontaine.)

Évitez les images (images ou métaphores) :

1° Quand elles sont forcées, prises de trop loin, et dont le rapport n'est point assez naturel, ni la comparaison assez sensible. C'est ainsi qu'un poète appelle les gazons *les cheveux de Cérès.*

2° Quand elles sont tirées d'objets bas et dégoûtants. C'est ainsi que Tertullien dit en parlant du déluge universel :

> Le déluge fut la *lessive* générale de la nature ;

et Benserade :

> Dieu *lava* bien la *tête* à son image.

3° Quand les termes métaphoriques, dont l'un est dit de l'autre, excitent des idées qui ne peuvent être liées. Telle est cette métaphore de Malherbe :

> Prends *ta foudre,* Louis, et va *comme un lion*
> Porter le dernier coup à la *dernière tête*
> De la rébellion.

Louis se trouve successivement comparé à Jupiter maître de la foudre, à un lion, et à Hercule terrassant l'hydre de Lerne.

Rousseau a commis la même faute dans la strophe suivante :

L'hiver, qui si longtemps a fait blanchir nos plaines,
N'enchaîne plus le cours des paisibles ruisseaux ;
Et les jeunes zéphirs, de leurs chaudes baleines,
Ont *fondu l'écorce* des eaux.

Fondre se dit de la glace ou du métal ; on ne peut donc pas dire, même au figuré, *fondre l'écorce*. D'ailleurs *l'écorce des eaux* pour la *glace* est une métaphore peu naturelle.

Évitez toutes les images forcées, brutales de forme, comme Victor Hugo voulant peindre la blancheur d'un teint de jeune fille.

Cet enfant avait l'air dans la neige pétri.

C'est là un exemple d'une image admissible, gâtée par l'expression.

L'*allégorie* n'est souvent qu'une métaphore continuée par une suite de traits, qui doivent commencer et finir avec la phrase, comme dans cette phrase de Bossuet :

> Cette jeune plante, ainsi arrosée des eaux du ciel, ne fut pas longtemps sans porter des fruits.

C'est l'imagination qui fait trouver les images. Or, l'imagination est facilement déréglée ; et, si on se laisse entraîner, on émaillera son style d'une ornementation à outrance, voisine du grotesque et de l'incohérent.

> Il nous advint un jour, dit Alphonse Karr, de prier un de nos amis de peindre sous notre dictée un portrait de femme ; et, prenant un livre dont nous ne nous soucions pas de nommer l'auteur, nous lûmes : « Elle avait un front d'ivoire, des yeux de saphir, des sourcils et des cheveux d'ébène, des joues de rose, une bouche de corail, des dents de perle et un cou de cygne. » Eh bien ! tout cela formait la chose la plus hideuse du monde.

Andrieux a dit :

> Il y aurait un défaut de goût à surcharger une étoffe de broderie, à couvrir un portique de bas-reliefs et de moulures; les ornements doivent toujours être subordonnés au fond.

Un rhéteur de l'Antiquité, Quintilien, appelait les figures les *yeux mêmes du discours;* mais demandait, en continuant sa comparaison, que ces yeux ne fussent point placés çà et là, par tout le corps.

Alphonse Karr a raison. La profusion des images outrées ou hasardeuses déforme la vision, fausse la couleur et déplaît au goût. On tombe vite dans le bizarre quand on poursuit l'originalité.

C'est forcer une image que de dire :

> Il s'enfonce dans les sombres cavernes du crime.

C'est être trivial que de nous peindre :

> Jupiter crachant la neige sur les Alpes.

On arrive, dans ce genre, aux phrases célèbres :

> Le char de l'État navigue sur un volcan.
> Les questions brûlantes qui reviennent sur l'eau.

Il y a un livre de Victor Hugo où fourmille un dévergondage d'images excentriques et drôlatiques. C'est la *Chanson des rues et des bois.* On verra là à presque toutes les pages à quels excès peut arriver l'imagination débridée et sans frein, lâchée dans la fantaisie.

Le danger de la fantaisie, en matière d'images, est de tomber dans la préciosité ou la fadeur.

Delille traduit ainsi un vers de Virgile :

> Et Mars forge ses dards des armes de Cérès.

« Il neige des papillons », a écrit Victor Hugo, plus heureux lorsqu'il compare les arbres en fleurs à la « neige odorante du printemps », mais en veine de mauvais goût lorsqu'il met en scène des frères qui assassinent leur sœur, coupable d'avoir ôté son voile.

ELLE
Sur mes yeux...
S'étend un voile de trépas
EUX
C'en est un que du moins tu ne lèveras pas.

Il parle ailleurs de « la toux lugubre » des volcans, du « bâillement noir de l'Etna ».

Ailleurs, ce sont les soldats d'une compagnie qui ont perdu leur capitaine, mort dans la bataille, et qui, songeant à lui, par une belle nuit claire, croient revoir, en apercevant le croissant de la lune, le « hausse-col du capitaine ».

La préciosité et l'affectation des images sont insupportables. Tout esprit raisonnable doit les fuir. Molière nous a conservé de jolis exemples de ce jargon :

Voiturez-nous les commodités de la conversation, pour : approchez des fauteuils.

Contentez l'envie que ce fauteuil a de vous embrasser, pour : asseyez-vous.

Le conseiller des grâces, pour : un miroir.

La Motte appelle une haie : le *Suisse d'un jardin.*

Le P. Lemoine, décrivant la descente de l'armée française devant Damiette, peint ainsi le courage avec lequel Saint Louis se jeta dans le Nil :

Louis impatient saute de son vaisseau ;
Le beau *feu* de son cœur lui fait mépriser l'*eau.*

Rien n'est plus puéril que cette opposition du *feu* et de l'*eau.*

Racine lui-même n'a pas échappé à l'image affectée, quand il a fait dire à Pyrrhus :

> Brûlé de plus de feux que je n'en allumai.

Balzac écrivait à un homme affligé :

> Votre éloquence rend votre douleur contagieuse, et quelle *glace* ne fondrait à la *chaleur* de vos belles larmes ?

Un poète dit à la Vierge Marie :

> Tes larmes éteindraient tout le feu des enfers.

Rien n'est plus commun de nos jours que ces rapprochements forcés.

Il est difficile de n'être pas choqué de la métaphore qui termine cette strophe de Victor Hugo :

> Et, comme aux deux flancs d'un navire,
> Il faut que Dieu, de tous compris,
> Pour fendre la foule insensée,
> *Aux deux côtés de la pensée*
> *Fasse ramer de grands esprits.*

Nicole a dit : *l'orgueil est une enflure du cœur,* « L'expression est juste, ajoute Condillac, parce que le cœur est regardé comme le siège de l'orgueil, et qu'une enflure n'a que l'apparence de l'embonpoint. Mme de Sévigné fut d'abord choquée de cette métaphore : à la vérité elle s'y accoutuma dans la suite, et elle la trouva bonne. Je conjecture que son dégoût venait du rapport qu'a l'*enflure du cœur* avec *avoir le cœur gros,* expression populaire qui signifie être prêt à répandre des larmes. »

Il ne faut pas être arrêté par de pareils scrupules, Racine a dit, et fort bien :

> Le cœur gros de soupirs qu'il n'a point écoutés.

Voici maintenant une métaphore qui a été admirée par les rhéteurs des siècles classiques, comme un exemple de figure soutenue :

> Ô Dieu ! qu'est-ce donc que l'homme ? est-ce un prodige ? est-ce un assemblage monstrueux de choses incompatibles ? est-ce une énigme inexplicable, ou bien n'est-ce pas plutôt, si je puis parler de la sorte, un reste de lui-même ; une ombre de ce qu'il était dans son origine ; un édifice ruiné, qui, dans ses masures renversées, conserve encore quelque chose de la beauté et de la grandeur de sa première forme ? Il est tombé en ruine par sa volonté dépravée ; le comble est abattu sur les murailles, et sur le fondement : mais qu'on remue ces ruines, on trouvera dans les restes de ce bâtiment renversé, et les traces des fondations, et l'idée du premier dessin, et la marque de l'architecte.

À notre humble avis, une pareille image si longuement soutenue, détruit même et empêche de voir l'objet que l'on veut peindre. On finit par ne plus savoir s'il s'agit de l'homme ou d'une vieille bâtisse : on n'aperçoit que des décombres matériels, un aspect de choses physiques qui fait oublier l'idée principale [1].

Voici une image qu'on a critiquée :

> Tantôt, il s'oppose à la jonction de tant de secours amassés et rompt le cours de tous ces torrents qui auraient inondé la France. Tantôt, il *les défait et les dissipe* par des combats réitérés. Tantôt, il les *repousse au-delà des rivières.*

On ne défait pas, dit-on, les torrents et on ne les repousse pas au-delà des rivières.

Les règles littéraires se sont bien détendues depuis cinquante ans, et on apporte de nos jours beaucoup moins de rigueur en fait d'images et de métaphores. Malgré l'avis de Condillac, défendant de rien ajouter qui ne soit dans l'analogie de la première image, on pourrait citer bien des

1. Il faut que les images et les métaphores *se suivent ;* mais si elles persistent trop longtemps, elles produisent l'effet contraire : l'idée disparaît dans la comparaison.

exemples de métaphores qui s'enjambent et ne sont pas toujours logiquement suivies.

> Assur, dit Bossuet paraphrasant le prophète, s'est élevé comme un grand arbre ; le ciel l'a nourri de sa rosée, la terre l'a engraissé de sa substance ; *les puissances l'ont comblé de leurs bienfaits.*

Voilà une comparaison trop suivie qui finit par déborder l'idée et l'envelopper. Pas d'excès rigoriste. Le talent peut tout sauver.

L'image trop longuement et trop fidèlement poursuivie a été ridiculisée par Molière dans ses *Femmes savantes :*

PHILAMINTE
Servez-nous promptement votre aimable *repas.*
TRISSOTIN
Pour cette grande *faim* qu'à mes yeux on expose,
Un *plat* seul de huit vers me semble peu de chose,
Et je pense qu'ici je ne ferai pas mal
De joindre à l'épigramme ou bien au madrigal
Le *ragoût* d'un sonnet, qui chez une princesse
A passé pour avoir quelque délicatesse.

Les images sont comme ces météores qui embellissent les nuits d'été et rayent les beaux ciels purs : elles doivent être nombreuses, briller, et s'éteindre vite.

Par contre, il y a des images que les classiques ont eu grand tort de condamner.

Dans *Hernani* de Victor Hugo, dona Sol dit à Hernani :

> Vous êtes mon lion superbe et généreux,

ce qui exaspéra, on le sait, les amateurs de l'ancienne tragédie.

Cependant ce mot se trouve, non seulement dans Malherbe :

> Prends ta foudre, Louis, et va comme un lion...

mais il est précisément dans une tragédie de Racine dans la prière que dit Esther, avant de voir Assuérus :

> ... Accompagne mes pas
> Devant ce *fier lion* qui ne te connaît pas ;
> Commande en me voyant que son courroux s'apaise.
> (ESTHER, acte I, scène IV.)

Par la métaphore ou l'image, on donne un corps et des couleurs aux choses les plus abstraites, et on présente les objets sensibles sous les traits les plus énergiques ou les plus gracieux. La métaphore personnifie les passions, prête de la réflexion aux animaux, donne le sentiment et l'action aux choses inanimées.

> Le flot qui l'apporta recule épouvanté.
> (RACINE.)

La clarté et la vérité des images dépendent du plus ou moins de rapports qui existent entre un sentiment ou une idée et l'objet physique auquel on les compare. Si, par exemple, le génie ou l'éloquence d'un orateur débrouillent dans mon entendement le chaos de mes pensées et en dissipent l'obscurité, je me rappelle que le soleil produit le même effet sur la nature, et je dis de cet orateur que c'est un génie *lumineux*.

Au contraire, quand Victor Hugo nous peint dans ses vers :

> Napoléon qui va *glanant tous les canons,*

l'image rabaisse l'idée et, à force de rester en dessous, produit presque un contresens.

Une image est forte quand elle renferme à la fois une image et une métaphore. On demandait à Agésilas pourquoi Lacédémone n'avait point de murailles :

Voilà, dit-il, en montrant ses soldats, *les murailles de Lacédémone.*

Nous l'avons dit, la magie d'un style est dans les images. La poésie surtout vit d'images; on ne la conçoit guère sans cela. Cependant Molière en a peu, bien que Racine [1], qui n'a fait aussi que du théâtre, en ait davantage et que Shakespeare en fourmille. Victor Hugo a été le roi de l'image, et M. Sully-Prudhomme n'en a presque point. Boileau n'en a pas [2]. De sorte qu'on a divisé peut-être injustement les poètes en poètes proprement dits et en versificateurs. Pascal lui-même, prosateur profond plutôt que coloré, a trouvé des images saisissantes, lorsqu'il a comparé l'homme à un « roseau pensant » et qu'il dit ailleurs : « Le silence des espaces infinis m'effraye »; et ailleurs : « Les rivières sont des chemins qui marchent. »

1. Il a des vers comme ceux-ci, qui ravissaient Théophile Gautier :

> Dans l'Orient désert quel devint mon ennui !...
> La fille de Minos et de Pasiphaé...

2. Boileau a pourtant fait des vers d'images :

> Soupire, étend les bras, ferme l'œil et s'endort...
> Les cloches dans les airs, de leurs voix argentines,
> Appelaient à grand bruit les chantres à matines.

Il a des vers sans images qui valent les plus belles images, comme celui-ci :

> Le vers se sent toujours des bassesses du cœur.

DIX-HUITIÈME LEÇON

LA CRÉATION DES IMAGES

La création des images — Comment on trouve et comment on crée des images — Images de fantaisie — Images vraies

Nous sommes aujourd'hui tellement habitués à la nécessité des images dans le style, qu'on ne peut plus s'en passer et que l'excès même ne nous déplaît pas. L'imagination a été émancipée; on a dépassé toute limite, on n'y regarde pas à la qualité. On accepte tout, on admire tout, pourvu que ce soit une image. Les puérilités que Boileau signalait chez Saint-Amand sont saluées comme des fantaisies de génie chez nos écrivains contemporains. Le manque de goût nous a précipités dans ce qu'on pourrait appeler l'anarchie de l'imagination. On n'a qu'à consulter deux volumes de Victor Hugo, l'un en vers dont nous avons déjà parlé : *Les Chansons des rues et des bois,* l'autre en prose, intitulé *William Shakespeare.* Tous les deux sont typiques et révèlent l'état d'âme littéraire et imaginatif de notre époque.

Cela n'empêche pas que la lecture de Victor Hugo ne soit infiniment profitable pour l'étude et la création des images.

Comment arrive-t-on à trouver des images, et à les rendre saillantes quand elles ne le sont pas ? Nous allons voir que le travail et la refonte sont les deux moyens, après le génie naturel, qui les font découvrir.

La première condition de l'image est, comme pour le style, d'être neuve, en relief, originale, créée, saisissante.

Il faut éviter à tout prix d'employer des images usées qui ont servi à tout le monde comme : le *poison de la flatterie,* le *brandon de la discorde,* le *flambeau de la sédition,* le *torrent de la démocratie,* la *hache du despotisme,* le *bandeau de la superstition,* les *ténèbres de l'ignorance,* le *glaive de la loi,* la *balance de la justice,* l'*hermine du magistrat,* l'*aigle de Meaux,* le *cygne de Cambrai,* la *perfide Albion,* la *moderne Babylone,* l'*Athènes de la Champagne* ou l'*Athènes du Midi,* l'*esclavage* ou la *tyrannie des passions,* les *foudres de l'éloquence* ou *de la vengeance divine.*

En d'autres termes, il faut renouveler les images ; sans cela le style n'est plus que le « vestiaire d'une rhétorique tombée en loques, à force d'avoir servi à tout le monde ».

J. Barbey d'Aurevilly qui eut, lui, le don de l'image éblouissante et fantaisiste, reproche à George Sand de n'avoir écrit qu'avec des images surannées, et il note, dans les *Lettres à Marcie* de l'auteur d'*Indiana,* ce genre d'images, qui constitue la manière de George Sand :

> Il s'agit tout le temps, dit-il, d'orages, de *ruines* qui *croulent,* de parvis, de feuilles sèches que *disperse le vent de la mort,* de la colombe qui construit son *nid solitaire* (pour dire le célibat), de volcans à peine *fermés du sol* (pour dire les passions apaisées), du *forum,* pour dire, comme les avocats, la vie publique ; de *l'ange de la destinée,* de la *lampe* de la foi, de la *coupe de miel* offerte aux lèvres pures (pour dire une vie heureuse, bien qu'on ne mette guère maintenant du miel dans les coupes), des anneaux rattachés de la chaîne brisée ; du *faîte* de la richesse, du *règne* de la vérité qui s'annonce *à l'horizon ;* du volcan, de l'éternel volcan qui vomit par ses mille cratères de la lave et de la fange ; et enfin du *bouclier,* pour dire le sentiment qui défend son cœur ! Eh bien ! y a-t-il un seul de ces tropes décrépits et solennels qui, franchement, soit au-dessus de la portée d'un Prudhomme quelconque qui voudra dire les mêmes choses que Mme Sand ?
>
> (BARBEY D'AUREVILLY, *Les Bas bleus,* p. 60.)

Il y a, d'autre part, des images qu'on peut renouveler et rajeunir.

Shakespeare a dit :

> « Regarde ce clair de lune qui dort sur ce banc. »
> *(Marchand de Venise.)*

Chateaubriand a répété : « Ce clair de lune qui dormait. »
Et Lamartine, à son tour :

> La lune se balance aux bords de l'horizon ;
> Ses rayons affaiblis dorment sur le gazon.

Le mot « dormir » a d'ailleurs toujours fait image et on en a tiré de jolis effets :

> Les larges clairs de lune au bord des flots dormants.
> (V. HUGO.)

> Il réveilla ses fils dormants, sa femme lasse.
> (V. HUGO.)

> ... J'aime les forêts ténébreuses et douces,
> Où le silence dort sur le velours des mousses.
> (V. HUGO.)

Pascal a appelé le soleil « cette éclatante lumière, mise comme une *lampe* éternelle pour éclairer l'univers ».
Après lui, Lamartine a dit :

> Comme une *lampe d'or* dans l'azur suspendue,
> La lune se balance aux bords de l'horizon.

Et, après Lamartine, Leconte de Lisle :

> Seule, la lune pâle, en éclairant la nue,
> Comme une *morne lampe* oscillait tristement.

C'est ainsi que chacun peut renouveler une même image.
C'est un art que de créer des images ; leur originalité et leur vivacité dépend évidemment de l'imagination person-

nelle de chacun; mais il y a une sorte d'images qu'on peut s'habituer à découvrir plus facilement que d'autres. Il faut y appliquer son esprit, songer aux divers rapports que peuvent présenter les objets, aux idées *à côté* qu'ils évoquent, aux ressemblances, aux contrastes, aux antithèses.

Un procédé excellent pour trouver des images consiste à pousser l'idée, à l'exagérer exprès. Les ermites autrefois se lamentaient dans le désert et pleuraient leurs fautes à grands cris. En poussant l'idée, on peut trouver cette phrase, peut-être spontanée, de Bossuet : « Ils rugissaient leur pénitence. »

M. Ernest Dupuy a fait de curieuses observations sur le manuscrit de la première *Légende des siècles* de Victor Hugo. Le simple aspect de ces pages, l'état du texte, les surcharges et les additions qui sont en marge démontrent les procédés du poète. On constate que son perpétuel souci était d'arriver à l'image forte, en *poussant* l'expression qui n'était pas assez *expressive.*

« Dans *Puissance égale Bonté,* Hugo avait d'abord écrit :

> Le démon se remit à battre dans sa forge,
> Il rugissait.

Mais le mot *battre* lui paraît peu expressif ; il reprend son idée, la réchauffe à la forge, et fait jaillir ces étincelles :

> Il frappait du ciseau, du pilon, du maillet,
> Et toute la caverne horrible tressaillait ;
> Les éclairs des marteaux faisaient une tempête ;
> Ses yeux ardents semblaient deux braises dans sa tête ;
> Il rugissait.

« Dans *Bivar,* le premier effort avait fourni ce portrait du Cid, presque entièrement fait d'épithètes morales et d'abstractions :

> Vous commandiez puissant, étincelant, prodigue,
> Absolu, lance au poing, panache au front...

« Le poète sent la nécessité d'élargir, d'éclairer, d'animer cette définition du héros des Espagnes, et la formule primitive se transforme en celle-ci :

Vous regardiez, ainsi que néants et fumées,
Tout ce qui n'était pas commandement d'armées,
Et vous ne consentiez qu'au nom de général,
Cid était le baron suprême et magistral ;
Vous dominiez tout, grand, sans chef, sans joug, sans digue,
Absolu, lance au poing, panache au front...

« Dans l'*An neuf de l'Hégire,* qui, dès les premiers vers, nous présente un portrait expressif du prophète de l'Islam, la physionomie morale de Mahomet n'était rendue que par deux traits :

Il priait longuement devant le saint pilier,
Et jeûnait plus longtemps qu'autrui les jours du jeûne.

« Ces remaniements de la pensée ne sont pas rares ; mais le manuscrit démontre surtout à quel point Hugo avait le souci et la science du mot.

« Ce que le poète recherche dans les nombreuses retouches qui portent sur le détail de l'expression, c'est ou le relief, ou la couleur, ou l'harmonie.

Ils *surgissaient* du Sud ou du Septentrion.
(*Eviradnus.*)

Puis il *dressa le front...*
(*Puissance égale Bonté.*)

Sur les murs vermoulus *branle* un toit hasardeux.
(*Pauvres Gens.*)

« *Surgissaient,* qui a pris la place d'*arrivaient ; dressa le front,* mis à la place de *leva la tête ; branle,* accepté de préférence à *craque, tremble, penche,* essayés avant lui, ce sont là de ces corrections que le peintre appelle des vigueurs.

« Dans le *Petit Roi de Galice,* on lisait :

Son casque, dont l'épée a brisé la charnière,
S'ouvre et montre sa bouche où l'écume apparaît.
Sanglante, elle bouillonne ! Ainsi, dans la forêt,
La sève en mai gonflant les aubépines blanches,
S'enfle et sort en salive à la pointe des branches.

« *Bave épaisse et sanglante,* substitué *à sanglante, elle bouillonne,* appelle, exige, en quelque sorte, l'image inédite qui suit.

« Et quiconque a l'oreille exercée à l'harmonie du vers sent la différence de sonorité qui existe entre cette forme d'alexandrin :

Que savons-nous ? Qui donc *connaît* le fond des choses ?

et celle-ci, qui a remplacé la première :

Que savons-nous ? Qui donc *sonde* le fond des choses ?

« Hugo efface fréquemment le mot noble :

Et ce songe était tel que Booz vit un chêne
Qui, sorti de son *ventre,* allait jusqu'au ciel bleu.

« Hugo a écrit successivement *ses flancs, son flanc, son ventre.* On peut ne voir là qu'une marque d'école, mais il est tel cas où la seule apparition du terme trivial transfigure le vers :

Voilà longtemps que celle avec qui j'ai dormi,
Ô Seigneur ! a quitté ma couche pour la vôtre,
Et nous sommes encor tout mêlés l'un à l'autre,
Elle à demi vivante et moi mort à demi.

« Ce magnifique vers, d'une simplicité et d'une puissance bibliques :

Et nous sommes encor tout mêlés l'un à l'autre,

a remplacé la banale formule :

Et nous formons encore un couple l'un et l'autre.

« On songe à ces dessins des maîtres florentins, où le trait incorrect, qui subsiste à côté de la ligne heureuse, semble louer la perfection du dernier résultat.

« Chose curieuse ! Hugo, qui n'est pas maître, ou qui ne sent pas le besoin d'endiguer ses développements, resserre avec soin l'expression, et chasse de son vers les termes de remplissage :

1er jet : un souffle *tiède* était épars sur Galgala.
2e jet : les souffles de la nuit flottaient sur Galgala.
1er jet : en été la nature est *glorieuse* et douce.
2e jet : on était dans le mois où la nature est douce.
1er jet : son filet *ténébreux* où resplendit Vénus.
2e jet : son filet où luit Mars, où rayonne Vénus.

« Un vers du *Petit Roi de Galice :*

Cette collection de monstres se concerte,

a été refait quatre fois avant d'arriver à cette forme, pour ainsi dire, dépouillée :

Ce tas de demi-rois raisonne et se concerte.
Ce ramassis d'infants presque rois se concerte.
Ce ramassis d'infants discute et se concerte.

« Dans tous ces exemples, le vers gagne à perdre l'épithète. Est-ce à dire que Victor Hugo tienne l'épithète en mépris ? Il la recherche très souvent ; il la choisit surtout avec des scrupules tout virgiliens. Ainsi, dans la pièce du *Sacre de la femme,* au troisième vers du manuscrit,

Une ardente lueur de paix et de bonté,

on lit superposés les quatre adjectifs, *ardente, auguste, heureuse, sainte.*

« Presque toujours l'adjectif raturé fait place à une épithète plus rare :

> L'éden *pudique* et nu s'éveillait mollement.
> . . . .
> Comme si dans ce jour *religieux* et doux...
> . . . .
> Tous avaient la figure *intègre* du bonheur.

« *Pudique, religieuse, intègre,* sont mis pour céleste, mystérieux, auguste. Ai-je besoin de dire que cette différence de nuances fait le prix du style ? Elle est un des caractères essentiels de la poésie de Racine, et, par ce côté comme par bien d'autres, Hugo est plus classique qu'il ne croit.

« N'est-elle pas classique encore, où si l'on veut, antique, cette transposition, cette extension du sens des mots :

> Une *blême blancheur* baigne les Pyrénées...
> Dans la *saison livide* où la cigogne émigre...
> Vêtu de *probité candide* et de lin blanc...

« Hugo avait écrit d'abord :

> Une blême clarté blanchit les Pyrénées.
> À l'heure de l'année où la cigogne émigre.
> Vêtu de probité sans tache et de lin blanc.

« On peut mesurer, d'une forme à l'autre, tout le progrès de l'expression. Et ce n'est pas, j'espère, s'abuser que de trouver dans ces indications inattendues sur les procédés de style de Hugo un intérêt et une utilité [1]. »

« Voyez, écrivait, il n'y a pas longtemps, le regretté philologue Darmesteter [2], voyez ce que Victor Hugo a tiré du mot

1. J'emprunte ces pages de démonstration technique, dont l'exemple est si rare en littérature, au livre exquis de M. Ernest Dupuy : *Victor Hugo, l'Homme et l'Œuvre,* ch. v.

2. Arsène Darmesteter, *La Vie des mots.*

fauve ; quels effets inattendus il lui a fait produire, et cela uniquement par la façon dont il l'a enchâssé dans le tissu de la phrase :

Derrière eux cheminait la mort, squelette chauve.
Il semblait qu'aux naseaux de leur cavale *fauve*
On entendît la mer ou la forêt gronder.
(*Légende des siècles,* « Les Chevaliers errants ».)

« Ici *fauve* est pris au sens propre : animal au pelage roux.

On vante Eviradnus d'Altorf à Chaux-de-Fonds ;
Quand il songe et s'accoude, on dirait Charlemagne
Rôdant, tout hérissé, du bois à la montagne,
Velu, *fauve,* il a l'air d'un loup qui serait bon.
(*Ibid.*, « Eviradnus ».)

« Ici *fauve* chevauche entre le sens propre et le figuré. Signifie-t-il *au poil roux ou farouche,* comme les bêtes fauves qui habitent la forêt ?

« Dans ces derniers vers enfin, *fauve* prend une acception nouvelle extraordinaire :

... Corbus (le manoir), triste, agonise. Pourtant
L'hiver lui plaît, l'hiver, sauvage combattant.
Il se refait, avec les convulsions sombres
Des nuages hagards croulant sur les décombres,
Avec l'éclair qui frappe et fuit comme un larron,
Avec les souffles noirs qui sonnent du clairon,
Une sorte de vie effrayante à sa taille.
La tempête est la sœur de la *fauve* bataille.

« Et voilà comment Victor Hugo arrive à faire rendre à ce mot *fauve* toute l'horreur grandiose des forces mystérieuses. »

C'est en prêtant aux être inanimés des sensations et des sentiments humains que Lamartine a trouvé cette belle strophe :

Que le vent qui gémit, le roseau qui soupire,
Que les parfums légers de ton air embaumé,
Que tout ce qu'on entend, l'on voit ou l'on respire,
Tout dise : Ils ont aimé.

Quand nous lisons dans Lamartine : « Les lits murmurants des ruisseaux », les flots « harmonieux », ce sont là des images créées auxquelles rien ne prépare ni ne fait songer. De même Victor Hugo, peignant le ciel à la fin du jour, dit que, de temps à autre, on voit un éclair comme si « quelque géant des airs tirait son épée ».

Le même poète décrit les nuits de juin si claires, si pures :

... L'aurore, en attendant son heure,
Semble toute la nuit errer au bas du ciel.

Ce sont là des images qu'on pourrait appeler essentiellement *images d'imagination*, qui surprennent par leur imprévu, d'une qualité qu'on sent difficile à trouver soi-même, qui révèlent le génie et dont on ne peut fournir le métier.

Mais, l'application de l'esprit, l'effort du travail peuvent nous faire découvrir certaines images. Une image est un rapport de comparaison auquel il faut avoir la présence d'esprit de songer. Ce rapport varie à l'infini, suivant le cerveau qui pense et l'œil qui regarde. Il faut pour cela lire les écrivains imagés, n'eussent-ils que ce seul mérite. À force de comprendre leurs métaphores, on en trouve soi-même du même genre ou approchantes. Il peut se faire que vous n'en mettiez pas beaucoup dans vos premier et deuxième jets ; vous pouvez alors de parti pris refaire votre travail, réfléchir, comparer et en distribuer çà et là ; on les découvre par inspiration ou à tête reposée, car le travail vaut souvent l'inspiration.

Si je peins une rivière en automne et que je compare les peupliers enveloppés de brume à « des lustres d'église les jours de semaine », ce sera une jolie image du genre de celles qu'on peut trouver avec du talent et des dispositions imaginatives. Peut-être me serais-je rappelé malgré moi ce que dit Chateaubriand, lorsqu'il compare le soleil couchant au « lustre qu'on descend quand le spectacle est fini ». C'est un des fruits de la lecture bien faite de fournir par transposition des choses similaires, auxquelles nous ajoutons du nouveau.

> La lune ouvre dans l'onde
> Son éventail d'argent.
>
> (V. HUGO.)

Voilà une image qui pouvait venir à l'idée de bien des poètes ; et M. de Heredia s'en est peut-être inconsciemment souvenu, quand il a écrit, sur un coucher de soleil, ce vers qui lui est, du reste, si personnel :

> Le soleil...
> Ferme les branches d'or de son rouge éventail.

De même que chez un poète, Victor Hugo surtout, une image en amène une autre, de même par la lecture l'image d'autrui réveille les nôtres.

Ce qui fait la mauvaise qualité des images, c'est leur caractère fantaisiste et exagéré.

> Le soleil, enflammant les vapeurs de la cité, semblait osciller lentement dans un fluide d'or, comme le pendule de l'horloge des siècles.
>
> (CHATEAUBRIAND.)

> Quelquefois, une haute colonne se montrait seule debout dans un désert, comme une grande pensée s'élève par intervalles dans une âme que le temps et le malheur ont dévastée.
>
> (CHATEAUBRIAND.)

Voilà la comparaison ou plutôt l'image de fantaisie, l'image belle, mais de chic ; elle n'est pas dans la réalité des choses, elle est en quelque sorte factice ; elle ne tient que par un point très faible à une ressemblance *apparente*. C'est séduisant et surprenant, mais c'est par là que l'on tombe dans le précieux, le cherché.

Je dis, au contraire :

> Il aperçoit le Nil onduleux et clair sous la blancheur de la lune, comme un serpent au milieu des sables.
> (GUSTAVE FLAUBERT, *La Tentation de saint Antoine.*)

Ou bien, pour dépeindre le rugissement du lion, je le compare à « un long mugissement, fort et caverneux comme le bruit de l'eau dans un aqueduc » (G. Flaubert).

Voilà deux exemples d'*images vraies ;* le temps ni la mode ne pourront rien sur elles ; on ne les dépassera pas parce qu'elles donnent des *sensations exactes.*

La Fontaine fait dire par l'hirondelle à ses petits, pour peindre les semailles :

> Voyez-vous cette main qui par les airs chemine ?

Il y a là une image *vraie,* la vision d'en bas, dans un champ, du geste que fait le semeur.

De même, dans ce coucher de soleil sur la mer, qui dédouble l'astre :

> Et sur les flots profonds et sur les flots vermeils,
> Comme deux rois amis, on voyait deux soleils
> Venir au-devant l'un de l'autre.
> (V. HUGO.)

En résumé, deux conseils sont à retenir dans l'art de créer des images.

D'abord se montrer difficile dans leur qualité pour éviter la préciosité et le mauvais goût.

En second lieu, s'habituer à ne retenir que les *images vraies,* c'est-à-dire des métaphores qui, au lieu de solliciter l'imagination, s'imposent à elle.

La lecture de Chateaubriand, de Bernardin de Saint-Pierre, de Victor Hugo, de Leconte de Lisle sera sous ce rapport très profitable.

DIX-NEUVIÈME LEÇON

DU DIALOGUE

DU DIALOGUE — L'ART DU DIALOGUE — LE DIALOGUE ÉCRIT ET LE DIALOGUE PARLÉ — LE DIALOGUE LITTÉRAIRE — LE DIALOGUE CONVENTIONNEL — DOIT-ON FAIRE DU DIALOGUE PHOTOGRAPHIQUE ? — LE DIALOGUE PARLÉ ET VRAI — DIALOGUE JUSTE — OCTAVE FEUILLET — DIALOGUE D'AUTEUR — SARDOU, AUGIER — COMMENT ÉCRIRE DU BON DIALOGUE — LE BON ET LE MAUVAIS DIALOGUE

La question du dialogue tient, dans l'art d'écrire, presque autant de place que la description. Il n'est pas rare d'introduire dans un récit des personnages qui parlent ; le mouvement d'une action en dépend parfois complètement. On peut même traiter un sujet exclusivement en dialogues, sans se croire obligé de faire du théâtre.

L'art du dialogue mérite donc quelques réflexions générales, à défaut d'une étude approfondie, qui nous entraînerait trop loin et relèverait plutôt de l'art dramatique.

Rien n'est plus difficile que le dialogue. Le bon dialogue est la dernière chose qu'on apprend. C'est presque un don. Il exige des qualités de mouvement, de rapidité, d'élégance concise et entraînante, qui constituent précisément la vocation dramatique.

C'est qu'il y a deux sortes de dialogues : l'un, littéraire, phrasé, construit, livresque ; l'autre, qui est la reproduction photographique de la parole parlée, dans son raccourci imprévu, sautillant, fiévreux, primesautier, elliptique. Or, rien n'est plus difficile que l'art d'équilibrer ces deux extrêmes, puisque des romanciers, qui ont très bien rendu le son de la parole parlée, comme Flaubert, Daudet, Goncourt, n'ont jamais pu réussir au théâtre, où ont triomphé Scribe, Feuillet, Sardou, Dumas fils, Augier. Il y a à cela des raisons d'exécution qu'il serait curieux d'étudier dans un ouvrage spécial. Nous n'examinerons en ce moment que les moyens à prendre pour atteindre la bonne qualité du dialogue.

En général, le dialogue ne peut avoir la vivacité, la vie, l'illusion du vrai, s'il est écrit dans le style même de la narration ou du récit. Il y faut d'autres phrases que les phrases d'un livre ou d'un morceau littéraire; des phrases conçues autrement, plus courtes, plus haletantes, plus coupées. Il faut que chaque personnage dise peu de choses à la fois, par la raison que, dans une conversation, chacun veut parler et n'écoute pas longtemps son interlocuteur. Sauf des tirades voulues et préparées, c'est la riposte rapide qui forme l'intérêt d'un dialogue.

Même en prêtant plusieurs lignes à chaque personnage, c'est encore la qualité des phrases qui fera le mouvement et l'agrément du dialogue. Rien n'est plus mauvais et plus opposé au vrai dialogue que les prétendus *Dialogues des morts* de Fontenelle et de Fénelon. C'est de la rhétorique froide et inexpressive, une suite de phrases littérairement écrites, mises pour la forme dans la bouche de certains personnages de convention. Il est entendu que c'est un genre, une suite de morceaux démonstratifs qui n'ont rien de commun avec la conversation parlée, une forme ancienne de composition, permettant de développer une thèse en exposant des raisons pour et contre. Tels sont les *Dialogues* de Platon, le *Traité des devoirs* de Cicéron; dans notre littérature, les *Dialogues sur l'éloquence* de Fénelon, les *Entretiens sur la pluralité des mondes* de Fontenelle, les *Entretiens métaphysiques* de Malebranche, les *Soirées de Saint-Pétersbourg* de Joseph de Maistre.

Ces sortes d'ouvrages peuvent être compris sous le nom général de dialogues philosophiques, en imitation des fameux *Dialogues* de Lucien, qui avait de plus, lui, la réplique endiablée et une saillie d'esprit continuelle.

Prenons ce passage d'un dialogue de Fénelon.

BOURBON. – Et moi, je suis victorieux d'un ennemi qui m'a outragé ; je me venge de lui ; je le chasse du Milanais ; je fais sentir à toute la France combien elle est malheureuse de m'avoir perdu en me poussant à bout : appelles-tu cela être à plaindre ?

BAYARD. – Oui : on est toujours à plaindre quand on agit contre son devoir ; il vaut mieux périr en combattant pour la patrie que la vaincre et triompher d'elle. Ah ! quelle horrible gloire que celle de détruire son pays !

BOURBON. – Mais ma patrie a été ingrate après tant de services que je lui avais rendus. Madame m'a fait traiter indignement par un dépit d'amour. Le roi, par faiblesse pour elle, m'a fait une injustice énorme en me dépouillant de mon bien. On a détaché de moi jusqu'à mes domestiques, Matignon et d'Argouges. J'ai été contraint, pour sauver ma vie, de m'enfuir presque seul. Que voulais-tu que je fisse ?

BAYARD. – Que vous souffrissiez toutes sortes de maux, plutôt que de manquer à la France et à la grandeur de votre maison. Si la persécution était trop violente, vous pouviez vous retirer ; mais il valait mieux être pauvre, obscur, inutile à tout que de prendre les armes contre nous. Votre gloire eût été au comble dans la pauvreté et dans le plus misérable exil.

BOURBON. – Mais ne vois-tu pas que la vengeance s'est jointe à l'ambition pour me jeter dans cette extrémité ? J'ai voulu que le roi se repentît de m'avoir traité si mal.

C'est là le contraire du vrai dialogue dramatique. Ce qu'il y faut, c'est le mouvement. Débarrassez la phrase de sa structure écrite et rendez-la avec l'aspect qu'elle a dans la conversation.

Voici un dialogue qui a le son de la réalité même, pris dans l'*Évangéliste* d'Alphonse Daudet. Mme Autheman, la salutiste, l'évangéliste, a ravi la jeune Lina à sa mère. La mère cherche sa fille, se désole, fait des démarches partout. Mis au courant de l'affaire, le vieux pasteur Aussandon dit son indignation à sa femme, Bonne.

« L'orgueil, il n'y a que l'orgueil de vivant chez cette femme. Ni cœur ni entrailles... La peste anglicane a tout dévoré... Aussi dure et gelée... Tiens ! ce marbre... »

Le vieux doyen, assis devant la cheminée, frappa violemment le manteau du foyer avec les pincettes, que Bonne sans rien dire lui retira des mains. Il ne s'en aperçut pas, tant il était animé, et continua le récit de sa visite à l'hôtel Autheman :

« Je l'ai raisonnée, priée, menacée... Je n'ai rien obtenu que des phrases de sermon, la tiédeur de la foi, l'utilité des grands exemples... C'est qu'elle parle bien, la mâtine... Trop de patois de Chanaan... Mais éloquente, convaincue... Je ne m'étonne pas qu'elle ait troublé cette petite tête... Vois ce qu'elle a fait de Crouzat... Ah ! je lui ai dit tout ce que je pensais d'elle, par exemple ! »

Il s'était levé, marchait à grands pas...

« Enfin, qui êtes-vous, madame ?... Au nom de quelle autorité parlez-vous ?... Dieu ?... Ce n'est pas Dieu qui vous mène... Je ne vois que vous dans vos actes, votre âme méchante et froide qui en veut je ne sais de quoi à la vie et semble avoir toujours quelque chose à venger.

– Le mari était là ?... demanda la petite vieille épouvantée... Et il ne disait rien ?...

– Pas un mot... Seulement son sourire de travers et cet œil qui vous brûle comme une lentille au soleil...

– Mais assieds-toi donc... Es-tu dans un état !...

Debout derrière la chaise où se reposait enfin son grand homme, Mme Aussandon lui essuyait le front, un front de pensée, large et plein, lui ôtait son foulard de cou, qu'il avait gardé en rentrant.

« Tu t'excites trop, voyons...

– Comment veux-tu ?... Un si grand malheur, une telle injustice... Il me fait pitié, ce pauvre Lorie.

– Oh ! celui-là... » dit-elle avec le geste de sa rancune contre l'homme qu'on avait un moment préféré à son fils.

« Mais la mère !... Cette mère qui ne peut pas même savoir où est son enfant... Te vois-tu, toi, en face de cette femme et de son silence que la lâcheté des hommes autorise ?... Que ferais-tu ?

– Moi ? Je lui mangerais la tête... »

Ce fut dit, envoyé avec un si terrible coup de mâchoire en avant, que le doyen se mit à rire, et encouragé par la colère de sa femme :

« Oh ! mais, ils n'ont pas fini avec moi... Rien ne m'empêchera de parler, de les dénoncer à la conscience publique... Quand je devrais y perdre ma place... »

> Un mot malheureux, et qui tout à coup rappelait la ménagère au sérieux de la circonstance. Ah ! non, minute. Du moment que sa place était en jeu...
>
> « Tu vas me faire le plaisir de rester tranquille... tu m'entends, Albert ?
>
> — Bonne... Bonne... » supplia le pauvre Albert. Bonne ne voulait rien écouter. Encore, on serait seuls, on risquerait la partie. Mais il y avait les garçons, Louis qui allait passer sous-chef, la perception de Frédéric, le major porté pour la croix... Puissants comme ils étaient, ces gens-là n'auraient qu'un signe à faire...
>
> « Et mon devoir ?... » murmura le doyen qui faiblissait.
>
> « Tu l'as fait, ton devoir, et au-delà... Crois-tu que les Autheman te pardonnent jamais tes duretés d'aujourd'hui... Écoute... »
>
> Elle lui prit les mains et le raisonna. Est-ce qu'il serait content à son âge de courir encore les mariages, les enterrements ?... Il disait toujours : en haut de la côte... en haut de la côte... Mais il devait bien se rappeler le mal qu'on avait eu à la monter. Et à soixante-quinze ans, dégringoler sur les genoux, ça serait dur.
>
> « Bonne... »
>
> C'était la dernière résistance pour l'honneur; car les raisonnements de sa femme venaient confirmer ceux de ses collègues...

Voilà du vrai dialogue parlé et non du dialogue écrit.

Ne l'oublions pas pourtant : il y a dans la photographie pure et simple de la conversation un écueil à éviter : c'est la brutalité, la bassesse, la trivialité; on finit par n'être plus éloquent, à force d'être terre à terre; on fait du rendu qui écœure par son exactitude même. Tels les dialogues de Henri Monnier, qui sont des conversations vulgaires sur n'importe quoi, n'ayant d'autre valeur que de reproduire fidèlement le jargon ordinaire.

En un mot, pas de constructions phrasées, pas de tournure guindée, pas de moule littéraire; dégagez la phrase pour lui laisser la spontanéité, l'allure vive, l'aisance du moment, le fouettant et l'imprévu de la réplique, mais que le dialogue soit cependant tenu, manié avec tact, sentant encore le style, non le style narré, expositif et appliqué, mais un style discret, une intention d'éloquence qui porte ; et qu'on sente les rênes sans voir la main.

Les dialogues des romans d'Octave Feuillet sont, sous ce rapport, des modèles. On doit les lire sans cesse. En voici un exemple, pris au hasard, dans un de ses livres les moins célèbres.

Mme de Rias reçoit la visite de sa cousine, Mme d'Estrény, qui a fait, vainement d'ailleurs, des coquetteries et des avances à M. de Rias.

> La conversation se traîna quelque temps dans les lieux communs, puis elle tomba tout à fait, et le silence ne fut plus interrompu que par le pétillement du feu et par les soupirs de la duchesse.
>
> « Est-ce que tu es malade ? dit sèchement Mme de Rias sans lever les yeux de sa broderie.
>
> – Pourquoi me demandes-tu cela ?
>
> – Tu ne fais que soupirer.
>
> – Oui..., je suis un peu souffrante... et puis, j'ai envie de pleurer...
>
> – Pourquoi as-tu envie de pleurer ?
>
> – Que veux-tu !... Toujours la même chose !
>
> – Quelle chose ?
>
> – Je suis si malheureuse avec mon mari !
>
> – Et tu as espéré être plus heureuse avec le mien ? » dit Mme de Rias, dressant brusquement la tête et regardant la duchesse en face.
>
> Mme d'Estrény, après quelques secondes de muette confusion, se laissa glisser aux pieds de sa cousine, et, pâmée dans l'ampleur de ses jupes, elle fondit en larmes :
>
> « Que dois-tu penser de moi ? murmura-t-elle.
>
> – Je pense que tu n'es pas une bonne amie... Voilà ce que je pense.
>
> – Je t'assure que si, je t'assure... C'est un moment de folie !... J'ai été jalouse de toi, de ton bonheur, c'est vrai... ; mais j'ai été si punie, si humiliée... J'ai si bien vu qu'il ne m'aimait pas, ton mari !
>
> – Ce n'est pas à moi de t'en consoler, je suppose ?
>
> – Il n'aime que toi, va, sois tranquille.
>
> – Ce n'est pas ta faute, franchement... Voyons, relève-toi,

Sabine... Je t'ai dit ce que j'avais sur le cœur... N'en parlons plus.

– Je t'ai fait beaucoup de peine, Marie ? dit la duchesse, dont les larmes redoublèrent.

– Beaucoup, dit Marie, qui commença elle-même à s'attendrir.

– Ma pauvre chérie !

– J'avais tant de confiance en toi ! reprit Mme de Rias d'une voix suffoquée.

– Mon Dieu ! mon Dieu ! » dit la duchesse.

Et la fin de cette scène se perdit dans un bruit confus de pleurs et de baisers.

Quand M. de Rias rentra, vers le soir, il trouva sa femme piquant sa broderie avec acharnement :

« Ciel ! ma chère enfant ! s'écria-t-il, en croirai-je mes yeux ?... qu'est-ce que vous faîtes là ?

– Je brode un col pour ma mère.

– Ah ! c'est un col... pour votre mère ?... eh bien, c'est très joli..., vous faites très bien ces choses-là... Je ne vous connaissais pas ce talent... ; mais, voyons, c'est très avancé déjà... Vous avez donc travaillé toute la journée ?

– Toute la journée.

– Comment !... pas sortie du tout ?

– Non.

– Pas allée au Petit-Saint-Thomas ?

– Non.

– Pas allée aux Trois-Quartiers... ni au Louvre ?

– Non.

– Pas chez Guerre, non plus ?

– Non.

– Mais c'est la fin du monde alors ! dit M. de Rias en payant sa jeune femme d'un baiser qui lui parut délicieux. Mais il ne faut pas non plus vous cloîtrer, ma chère petite... Il faut au moins prendre un peu l'air dans la journée.... Ainsi vous êtes restée toute seule comme cela depuis ce matin ?

– La duchesse est venue, dit Mme de Rias d'un ton de négligence.

– Ah ! vraiment, la duchesse est venue !... ah ! vraiment... Eh bien, comment... vous êtes-vous quittées ?

– Très bien..., comme à l'ordinaire.

– Sage petite femme ! dit Lionel en l'embrassant de nouveau.

– Nous avons un peu pleuré toutes deux, voilà tout.
– Oh ! ça... ça devait être ! »

Les auteurs réalistes accusent le dialogue de théâtre d'être livresque, factice, convenu. Il y a du vrai dans ce reproche ; mais les dialogues d'auteurs dramatiques, tels que Sardou, Dumas fils, Augier, Pailleron, Halévy contiennent autre chose que le côté mondain, appris, paradeur et factice. Ils ont le mouvement, la vie, la rapidité coupée, précipitée, morcelée, haletante, qui fait illusion.

Seulement, il est très vrai que le dialogue de nos auteurs dramatiques contemporains n'est souvent qu'un dialogue de théâtre, où la réplique se donne *en vue de l'effet ;* où la riposte est produite par le dernier mot de l'interlocuteur, et non par la vérité du personnage et la logique des sentiments ; c'est un dialogue dont le lien ne réside que dans l'*esprit* et qui ne vise que l'*esprit*. Ce genre de dialogue à feu d'artifice nous est venu en droite ligne de Beaumarchais. Il éclate dans les pièces de Dumas fils et Sardou.

On n'a, pour s'en convaincre, qu'à relire les principaux actes de leurs plus brillantes pièces, trop longues à citer dans cet ouvrage, le premier acte de *Fernande,* par exemple, ou celui de *L'Ami des femmes*. On sent tout le temps l'auteur derrière les personnages. C'est une espèce de parade qui plaît par son cliquetis, mais qui n'a rien de profond ni rien d'humain. C'est pourtant du dialogue très vif.

C'est seulement dans Molière qu'on trouve le dialogue à l'état de riposte vraie, humaine, éternelle, de tous les temps, sans mots d'auteur. Ouvrez-le au hasard.

Voyez surtout les scènes entre Argante et Géronte, dans les *Fourberies de Scapin,* et la scène : *Que diable allait-il faire dans cette galère ?* Ce que disent les personnages sort du fond de leur être et de leurs pensées. Ils n'écoutent pas ce qu'on leur dit et ne répondent pas à leurs interlocuteurs. Ils suivent leurs idées avec une inconscience qui fait totalement oublier Molière. Voilà le génie.

En résumé, pour réussir le dialogue, il faut le châtier le plus possible, retrancher le plus de mots qu'on peut, viser la concision, varier les tournures, se demander comment on dirait cela à haute voix, couler ses phrases dans le moule parlé.

Si l'on n'a pas la vocation du dialogue, cette disposition à l'éclat des ripostes et à l'esprit scénique, qui constitue l'auteur dramatique, il est inutile de faire du théâtre. Mais, avec du travail et des aptitudes moyennes, on peut apprendre à dialoguer suffisamment pour écrire des romans ou des nouvelles. Il faut pour cela lire beaucoup de dialogues de théâtres et les pièces des bons auteurs, Labiche surtout, qui est merveilleux de rapidité et de naturel, même dans ses charges les plus outrées. Le style de la conversation est un raccourci. N'oublions jamais cela et tâchons d'y atteindre.

En général, le désir de briller nuit au vrai dialogue : on ne peut se résoudre à interrompre un personnage, à le maintenir dans ses répliques naturelles et le goût est victime de l'esprit.

La facilité du public à applaudir les tirades, les portraits, les traits d'esprit, a fait de nos comédies des feux d'artifices éblouissants, mais qui s'éteignent avec les feux de la rampe.

VINGTIÈME LEÇON

DU STYLE ÉPISTOLAIRE

Le style épistolaire — Les lettres de femmes — La lettre est une sensation individuelle — Écrire comme on parle — Conseils généraux

Nous ne étendrons pas longuement sur le style épistolaire et sur la lettre. Aucun sujet n'est peut-être plus inutile à développer, par la raison qu'on exprime toujours bien ce que l'on sent, et que la lettre est, en général, une chose que l'on sent, parce qu'elle vous est personnelle.

La preuve, c'est que toutes les femmes écrivent admirablement les lettres.

« Ce sexe, dit La Bruyère, va plus loin que nous dans ce genre d'écrire ; elles trouvent sous leurs plumes des tours et des expressions qui souvent en nous ne sont l'effet que d'un long travail et d'une pénible recherche ; elles sont heureuses dans le choix des termes, qu'elles placent si juste, que, tout connus qu'ils sont, ils ont le charme de la nouveauté et semblent être faits seulement pour l'usage où elles les mettent. Il n'appartient qu'à elles de faire lire dans un seul mot tout un sentiment et de rendre délicatement une pensée qui est délicate ; elles ont un enchaînement de discours inimitable, qui se suit naturellement et qui n'est lié que par le sens. Si les femmes étaient toujours correctes, j'oserais dire que les lettres de quelques-unes d'entre elles seraient peut-être ce que nous avons dans notre langue de mieux écrit. »

Ce n'est évidemment pas à Mme de Sévigné que La Bruyère songeait en écrivant ces phrases, puisque les lettres de Mme de Sévigné ne furent publiées que longtemps après la mort de La Bruyère. Il songeait à toutes les femmes. Ceux qui ont eu entre les mains beaucoup de correspondances féminines savent que les femmes, en général, quelle que soit leur classe et leur condition, écrivent supérieurement les lettres. Il y a des centaines de femmes dont les lettres mériteraient d'être imprimées et étonneraient le public. J'en ai lu, écrites par des femmes du peuple, qui étaient exquises d'atticisme et de naturel. On peut se passer d'enseigner aux femmes le style épistolaire. Elles le savent d'instinct. Ce sont elles qui pourraient nous l'apprendre.

Pour les hommes, ils ont moins de délicatesse, moins de naturel ; mais on peut dire que chacun sait écrire une lettre dont il sent le sujet. Quant à enseigner à écrire une lettre sur un sujet qu'on ne sent pas, il est inutile de s'en charger. Il faut d'abord sentir.

On conçoit l'enseignement du style en général, une démonstration de l'art d'écrire en vue d'une description, d'un article, d'un livre ; mais la lettre, dans le train ordinaire, n'est pas un genre *voulu,* un travail de choix. C'est une obligation. On a telle missive à envoyer, telle correspondance à faire, selon les hasards de la vie, parce qu'il vous arrive telle ou telle chose. En un mot, le but, le sujet, les raisons, les circonstances de la lettre sont éminemment individuels. Dans ces conditions, tout le monde s'en tire. Il n'y a qu'un conseil à suivre : lire beaucoup de modèles. La lecture seule des lettres apprend à en écrire.

Il existe, d'ailleurs, de bons manuels d'art épistolaire destinés à montrer le ton, les formules, le cérémonial relatif aux divers genres d'épîtres.

La lettre étant une conversation par écrit, exige les qualités de la bonne conversation et le naturel par-dessus tout. Elle doit être naturelle, spontanée, naïve, pas travaillée, à moins qu'elle ne soit le contraire par système, comme les lettres de Voiture et de Balzac, surnommés les grands épistoliers de France. Ceux-là écrivaient de parti pris sur des riens, pour étaler leur esprit et amuser le grand monde. Ils faisaient assaut de galanterie, de recherche et d'affectation. Et même alors leurs lettres n'étaient en quelque sorte que de la conversation écrite, puisque c'était à peu près ainsi que l'on parlait dans les salons de l'hôtel de Rambouillet, où la préciosité avait remplacé la simplicité.

Fuyez donc dans vos lettres le labeur, l'effort, la période, la science du style. Exprimez-vous simplement, non pas avec négligence, mais avec abandon. Il faut écrire comme on parle, à la condition de bien parler ; il faut même écrire un peu mieux qu'on ne parle, puisqu'on a le loisir de mettre de l'arrangement dans ce qu'on dit. « Employez ce style juste et court, dit Mme de Sévigné, qui chemine et qui plaît au souverain degré. »

« Vous me dites plaisamment, écrit-elle à sa fille, que vous croiriez m'ôter quelque chose en polissant vos lettres. Gardez-vous bien d'y toucher ; vous en feriez des pièces d'éloquence. Cette pure nature dont vous parlez est précisément ce qui est beau et ce qui plaît uniquement. »

« Soyez vous et non autrui, dit encore Mme de Sévigné, votre lettre doit m'ouvrir votre âme et non votre bibliothèque. Pour moi, j'écrirais jusqu'à demain, dit-elle à sa fille ; mes pensées, ma plume, mon encre, tout vole. »

Rien ne déplaît comme l'envie de vouloir briller. Les lettres ne doivent pas être surchargées d'ornements ; il suffit qu'elles soient correctes, écrites sans périodes ni cadence, avec la facilité du cœur. Laissez venir tout seuls l'esprit, la saillie, la grâce, l'anecdote.

> En vérité, j'ai bien de la peine. Je suis justement comme le médecin de Molière, qui s'essuyait le front pour avoir rendu la parole à une fille qui n'était pas muette.
>
> (Mme DE SÉVIGNÉ.)

> Je me souviens que mes rivaux et moi, quand j'étais à Paris, nous étions tous fort peu de chose, grands compositeurs de riens, pesant gravement des œufs de mouche dans des balances de toile d'araignée.
>
> (VOLTAIRE.)

On contait hier à table qu'Arlequin l'autre jour, à Paris, portait une grosse pierre sous son manteau. On lui demanda ce qu'il voulait faire de cette pierre ; il dit que c'était l'échantillon d'une maison qu'il voulait vendre. Cela me fit rire. Si vous croyez, ma fille, que cette invention soit bonne pour vendre votre terre, vous pouvez vous en servir.

(Mme DE SÉVIGNÉ.)

Si l'on pouvait avoir un peu de patience, on s'épargnerait bien des chagrins. Le temps en ôte autant qu'il en donne. Vous savez que nous le trouvons un vrai brouillon, mettant, remettant, rangeant, dérangeant, imprimant, effaçant, approchant, éloignant, et rendant toutes choses bonnes et mauvaises, et quasi toujours méconnaissables. Il n'y a que notre amitié que le temps respecte et respectera toujours.

(Mme DE SÉVIGNÉ.)

Nous fîmes bien tous deux notre devoir de vous louer; cependant nous ne pûmes jamais aller jusqu'à la flatterie.

(BUSSY-RABUTIN.)

Quand nous disions quelquefois : Il n'y a rien qui ruine comme de n'avoir point d'argent, nous nous entendions bien.

(Mme DE SÉVIGNÉ.)

Mme de Sévigné dit en parlant de sa vieillesse :

J'ai beau frapper du pied, rien ne sort qu'une vie triste et uniforme.

L'éloquence, même la plus sublime, peut se trouver dans les lettres. Mme de Sévigné rivalise quelquefois avec Bossuet. Voici une lettre où, entre autres choses, elle conte à M. de Coulanges la mort de M. de Louvois; on croirait presque lire une page de l'illustre et grand évêque :

Je suis tellement éperdue de la mort très subite de M. de Louvois, que je ne sais pas par où commencer pour vous en parler. Le voilà donc mort, ce grand ministre, cet homme si considérable, qui tenait une si grande place, dont le moi,

> comme dit M. Nicole, était si étendu, qui était le centre de tant de choses ! Que d'affaires, que de desseins, que de projets, que de secrets, que d'intérêts à démêler ! Que de guerres commencées, que d'intrigues, que de beaux coups d'échecs à faire et à conduire ! *Ah ! mon Dieu, donnez-moi un peu de temps ; je voudrais bien donner un échec au duc de Savoie, un mat au prince d'Orange.* – Non, non, vous n'aurez pas un seul, un seul moment ! Faut-il raisonner sur cette étrange aventure ? Non ; en vérité, il faut réfléchir dans son cabinet. Voilà le second ministre que vous voyez mourir depuis que vous êtes à Rome. Rien n'est plus différent que leur mort ; mais rien n'est plus égal que leur fortune et les cent millions de chaînes qui les attachaient à la terre.

La grande maxime à retenir, celle par laquelle nous résumerons nos conseils épistolaires, c'est qu'il faut laisser aller sa plume et exprimer sans recherche ce que l'on sent. On doit bien savoir ce qu'on veut dire, en prenant la plume pour écrire à quelqu'un. Quant à la façon d'exprimer tout cela, il n'y a pas à s'en occuper, parlez-le à haute voix, et l'expression arrivera toute seule.

Surtout ne vous tourmentez pas pour entrer adroitement dans votre sujet. Le début d'une lettre doit être brusque et sans apprêt. Mme de Sévigné apprend que sa fille a été en danger : « Ah ! ma fille ! quelle lettre ! Quelle peinture de l'état où vous avez été ! » Ailleurs, elle parle d'une lettre de sa fille, qui s'est égarée : « Je n'en ai reçu que trois, de ces aimables lettres qui me pénètrent le cœur ; il y en a une qui ne revient pas. » Une autre fois, elle commence ainsi sa première lettre à sa fille : « Hélas ! nous voilà encore dans les lettres ! »

Il faut également que les fins de lettres soient simples, sans effort. Mme de Sévigné n'est jamais embarrassée pour finir.

« Adieu, ma très chère et très aimable enfant ; je ne trouve personne qui ne s'imagine que vous avez raison de m'aimer, en voyant de quelle façon je vous aime. » Tantôt : « Je suis à vous, ma très aimable, et je ne trouve de bien employé que le temps que je vous donne : tout cède au moindre de vos intérêts. J'embrasse ce pauvre comte : dois-je l'aimer toujours ? en êtes-vous contente ? » Ou bien : « Adieu, je vous embrasse ; mais quand pourrai-je vous embrasser de plus près ? La vie est si courte ! Ah ! voilà sur quoi il ne faut pas s'arrêter : c'est maintenant vos lettres que j'attends avec impatience. »

Dans l'art épistolaire, le mot de Buffon est plus vrai que jamais : « Le style, c'est l'homme. »

En résumé, il faut lire beaucoup de lettres pour apprendre à en écrire.

Nous avons traité sommairement ces deux derniers chapitres. Nous y reviendrons à loisir dans notre prochain livre : *La Formation du style par l'assimilation des auteurs*[1].

1. Antoine Albalat, *La Formation du style par l'assimilation des auteurs,* Armand Colin *éd.*, 1901 et 1991 (collection L'Ancien et le Nouveau).

TABLE DES MATIÈRES

QUATRIÈME LEÇON
DU STYLE

CINQUIÈME LEÇON
L'ORIGINALITÉ DU STYLE

SIXIÈME LEÇON
LA CONCISION DU STYLE

SEPTIÈME LEÇON
L'HARMONIE DU STYLE

HUITIÈME LEÇON
L'HARMONIE DES PHRASES

NEUVIÈME LEÇON
L'INVENTION

DIXIÈME LEÇON
LA DISPOSITION

ONZIÈME LEÇON
L'ÉLOCUTION

DOUZIÈME LEÇON
PROCÉDÉ DES REFONTES

TREIZIÈME LEÇON
DE LA NARRATION

QUATORZIÈME LEÇON
DE LA DESCRIPTION

QUINZIÈME LEÇON
L'OBSERVATION DIRECTE

SEIZIÈME LEÇON
L'OBSERVATION INDIRECTE

DIX-SEPTIÈME LEÇON
LES IMAGES

DIX-HUITIÈME LEÇON
LA CRÉATION DES IMAGES

DIX-NEUVIÈME LEÇON
DU DIALOGUE

VINGTIÈME LEÇON
DU STYLE ÉPISTOLAIRE

Armand Colin Éditeur
103, Bd Saint-Michel
75240 Paris cedex 05
Dépôt légal : janvier 1992

Achevé d'imprimer par
Normandie Impression S.A.
en décembre 1991
N° d'éditeur : 10139
N° d'imprimeur : I1-2066